ちくま新書

世界哲学史 別巻——未来をひらく

伊藤邦武／山内志朗
Ito Kunitake / Yamauchi Shiro
中島隆博／納富信留 責任編集
Nakajima Takahiro / Notomi Noburu

1534

世界哲学史 別巻——未来をひらく【目次】

はじめに

中島隆博

『世界哲学史』全八巻が完結し、現代にまでようやくたどり着くことができた。その歩みを振り返りつつ、この別巻では、これまで十分論じ切ることのできなかった問題を取り上げることにした。

第一に、『世界哲学史』のシリーズは、大きな時間軸と地域軸で切り取るフォーマットにしたために、どうしてもより広がった空間的な概念の連鎖や、より長期にわたる時間的な変遷に関する記述が薄くなりがちであったということである。

第二に、世界の諸地域をなるべく網羅しようとはしても、やはりいくつかの漏れがあったこと、紙幅の都合で記述が薄くなった箇所があったということである。

第三に、企画を立てた後に直面させられた、新型コロナのような感染症をもたらす現代の社会のあり方を、より深く明らかにする必要があったということである。

この三点を充実させるべく、この別巻では一三名の方々にご寄稿いただいた。いずれも気鋭の論稿で、是非これまでの八巻と重ねあわせて読んでいただいて、世界哲学のあらたな可能性に注目していただきたい。

また、山内志朗、納富信留、そして中島の三名で、振り返りの鼎談を行い、その記録もあわせて収録した。一巻ごとに議論を行い、諸論稿がどのように連絡しあっているのか、どのような問題系の上に成り立っているのかを論じたものである。責任編集としての思いもそこでは吐露している。

この座談会を受けて、三名それぞれが、あらためて論稿を書き上げた。山内志朗は、座談会で問われた世界哲学にとっての「辺境」について考えた。納富信留は、世界哲学は従来の哲学の言説とは異なったいかなるスタイルを構想するのか、そしてそれをどう実践するのかを考えた。そして、中島は、世界哲学として日本哲学をより長い時間軸で読み直すとどうなるかを考えたのである。

いずれにしても、世界哲学の旅は始まったばかりである。それはどこかにたどり着けば目的が完成するといった類のものではない。概念の旅に身を任せて、世界哲学という地平に向かって歩き続けること。この実践以外にはない。

井筒俊彦に流れ込んだ言葉を借りれば、これは「花する」という事態ではないだろうか。山内志朗は、花について、地水火風と並ぶ世界のエレメントであると述べている。概念の旅に出るという実践によってこそ、世界哲学は花するのだろう。それは絢爛豪華に咲き誇る花々ではないかもしれない。それでもそこには、哲学の友情が小さな花々の間に感じ取られることだろう。そして、その友情こそが世界哲学の未来を切り開くように思えてならない。

I　世界哲学の過去・現在・未来

第1章

これからの哲学に向けて――『世界哲学史』全八巻を振り返る

山内志朗×中島隆博×納富信留

1 『世界哲学史1――古代Ⅰ 知恵から愛知へ』

†「世界と魂」

中島 『世界哲学史』全八巻を第1巻から順に振り返っていくことにしましょう。『世界哲学史』第8巻の終章「世界哲学史の展望」で伊藤邦武先生が「世界と魂」に触れていますが、第1巻には「世界と魂」というサブテーマがありまして、それぞれの章で、執筆者の皆さんに「世界」「魂」の問題に触れていただきました。その後の巻でもこのテーマは通底してたように思います。

納富 ただ単に共通する概念というだけでなく、「世界と魂」がもっとも古いこの時代の鍵になっているかが問題です。第1巻第1章「哲学の誕生をめぐって」にも書いたように、この時代には枢軸という形でさまざまな大きな哲学の運動が起こりましたが、それはこのテーマとどのぐらいリンクしているのか。一定程度の連関があるし、他の括り方ではない見方ができるという手ごたえはあります。「哲学はインド・中国・ギリシアで始まった」と横並びにして見たとき、そこに「世界と魂」というテーマはきいているのでしょうか。

山内　納富さんも始まりの問題について、繊細に論じていますよね。近代も始まりの問題を問いますが、古代の始まりはそれとはだいぶ様相が異なる。それに応じて「世界と魂」の語り方もずいぶん違ってくるのではないでしょうか。

納富　世界哲学史は歴史である以上、どこかに始まりを置いてそこから語り始めます。始まりを定めるということは、その後の方向性、ヴィジョンが全体として見えているということです。「いつのまにか自然に始まりました」あるいは「いつから始まったのかわかりません」ではひとつの全体像を描けないので、これまでも西洋哲学史ではまず始点を定めて叙述を始めています。哲学史を考えるとき、「何年何月に何かが始まった」とは言えなくても、レトロスペクティブ（回顧的）に、自己規定的な始まりは重要な意味を持っています。そして、わたしの主な研究対象であるギリシア自体が始まり（アルケー）を問う形で哲学を始めています。

他方でヤスパース（一八八三～一九六九）も言っていますが、枢軸の時代にすべてがゼロからスタートしたわけではありません。その前に二〇〇〇年にわたる文明があって、必ずしも一番古いわけではないのですが、そこで同時並行的に基盤ができたことをわたしたちはどう捉えればよいかが問題です。今回並べて見ることで、あらためて謎が深まったような気がします。

ひとつの時代に人間が「世界と魂」を共通に問うことでワンステップ先に進み、新しい知的営みが始まったわけですが、それはいったい何だったのか。農耕が発生し、言語を使い始めるなど、文明がステップアップすることと類比的に考える視点がある一方で、哲学自体が持つ「始まり」を問う視点があり、これが古代を考える上での中心的な問題になると思います。ギリシアだけでなくインドや中国についても、そういった問題を考えることでこの時代が少しクリアになったかなと思います。

†起源としてのギリシア

中島　しばらく前に、納富さんがエジプトとギリシアの関係について東京での国際シンポジウムで発表してくださったことがあります。ギリシアにおいて「始まり」が始まるためには、当然エジプトのことを考えなければいけません。エジプトとギリシアはどうやって分かれていき、ギリシアにおいて哲学が始まるのか。その刻みがすごく大事なわけです。「始まり」を問うのが哲学であるとするならば、「始まり」の始め方が問われていきます。これは一種のリフレクティヴ（反省的）な意識ですよね。この意識があることで、「世界と魂」もまたあるくっきりした形を取って現れてきたのではないでしょうか。

中国でも近代において、孔子（前五五一～前四七九）が始まりなのか、老子が始まりなのかが問われていきました。文献実証的に言えば、老子が始まりということはありえません。『老子』というテキストは、孔子や『論語』に比べるとかなり時代がくだります。しかし、文献実証が問題なのではなく、始まりを問う時に孔子や老子が浮上してきたことに意味があります。エジプトやギリシアと同じように、孔子もそれ以前の議論を引きずっています。孔子もまたそれ以前の儒家の議論から完全に独立しているわけではなく、そこに刻みを入れて、何かしらの「始まり」を始めたとすれば、それはいったい何なのか。

山内志朗氏

第4章「中国の諸子百家における世界と魂」に書きましたが、「世界と魂」というのは自分とは異なるものに対するある態度の発明です。魂というのは、自分ではない何かに到達するためのツールです。世界もそうで、自分だけで自己充足していれば世界という括り方をしなくてもかまいません。ここにも区切りの意識が相当あったのではないでしょうか。始め方についてよく考えていくと、どうしても世界や魂が出てくるような気がします。

山内　「始まり」はギリシアではアルケーですが、それが哲学の起源としてあります。わたしたちが世界哲学史を考える場合、アルケーをどのように捉えるのかは根本的な問題です。世界哲学をまとめる視点にはいろいろありますが、暫定的に作業仮説として見るとどうなるか考えてみたい。ヤスパースが「枢軸の時代」、井筒俊彦（一九一四〜一九九三）さんが「共時的構造化」と言ったように共時的に現れてくるもの、影響史の観点で現れてくるものがある。同時的と言うとあまりにもタイムスパンが短くなるので同時代的と言ったほうがいいと思うんですが、ほぼ同じ時代の中で影響関係を持つような場面があります。そして一〇〇〇年、二〇〇〇年、あるいは一〇〇〇年経ってから現れる歴史的・通時的な影響関係がある。

　世界哲学史で世界の広がりを考える場合、同時代的な影響史を持ったもの、歴史的な影響史を持ったもの、共時的な影響史を持ったものを分けるということを考えてみたい。これまでの西洋哲学史ではギリシアに起源を置き、同時代的な影響、歴史的な影響という視点から考えていましたが、今回はそうではなく共時的に対応するような時空を考えています。つまり世界哲学史を一枚板、ヘーゲル（一七七〇〜一八三一）的な統一的なものとせず、複数のネットワーク、コンフィギュレーション（布置）を重ねて見るという試みだったと思うんです。

中島隆博氏

　先ほどの「世界と魂」という問題で面白いと思ったことが

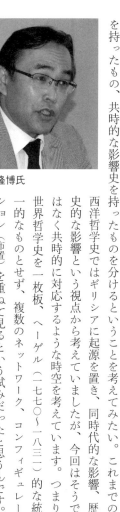

納富信留氏

あります。アリストテレス（前三八四～前三二二）は「存在である限りの存在」という極めて抽象的なものを哲学の起源として置きました。これは哲学とは何かという問題、中国には哲学がなく思想があり、日本にも哲学がなかったという問題ともつながってきますが、「存在である限りの存在」を問うのが哲学であるとするならば、それを問うのは極めてローカルな行為かもしれない。「世界と魂」の関係を考えるということは普遍的で、そこにはおそらくいろんな影響関係、インタラクション（交流）があったんでしょうけど、それが現れたことは大事だと思うわけです。

今回、朱子学について書かれたものを読んでいると、性と情という問題が出てきます。性はラテン語でナトゥーラ（natura）、情はアフェクトゥス（affectus, affect）ですから、本質的にあるものが情として変化して現れてくる。中島さんも第1巻で書いておられるように、性を変化させる。「世界と魂」のほうを哲学史の基本として見たほうが、いろいろなものを包括できるのかなと思います。ですから世界哲学史を考える場合、第1巻はとても大事な始まり方をしたのではないかと思います。

†生きる原理としての魂

中島　そうすると、わたしたちは象徴的な始め方をしてしまったのかもしれませんね。山内さんがおっしゃったように、ギリシアが哲学の起源とされることには歴史的な背景がある。そこには近代的な見方も強烈にあったわけですが、しかし、そういう見方だけでギリシアに起源が置かれるわけではない。わたしたちはギリシアのそういうイメージを更新しなければいけないと考えていました。ギリシアの語り方を変えることが、起源の語り方を変えることにつながるのです。

いま強調していただいたように、中国の概念である性は、普遍的に変わらずにある本質というよりも、それ自体が変化するような「生のあり方」です。これはラディカルな考え方だと思いますが、これは古代を見ていくと案外と共有されていた考え方かもしれません。

納富　ギリシアという二四〇〇年ほど前の数世紀が常に焦点になっていますが、これは一九世紀以降からの西洋中心的、アーリア人的なギリシアという偏見を正すという単純な問題ではありません。山内さんが言われたように、ギリシアは中世においてすでに大きな伝統を持ち、いろいろな意味で屈折した存在であり、「現代の見方は間違っているからストレートにギリシアに戻りましょう」というような単純な話ではない。ギリシアを焦点として起こった歴史を通時的に捉え、古代後期に何が起こったか、中世あるいはイスラームで何が起こったかということまで含めて、もう一回捉え直さなければいけません。「起源がこうだったから」と二一世紀から一足飛びにギリシアに飛ぶこと自体、あまり生産的ではないのです。

山内さんがおっしゃった「あるものとしてある」というのは抽象度が高いし、それが哲学だと言われてしまうと一般の人たちはなかなか入れないかもしれません。わたしたちはその感覚をどう考えるか。「世界と魂」ということであれば、アリストテレスもプラトン（前四二七〜前三四七）もまさにその只中にいた。そこに引き戻して考えるのはひとつの方法だと思います。しかし他方で「世界と魂」という問題を突き詰めるならば、「ある」「ロゴス」といった形に収斂した現場が見えてきます。単純に西洋が特殊だと片づけるわけにはいかないし、アリストテレスの哲学もそういう形で吸収しきれないものがたくさんある。

山内さんが第3巻第1章「普遍と超越への知」で書かれているように、中世の超越に対してギリシアの超越というのはなかなか微妙で、位置づけが難しい。ギリシアにおける超越、パルメニデス（前五二〇頃〜前四五〇頃）以来の超越という問題をどう捉えるか。アリストテレスにおいても超越につながるような思考と地に足がついた思考が交錯していて、そんなに純粋なわけではないからです。たとえば「あるものとしてある」の考究は観念的な感じがしますが、アリストテレスにとっては、ここにいるひとつの生物が生きていることが「ある」ということです。

まさにその「ある」を捉える現場が、その問いなのです。「ある」というのはわたしたちが学問として捉えるような形式性ではなく、魂であり世界でした。それが先ほど共時的とおっしゃったところにどのように広がっていくのでしょうか。

中島　生きる原理としての魂と捉えてみると面白いと思います。哲学は抽象度の高い概念の処理にとどまらず、アリストテレスがそうであるように、生きる原理にも触れています。そういう観点からもう少し魂を摑まえてみたいですね。

†霊・魂・魄

山内　アリストテレスは幅が広く、最高に抽象度の高い観点から物事を考えています。『ニコマコス倫理学』では「あまり厳密なものを求めてはいけない」と言っている一方で、生物学の考察ではとても細かいところにまで目が行っている。抽象性から具体性までの全存在領域を覆うとんでもない天才ですよ。イブン・シーナー（九八〇～一〇三七）ほどの天才でもアリストテレスの『形而上学』を読んでもまったくわからなかったので、四〇回ぐらい読んで丸暗記したそうです。若い頃、一回暗記しているのであとは読み返す必要がなかった。それに関して頭の中で何度も注釈を繰り返す。アリストテレスはそれぐらい幅が広くて面白い。抽象度の高さと具体的なものに対する眼差しの細かさが両立し得たというのはとんでもないし、どう評価していいのかわからないぐらいなんですが、そういう人が哲学を形成したわけです。

中世を研究しているとキリスト教的な枠組み、ユダヤ教的な枠組みがあり、これらとアリストテレスをどう結び付けるかでトマス・アクィナス（一二二五頃～一二七四）などは苦労するわけですが、その時の原理として魂に対して霊、プネウマ（pneuma）というのがある。そしてユダヤ教・キリスト教においても、ルーフ（rūh）、ルーアハ（rūah）という普遍的な魂の原理が出される。ルーフとプシュケー（psyche）、つまり霊と個別的な魂との関係について語るのは大変です。吉沢伝三郎（一九二四～二〇〇三）さんは「ギリシア哲学（ヘレニズム）はプシュケーを中心とするが、キリスト教（ヘブライズム）はプネウマが中心である」とまとめられていて、なるほどと思いました。

第1巻では対抗軸として霊・魂の両方が出てきている。これはその後の宗教の哲学との関わりについて暗示しているようで、面白いなと思いました。

納富　魂（プシュケー）については昔、ブルーノ・スネル（一八九六～一九八六）が問題提起をしてからいまだに論争が続いていますが（B・スネル『精神の発見』創文社、第一章）、これは単一の概念ではない。ホメロス（前八世紀頃）には魂を表す複数の単語がありましたが、おそらくソクラテス（前四六九頃～前三九九）の時代にそのうちのひとつ、プシュケーという単語が中心になったのです。それが統一的な実体としての「魂」です。

今回、わたしたちはその「魂」という単語を念頭に置いて使いましたが、エジプトは初期段階にあり、いろいろな概念がある世界でした。そして中国やインドでは、西洋がプシュケー、アニマという単語でまとめるのとは違う形でそれと共通するものを捉えていたのではないかと思います。今回はそこをあまり問わず、執筆者の方々には他のすべての文明についても「魂」という単語を使っていただきました。たとえば、インドにおける魂の概念とギリシアにおける魂の概念は違うという議論は必ずしも生産的ではありませんが、魂に焦点を当てるのであれば、そのあたりについても詰める必要があります。中島さんは中国がご専門ですが、魂魄というのは魂とはちょっと違うから、そういう場面ではその語は使わないのではないですか。わたしたちがまとめる時は魂という語で構わないと思うのですが。

中島　中国にもいくつかそれを表す言葉があります。ご指摘のように、魂《こん》というのがありますし、それと対応する魄《はく》という言葉もあります。魂は天に向かって昇り、魄は地に向かって帰ると言われます。このような中国の議論を見ていますと、魂については、それ単独で論じられるというよりは、何かと対話していて、複数の概念の間で論じられることが必要だという気がします。たとえば魂と魄という二つの概念のセットを通じて考えるということです。

また、魂の系列には心という概念もあります。これもどう訳していいのかわからないですね。ギリシア語のプシュケーも心と訳される場合がありますが、そう訳したとしても、そもそもわたしたちは、その心が何であるのかがよくわかっていません。理解が成立するためには、その概念が単独で何を表すかというよりはむしろ、どのような違いの中で成立しているのか、どういう他の概念と対になって成立しているのかを見ていく方がよいのではないでしょうか。そうすると、どういう問いが立っているのかが見えやすいですね。つまり、単独で見るよりは、配置の中で、その語のはたらきを見ていったほうがいいかなと思います。

†世界という概念

中島　それもあって第1巻ではあえて「世界と魂」と配置したサブテーマを設定したわけです。魂を単独で論じるよりも、世界がどういう形で成立するのかとつなげて論じたほうが見えやすいのではないかと思ったのです。

世界の方はというと、たとえば「世界は創造されるものだ」という強力な考え方があります。世界は最初からあるのではなく、つくられるものだということですね。では、そこで魂はどのように出てくるのでしょうか。もし創造とは違う形で世界を設定したならば、魂についてどのように語ることができるのでしょうか。

このように考えていったほうが見やすいように思います。もちろんこの古代において「世界」と名指された概念はありませんし、そういうふうには摑まえていないのでしょう。それでも、いま、わたしたちが世界と言っている概念に重なるものはあるわけです。

山内 世界という概念はラテン語では、なかなかぴったりの言葉がありません。たとえば世界哲学というのをラテン語で言おうとする場合、philosophia mundi だと世間に関する学問になってしまう。現にドイツ語で哲学は Weltweisheit、世間知と訳すわけですよ。

世界という概念について、わたしたちが思う統一的なイメージというのはない。わたしたちは「世界とは何か」と本質規定的に問うけれども、これは他の概念との相関関係、コンフィギュレーションでできている。だから世界を問う場合、魂との関連でどういう配置になっているのかを見ることはとても大事だと思っていて。ひとつひとつ見るとバラバラになってしまうんですが、コンフィギュレーションとして見ると対応関係があったりする。古文辞学、文献学の発想で、その当時に戻ってテクストの中に入らないと見えてこないところもある。そうすることで初めて、概念相互間の関連が見えてくると思います。

納富 ギリシア以外の文明でも同じような知的な営みを行なっていたことはわかっていますが、西洋哲学に関して言うと、単語を与えてそこから考え始めている点が重要だと思うんです。たとえば「宇宙（kosmos）」という単語はもとは「秩序、飾り」という意味でしたが、ピュタゴラス（前五七二～前四九四）がこの意味で最初に用いたと言われています。いろいろな文脈の中で言い表しがたいことに概念を与え、腑分けして定義して議論する。これは哲学の形を作るうえで重要なことで、そこではみんなが概念を共有して使えるというだけでなく、その概念をめぐって対抗的な思考が成立してきます。

古代の諸文明では、必ずしも世界は創造されたのではなく、アリストテレスが言うように昔から、永遠の原動力が永遠の動きを引き起こしている、あるいは世界というのは自然発生的にものが動いてできたのであって、誰がつくったわけでもないといったさまざまな議論がありました。そういった対抗的な布置も踏まえつつ、創造（creatio）という単語によって世界とは何かを議論の俎上に載せていくのです。わたしたちが生きていくなかで抱く漠然とした見方の中で、いくつかのパターンの世界観に収斂する方向に向かっていたようです。布置を扱うのは難しくて「いろいろな概念といろいろな文脈がありました」という話では終わりません。そこからわたしたちがどう考えていくかという諸モデルの場として重要なのだと思います。

†概念化で世界を変える

中島 ジル・ドゥルーズ（一九二五〜一九九五）が「哲学とは何か」を、猛り狂う晩年に問うていました。あれだけ哲学に対して批判的なまなざしを持っていたドゥルーズですが、「哲学とは概念を創造する学問である」ということだけを譲りませんでした。では、概念を創造するとはいったい何をすることなのか。それはただ、自分が思いついたことを投げ入れればよいというのではなく、それによってある関与をするということだと思います。概念は関与しなければ意味がなく、関与することによって、世界の布置を変えていくのです。このような変化の力を生み出していくのが、概念の創造だと思います。概念化して、それを関与的に使ってみると、世界への見方が変わる。あるいは新しい概念と組み合わせて複合した概念をつくってもいいと思いますが、それによって世界そのものを変えていくことまであるかもしれません。

先ほど山内さんに「性を変える」ことに言及していただきましたが、やはりある種の変容が、世界にも魂にも必要なのではないでしょうか。古代を通じて見ると、その感覚があったように思います。それがどのぐらいの程度であったのか、どういう関与をしたのかを計測してみることが重要だと思います。

納富　「世界と魂」というのはその中間にある感じがします。これらは完全に概念化されているとは言えないから、特定の思想や哲学者でなければ受け入れられないわけではありません。むしろそれぞれの文明や哲学者によって概念化はすでに始まって、形をとってきています。ですが、近代以降のような先鋭な哲学概念ではないところで、わたしたちが考える問題として「世界、魂」という単語がすでに動き始めていて、それが生まれる寸前まで来ているのです。そこで網を張っているからこそ見えてくるものがあると思っています。

中島　たとえば中国で言うと、先ほどの natura という言葉はなかなか訳しにくいですね。本性・本質を意味する「性」で訳すことができますが、それはもともと「生のあり方」という意味で捉えるものです。この強く新しい「性」という概念が出てくるためには、それこそ「世界と魂」という言葉で指し示される場においてだったと思います。「性」という概念が単独でどう振る舞うのかを見るよりも、そういった場と一緒に見なければいけません。そしていま、納富さんがおっしゃったように、世界・魂というもの自体を概念化する動きもあります。だから同時にやらなければならないのですよね。「世界と魂」は場の概念であると同時に、それ自体を洗練しなければいけない概念でもあります。そのあわいで面白いことが起きるのかなと思います。

納富　二つあると面白い動きが出てきますね。

中島　プネウマやプシュケーにしても、その両方の動きがあると思います。それ自体を概念化すべきであると同時に、他の概念を支えているというわけです。その両方を見ていくといいいかなと思います。

2　『世界哲学史2――古代Ⅱ　世界哲学の成立と展開』

†ローマ時代の評価をめぐって

中島　第2巻ではローマ、キリスト教、大乗仏教、古典中国などについて論じていて、同じ古代でも風景が少し変わってきています。ギリシアからローマへの流れや、キリスト教の成立がそうですが、概念の大きな旅が始まった時代かなと思います。第2巻について、どのような考えをお持ちでしょうか。

納富　第1巻で取り扱った時代ではいろんな思想が爆発的に出てきましたが、それはまだ定着してないのですよね。同時代の人たちから見たらプラトンもアリストテレスも、今は注目されない思想家たちと同じようでワン・オブ・ゼムにすぎません。その彼らの哲学が受け継がれて中心となり、徐々にギリシア哲学が形をとったのだと、一応、そういう時代と位置づけました。中国では諸子百家の時代から儒学が成立する時代までに対応しますし、大乗仏教もそうですね。そういう大きい括りがよいのかどうかという問題もありますが、始まりはただ「始まっちゃった」というだけでは済みません。

山内　そうそう、それじゃすぐに消えちゃうから（笑）。

納富　結局、始まりを始まりたらしめるのは地味で目立たないものです。ローマ時代の哲学はここ三、四〇年の間にようやく注目されるようになりました。それまでは古代哲学研究者の間ではほ無視されてきて「こんなつまらない時代はない」と思われていたのですが、最近では大きな注目を集めています。教父哲学についても「キリスト教哲学だったら中世のスコラでしょう」と捉えるのではなく、ギリシア教父とラテン教父の違いなど、アウグスティヌス（三五四〜四三〇）以外のさまざまな人たちに注目しています。始まってしまったさまざまな思索を、地理的にも言語的にも複雑な状況で動かしながら洗練していく。そういう重要な時代でした。

じつはわたしたちはこの時代に一番負っているのではないでしょうか。ギリシア哲学で今日に伝承された文献はほとんどこの時代のもので、これ以前の文献は限られます。つまり、わたしたちは文献としてローマ時代のものを持って使っているわけですが、そのあたりをどう評価するのかが問われます。哲学の場合、新しい学説を唱えた人や理論を体系化した人など、ビッグネームが主流になりますが、「ローマのビッグネームはせいぜいプロティノス（二〇五〜二七〇）しかいない」と評価するのはどうなのでしょう。世界哲学史を考えるとき、わたしたちはこの時代に対してどのような態度を取るべきなのか、考えてみたいです。

中島　納富さんが第1章「哲学の世界化と制度・伝統」に書かれたことを読むと、この時代に学園とテクストが成立するわけです。これはある種の制度化の問題ですね。哲学は始まっただけでなく、ある仕方で制度化されていく。もちろん制度化というのも、いま考えるような制度化とは違うかもしれませんが、ある仕方で制度化されてそれが他のところで共有されていきます。制度化されないと共有されないわけです。これにより哲学はあちこち旅をし、共有されるようになっていく。それをどう評価するのかということですね。

山内　哲学史の中で見るとローマ時代の哲学は地味なものと見られがちなのですが、この時代はいろんな意味でターニングポイント、起源になっていると思うんです。まず、世界宗教がこの時期に現れた。キリスト教、イスラームに加えて、その少し前ではありますが仏教が現れた。あと、コスモポリタン（世界市民）的な発想が出てきて、世界哲学がまさに概念として現れた。

また、わたしのように中世を研究している人間から見るとアフロディシアスのアレクサンドロス（二世紀）、キリキアのシンプリキオス（五〜六世紀）などといったアリストテレスの注釈者たちはすごく地味なんだけど、一見するとスタティックなものに見えがちなアリストテレスの哲学が新プラトン派と混じりあってすごく力動的になり、政治学までつながってくる様子が見えてきてとても面白い。コーネル大学出版会から『古代アリストテレス注釈者全集』がリチャード・ソラブジ（一九三四〜）の監修のもとで、網羅的に英訳が進められています。そういった古代の注釈はイスラーム哲学にとても大きな影響を及ぼしていて、それらの様子が分かるようになりました。ファーラービー（八七〇頃〜九五〇）もそうですけど、そういったものが西洋中世につながっていく。

ここでは誤解されたと言ってもいいんだけど、逆に駆動力を備えた形でアリストテレスの哲学が伝わっていく。料理で言うと素材として美味しいものを一生懸命下ごしらえして、美味しい料理として出てくる場面。つまりこの時代はレストランの調理場ですね。わたしはそういう感じを持っています。

†宗教の制度化

山内　ではローマ時代の哲学をどう概念化すればいいのか。この時代は宗教が現れてきて、魂の救済が言われるようになった。現世において救済されるのか、それとも死んでから救済されるのか。それとも天国においてそれがなされるのか。そこにはいろんなパターンがあって魂の救済が出てきますが、それを宗教だけに限定してしまっていいのか。わたしはそれに躊躇してしまうんです。

キリスト教にはオイコノミアというパウロ（?〜後六四頃）が出した概念があります。オイコノミアは「経綸」と訳されますが、この世界をオイコス（家）として捉え、どうにかやりくりして回していく。イエス（前四頃〜後三〇頃）が十字架にかかり、犠牲になることで人類を普遍的に救済するという救済の道筋を示す概念です。ここで神の子救済のプログラムが現れるわけです。そしてストア派のアパテイア（心の平安）も宗教を前提としたものです。魂と世界がどう関わっていき、どう終末を迎えていくのか。ここでは世界との関わり方、魂と世界の関わり方が語られているのではないか。わたしは、この時代にオイコノミアとしての思想が築かれていったと考えています。

中島 それはすごく面白い。この時代にはローマ帝国、漢帝国があり、古代帝国がようやく成立し始めます。これは重要なことだと思うわけです。一方で宗教的な救済がテーマになるのですが、他方で地上的な救済が問題にならなければ、古代帝国は出てこなかったのではないか。これは王権と神権の関係で整理できますが、王権が帝国という形で成立するというのはすごいことです。それまではそういう制度化はなかったわけですから。帝国として王権が制度化されるとともに、世界宗教という形で宗教が制度化されていく。じつは、これはパラレルなのではないか。なるほど、そう捉えてみると、この制度化には重要な意味があるということですね。

いまオイコノミアという概念が出てきましたけど、キリスト教の中でオイコノミアは「摂理」とも訳しますよね。ということは、これは経済的な原理であると同時に、魂の救済・神の秩序でもあることになります。古代帝国においては、その二つの系列が同時に登場してきた。そうすると、帝国の原理の正統化を馬鹿にしてはいけない気がしますね。ローマ帝国と漢帝国、これがほぼ同時期に成立していることの意味は案外大きいような気がします。

納富 帝国といえば、政治史・社会史との連動も気になるところです。『世界哲学史』では中世から近代のことについては山内さんや伊藤先生が書かれていて、ヘーゲルのように絶対精神が展開するのではなく、世界のさまざまな政治・社会・経済機構が動くことが個々の時代の転機となり、それが思想状況をガラッと変えていることが見えてきます。

古典期のギリシアとローマ時代では世界の見え方がかなり違うと思います。プラトンとアリストテレスの時代は、アリストテレスの『政治学』にあるように小さな村が集まってポリスになっていた。ポリスは最大の自足的な単位で、その上は宇宙になってしまう。そしてプラトンも個人・ポリス・宇宙という三層構造で考えていて、入れ子的な形である種の秩序が成り立っていた。それが、ローマ時代になるとその枠が取れてしまう。帝国といっても広すぎて、みんな投げ出されてしまうのです。コスモポリテース（kosmopolitēs）のkosmosには世界という意味がありますが、その他に宇宙という意味もあり、「わたしたちは宇宙の中にいるひとりの存在者である」という視野に置かれてしまいます。そういう感覚は中国で言えば秦・漢のあたり、ギリシアの場合はアレクサンドロス（前三五六～前三二三）の帝国とローマのあたりで大きく変わってしまうようです。

救済の問題については、ローマ時代にたくさん新しい宗教が出てくる。わたしたちの生きる実感と時代のうねりとともに、ポリス・共同体の倫理ということでは説明できないような実存的な次元が出てくる。つまり「世界と魂」で捉えられる時代からパッとはじけてしまうというか。紀元後の数世紀で、そういうことが世界的・同時的に起こったと考えてよいと思うんです。

ローカルというと狭く聞こえるかもしれませんが、普遍性がありながら個々の地域が持っていたものを解放し、共有させるような動きがあったのです。

中島 わたしたちが思っている以上に、当時は交通が激しかったということですね。

納富 そうです。情報もちゃんと行っていましたし。

†テクストの確定とカノンの成立

中島 制度化について考えていくとき、テクストの問題も大事になってきます。第2巻でも多くの方々がテクストの問題に焦点を当ててくださっています。たとえば下田正弘さんは「教団なんかない、あるのはテクストだ」とおっしゃっていますが、これは説得力がありますよね（第4章「大乗仏教の成立」）。もちろんテクストをつくった人たちのグループはあるのでしょうが、とにかくテクストというものが浮上してくる。中国でもそれは同じです。漢の時代にはいろいろな学問的な動きがあってテクストを確定していったのですが、その熱量はかなり大きいものがありました。それがなければ儒教の「国教化」はできないわけです。テクストをカノン（経典、正典）として確定していく動きがあちこちで起こったということです。

納富 現代は注釈という文化が残っていないのでイメージしにくいのですが、まずテクストを紙面の真ん中に置き、その周りに注釈を書く。中国では、大きな文字と小さな文字で書き分けますよね。注釈というのは自分の考えを書くものではなく、真ん中に据えたメインテクストをめぐって加えられます。たとえばアリストテレスの文章をそのまま読んでも全然意味がわからない場合、それを敷衍《ふえん》する。そこでは一人一人の注釈者がオリジナルに敷衍してるのですが、それを共有財産として受け継ぐことで学派・流派ができます。

現代の人から見るとアリストテレス、プラトンのテクストを確定する作業と注釈する作業は別に見えてしまうのですが、これらはじつは一体化して進んでいる。逆に言えば、理解できないテクストをただ写しているだけではないのですね。ユダヤ教の経典でもそうだと思いますが単に大昔からのテクストを書き継ぐのではなく、それをどう理解するか。注釈とはそういう関与的・創造的な営みであることを忘れてはいけません。

山内　カノン、正典をどうやって確定するのかが大事になります。キリスト教の場合も聖書の成立には時間がかかりました。正典とは何かということを考える場合、正統・異端という問題も関わってくるわけですが、正統・異端を根拠づけるのはテクストです。テクストとそこから現れてくる思想は行ったり来たりしている。そこが大事なのかな。

中島　ここからテクストの時代に入るわけですが、中国には経書というテクストが複数あるわけです。ひとつのテクストだったらいいのですが、複数ある場合はそれぞれに齟齬があって、しかしどれもカノンである経書なわけです。その間をどう調整するかが問題になります。

納富　複数ある場合でも、いろいろなパターンがありますよね。同一のテクストで複数のバージョンがある場合とか、同一の著者の中で相容れないことを言っている複数のテクストがある場合とか、あるいは学派の中の多様性とか。

中島　テクストをカノン化していく時には、どうしてもこの複数性の問題に直面せざるをえません。一方で帝国はある種の全体秩序を見たいので、何とかひとつにまとめ上げたい。ところが、まとめあげようとすればするほど、根源的な複数性に開かれてしまう。わたしはこのパラドックスは大変面白いと思っているんですが、そのあたりについてはどうお考えでしょうか。

山内　テクストがあった場合、テクストが書写されていくうちに多岐に分かれていってしまう。テクストが区々多様になるのは単語レベルかもしれないし、スペルのレベルかもしれない。特にラテン語の場合、七、八世紀になると混乱し、ちゃんとしたラテン語を話せる人がいなくなるほどだった。そこで正しい文法や活用法をちゃんと覚えている人、アルクィヌス（七三〇頃～八〇四）とかが出てくる。そこでは文法的に正確であること、テクストを正確に理解して再構成できることが大事になってくる。いろいろな解釈が出てきた場合、「解釈が一〇通りあります」と言うのではなく、時々「一番正しいのはこれです」というように、権威を持った人が確定する作業が必要です。

†正統性と哲学の連続性

山内　中世の始まりについてはいろいろな考え方がありますが、カロリング・ルネサンスにおいては正統なものと正統ならざるものを分ける権威を持った人、ギリシア・ローマ以来の伝統をちゃんと継承している人が出てきて、人々が「ああ、あの人が言うなら正しいだろう」と思えるような解釈が出てきた。中世が中世たりうるのは、そういったテクストのカノンをちゃんと探せる能力を取り戻したからではないかと思います。ヨーロッパの場合、中世つまり八〇〇年頃になってようやく地中海沿岸のギリシア、ローマの伝統がアルプスを越えて北、つまりヨーロッパに伝わっていく。古代文化のアルプス越えというのは世界哲学の観点から見ても重要です。ここにはある種、非連続的なところがあるわけですよね。中国の場合だと、そこはちょっと違うんじゃないかなと思って。

中島　そうですね。いまおっしゃった文法は実に重要です。中国では文法を含んだ文字や訓詁の学を小学と言いますが、この小学という学問が出てこないとテクストのしっかりした確定ができません。ですからこれは重んじられていきます。インドもそうで、サンスクリット文法というのはけっこう早く成立しました。

納富　古い言語は、基本的に普段は使いません。ラテン語もそうですが、ギリシア語だって時代が下ると古典ギリシア語のアッティカ方言で人々は喋れなくなってしまいます。ですから言語を学び運用するために文法はやはり必要です。テクストの多面性、つまりひとつのテクストのバリエーションとテクスト確定の問題がある一方で、複数の注釈がある場合もあります。カノンに関しては後者の問題が大きいわけです。アリストテレスの場合、著作がたくさんあって、しかもその中に偽作と言われているものも含まれます。注釈をするうえでこれは大きな問題ですよね。プラトニストがプラトンの著作について考える時には、一つ一つの対話篇が世界をつくると考えていました。さらに、多元的にいろいろなものがあるというのだけではなく、こういう順番で読まなければならないとカリキュラムを組みます。そういう形でテクストの多様性を整理する仕方がありました。

いま山内さんがおっしゃったように「これは正しくてこれは間違っている」という注釈もあるにはあるのですが、そこにはある種のランク付け・順番があります。「こちらが高くてあちらが低い」というのではなく、わたしたちが読み、学んでいくうえでのある種の秩序・順番があると考えるわけです。たとえばプラトン著作集でこれを最初に読み、次にこれを読むというように。アリストテレスの注釈者はほとんどプラトニストでしたが、プラトンを読む前にアリストテレスを読まなければプラトンの思考に迫れないから、まずアリストテレスを読むと考えていました。そうしたかたちで多元的なテクストが受け継がれ読まれたのです。

現代のように正確なリプロダクションがあるわけではなく、混乱した中でひとつのテクストにどう接していくか。そこにはいろいろなモデルがあり、さらにその中であるテクストがカノンに入ってきたり出ていったりする。硬直しない形で伝統を展開させるという意義もあったと思います。多元性というのはなかなか理解が難しいですが、わたしたちが考えているようにすべてバラバラで水平的なものではありません。濃淡の付け方がそれぞれ違うのです。

中島 仏典だってそうですよね。どの順番で仏典を読むか。

納富 中核的な仏典なのか、それとも周縁的な仏典なのかという違いもあります。

中島 中国の経書でもそういうことを考えています。たとえば漢では『易』の位置がどんどん上がっていく。テクストが整備されていくにつれてある種のヒエラルキーがつくられ、分節化されていくのです。わたしたちが思った以上にそのことの意味は共有されているのかもしれません。

納富 その中には現代のわたしたちが直接受け継いでいるものもありますが、現代ではほとんど読まれなくなったものもありますよね。『カルデア神託』や『ヘルメス文書』といった偽作も含めて、そういうものはたくさんあります。近代の文献学者が判定したように、それらはある時代に作り上げられたことは間違いありませんが、現代人が当時のことを見る場合、それらも収める視点がなければ過去の世界に入っていくのは難しいとも思います。

中島　あと、先ほどおっしゃった正統の問題は大事だと思います。テクストを確定することと正統であることとの関係は大きいものがあります。中国でも漢の時代、正統の議論がひとつのピークを迎えます。王権さらには皇帝権という政治的な権力が正統であることを何が担保するのか。これに対して、いろいろな案が出てきて、五行説などもそのひとつです。そして、漢は武帝（前一五六～前八八）の時に頂点を迎えるのですが、その武帝は、紆余曲折があるのですが、儒教を正統性の根拠としようとしました。正統性の根拠とするためには、テクストを確定しなければなりません。そういった作業をやってきたわけですが、同じようなことがローマや他のところでもあったのではないでしょうか。ところが、正統の問題は究極的には解決されないわけです。正統には究極の根拠がない。そういうパラドックスがありますよね。ギリシアにしてもキリスト教にしても、究極の根拠は想定できない。この矛盾についてどう思われますか。

山内　そうですね。ちょっと時代が後になってしまいますが、西洋的な中世だと世俗支配権（皇帝権）と聖職権（教権）があり、これらは相互依存的というかコラボレーションしている。皇帝権は神から聖職者を通じて与えられており、聖職者も現世の中で行政権を持つために王によって支えられているという寄生関係がありました。ローマ時代にはキリスト教が国教になることにより、宗教的なものと世俗的なものの共犯関係ができあがる。これが中世までを支配している根本的な図式です。イスラームのように初めから宗教と世俗が融合しているような宗教はまた違うんだけど、キリスト教の場合、最初は分離していたものが手を組んだ。これは仏教とも中国ともまた違っていて、そこがとても面白いなと思うんですけど。

納富　中国はすこしパターンが違うのではないかと思っています。中国では王朝が変わりながらも政治と宗教、文化・哲学がかなり連続している。正統性という点で考えると儒教なども連続的ですが、西洋の場合、キリスト教の支配において「異教」となったギリシア・ローマには連続性がいったん切れています。プラトンやアリストテレスの注釈は、キリスト教の聖書をカノンとして整備するのとは性格が異なりますが、ビザンツではプラトンやアリストテレスを読む教育がずっと生き残るわけです。先ほど山内さんがおっしゃったように、宗教と政治が絡んで正典化するという動きはキリスト教だけでなく、哲学でもそれなりに強い形で残っていたようです。

中世では哲学者というとアリストテレスを指すようになりますが、では、アリストテレスの哲学における権威とは誰なのか。神聖ローマ皇帝がそれを権威づけたわけではありませんし、キリスト教の教皇（ローマ法王）が権威づける必要もない。そこでは二項対立ではなく三項対立になっていた。中国では王朝が変わっても政治・宗教・哲学がそれぞれ連続していますが、西洋では様相が異なっています。

†ビザンツと東方世界

中島　この『世界哲学史』のシリーズが面白いのはビザンツ（東ローマ帝国）を強調したことです。これは西ローマ帝国とはだいぶ編成が違う世界です。とかくヨーロッパは一括りにされがちですけど、そんなに単純なものではない。じつは中国も多くの時代で分裂していますから、別に連続性はないんですよ。

納富　たしかに、ひとつの大きな国が続いてきたわけではないですね。

中島　そうそう。だから厄介なんですよね。インドから仏教が入ってくると、唐では仏教で国を基礎づけようとしました。仏教はまさに異教なのに、それで国を基礎づけられるのか。これはなかなか悩ましい問題です。そして日本はそれを模倣していくので、二重に厄介なことが生じました。

山内　中国では普遍性をもつものとして哲学を捉えてきたけれども、いま中島さんが言われたように国家の分裂などいろいろあったわけですね。ヨーロッパもアルプスの南のほうはラテン文化圏、北のほうはゲルマン文化圏で、九世紀になって初めて古代の文化がアルプス越えをした。つまりこれは、ビザンツのほうの文化とは違うわけですね。ビザンツについてはあまり研究が進んでおらず、わたしたちの知識は少ないわけですが、たとえば『ローマ史再考』（NHK

ブックス、二〇二〇年）を書いた田中創さんはそのあたりの専門家です。ビザンツの伝統において政治的な運営を根拠づけるために東ローマ皇帝はキリスト教の議論を用い、四五一年のカルケドン公会議で三位一体説を正統として確立し、自らを権威づけた。ヨーロッパは決して一枚岩ではなく、北と南、東方もあるわけですが、いままではそういうことが強調されてこなかった。

納富　今回のシリーズでは、そのあたりがまだ力不足かもしれません。日本では東ヨーロッパの研究者が少ないこともありますが。あと、最近もキリスト教vs.イスラームのような対立図式がすぐ話題になりますね。しかし、そこでは基本的に西ヨーロッパのカトリックvs.イスラームという図式があるわけです。

山内さんが担当された巻でも、ギリシア文明がイスラームを経てきたという歴史理解には、大きな歪みがあるように考えています。もちろん、アラビア語経由のギリシア哲学の西欧への導入にインパクトがあったことは間違いありませんが、忘れていけないことに、アリストテレスの著作は全部ギリシア語で伝わっていて、現在でもギリシア語から翻訳して読んでいます。イスラームの人たちはギリシア語を読めませんでしたから、アリストテレスの写本と中世の注釈は基本的にはビザンツで書かれました。ところが高校の世界史の教科書には「ギリシア文明はイスラームを通じて西洋に入ってきた」と書いてあるから、「アリストテレスはアラビア語から入ってきた」と思っている学生が多いようです。アリストテレス哲学を全体としてギリシア語として伝えたのはビザンツだということは、あらためて認識すべきでしょう。

わたしたちは世界史的に、地理的にも時代的にも真ん中にあるビザンツを無視してきました。西ヨーロッパ、いまで言うEUとイスラーム圏の間に東欧やトルコ、ロシアの問題がある。そこがわたしたちも十分に論じ切れなかった領域です。ヨーロッパにおける東西問題というのは歴史的・思想的にも大きい。東の問題を考えればアジアにもつながります。ギリシア文明はインドや中国、日本にもけっこう入ってきているわけですが、それを除外して西ヨーロッパのカトリック的なものとイスラームの対立にばかり焦点を当てると、過度に単純化した図式に終わる危険性があります。今回は第3巻の袴田玲さんの論考など、いくつかの視点は入れましたが（第2章「東方神学の系譜」）、やはりもう少しあったほうがよかったですね。

山内　そうそう、もっと書いてほしかったですね。第3巻で袴田さんが書いていますが、東方キリスト教（東方正教会）はアウグスティヌス的なモデルとはかなり違っている。アウグスティヌスは人間の原罪や罪深さを強調するけれども、東方はタボル山上でのイエスの変容を重視します。イエスが光に変じていき、弟子たちも光に変わっていく。つまり人間そのものの中に神が宿っていて、ここでは世界と魂の関係がかなり違うモデルになっている。そういう東方的なものがロシアに行ってロシア思想史につながっていき、ドストエフスキー（一八二一～一八八一）

の小説のテーマ・思想にもつながっていく。西方（カトリック）と東方では人間の基本的な見方も神学的な枠組みもかなり異なっています。これは井筒俊彦さんの『ロシア的人間』で展開された問題ですが、『世界哲学史』ではロシア的なものについてはあまり取り上げられませんでした。

納富　第2巻で土橋茂樹さん（第9章「東方教父の伝統」）、第3巻で袴田玲さんが書かれたところまで、つまり東方キリスト教の初期については日本でフォローがあるのですが、中期以降、ビザンツの後半とその後の経緯については研究がほとんどありません。ロシアについては第7巻で谷寿美さんにコラムを書いていただきましたが（「一九世紀ロシアと同苦の感性」）、井筒さんはそこについては先見の明がありました。思想的にも文学的にも、彼の時代の人たちにとってのロシアは現在感じられるよりもはるかに大きな存在だったのでしょう。

あと正教（Orthodox）にはギリシア正教、ロシア正教、アルメニア正教などがあって共通したものを持っていますが、これらはそれぞれローカルで言語も違います。そこではローマ法王が全部号令をかけるというのとはだいぶ違う動きがありました。たとえばジョージア（旧グルジア）のキリスト教の伝統では、わたしたちが見慣れない不思議な文字を使いながら、ビザンツ経由でずっと昔からジョージア語でギリシア哲学を翻訳し受容してきたわけです。

東方には多元的な世界が広がっていますが、思っているほどバラバラではなく、変容という主題などかなり共通性がある。そのあたりの見取図がはっきりしない中で、正教の問題がかすんでしまっている。この地域は政治的な対立も大きいところですが、そこをもう少しちゃんと見据えなければいけない。つなぎと言っては失礼ですが、ユーラシアの真ん中のところが欠けてしまうと世界哲学には不十分で、中国と西洋、イスラームと西洋という単純な構図では語れないと思うのです。

3 『世界哲学史3――中世I 超越と普遍に向けて』

†世界哲学に敵対する「ルネサンス」

中島 あらためて申しあげると、『世界哲学史』の特徴として、中世の記述がかなり分厚いことが挙げられます。中世は帝国としてのローマが崩壊した後の時代ですが、山内さんは中世についていて、どのように思われていますか。

山内 全八巻のうち、中世は多くの割合を占めています。伊藤先生もこのシリーズにおける中世の位置づけについて気にされておられますけど、このシリーズの特徴の一つになっています。そもそも中世という時代区分はどのような意味を持っているのか。そこにはかなりバイアスがかかっているわけですよね。中世というのは西洋においてつくられた概念で、ラテン語で medium ævum ですから中間の時代ですね。光に満ちていた古代、世界と人間を発見した近代の間に挟まれた、中間の何もない、通り過ぎておしまいの時代。そういう意味で、中世という言葉がつくられた。

哲学史において中世という概念が成立するのはヨーハン・ヤーコプ・ブルッカー(一六九六〜一七七〇)あたりだと思うんですが、一七世紀末から一八世紀の初め、思想を時代ごとに並べることによって思想の発展を考察するヘーゲルの哲学史につながっていくような哲学史観が出てきた。その中で中世という概念が現れてきたわけですが、一方でこれは初めから pejorative(軽蔑的)というか悪い意味を持っていた。ルネサンスと宗教改革によって中世が終わり、近代に入ったのではない。ルネサンスの後はバロックになるわけですが、中世を見直すことによって近代の始まりをどう捉え直すのか。一七世紀はバロックの時代で、中世と近代が連続的かつ相互に浸透している。そこからはいろんな意味が出てくると思います。

第3巻では中世の始まりを扱いました。始まり(古代とのつながり)と終わり(近代とのつながり)はどうなっているのか。まず始まりでは、九世紀初めのカロリング・ルネサンスが大きな切れ目になっている。アルクィヌスの文法学は細かく、わたしたちがいま読むとそれほど面白くないんですが、正統性・伝統を継承するため、ラテン語をちゃんと読める人間を養成したという意味では大きかったと思います。

ギリシアの注釈の伝統と継承については、周藤多紀さんにずいぶんご苦労をお願いして書いていただきました（第7章「ギリシア哲学の伝統と継承」）。伝統の継承という点において中世をひとつの軸にしたわけですが、そこには東方神学の系譜などさまざまなものが混ざっているので、第3巻は寄り合い所帯的なところがありますね。

納富　便宜的な巻分けでそうなっているところもありますが。山内さんは中世についてあらためて問題提起されていて、終わりについては衝撃的なことを言っている（第1章「普遍と超越への知」）。わたしたちは哲学史について語る時、デカルト（一五九六〜一六五〇）から近代が始まると言ってしまいがちですが、それを組み替えてルネサンスもデカルトも通りすぎて、カント（一七二四〜一八〇四）までをスコラ学とみなすのです。三巻分が中世ですが、そのうちの第6巻で通常は近代の始まりとされる時代を扱っています。この組み替えは今回の企画のひとつの売りではないかと思っています。

いままでは「ルネサンスで中世が終わり、デカルトから近代から始まった」と言っていたわけですが、山内さんは全然違う形で進めてくださっている。第2巻の終わりの二つの章（「第9章　東方教父の伝統」「第10章　ラテン教父とアウグスティヌス」）と第3巻の第3章（「教父哲学と修道院」）は截然と切れないですよね。四世紀頃のアウグスティヌスあたりから中世まで、そしてビザンツは帝国としてずっと続きます。中世とは古代と近代の間にあるわけですが、古代が「はい、ここで終わります」となるわけではありません。便宜的にはそういう区切りが有効ですが、実際の歴史はそれでは片付けられません。連続してさまざまなことが起こっていく中で、九世紀、一三世紀あたりに大きな動きがある。哲学史の叙述はどうしても無理がある場面がありますが、読者の方々には第2巻、3巻の間をゆるやかにつないでいただきたいと思います。

中島　第3巻で山内さんが「ルネサンスという言葉は世界哲学に敵対する言葉だ」とおっしゃっていますね（笑）。

納富　どうしてもルネサンスという言葉を使ってしまうのですけどね。一二世紀ルネサンスとか。

†周辺部からの先鋭的思想

中島　わたしたちは今回、そういうルネサンス史観を乗り越えたいと思い、それがバロックの捉え直しや、中世自体の捉え直しにつながったわけです。あらためてうかがいたいのですが、九世紀から一二世紀までの時代の特徴をどう摑まえ直したらいいのでしょうか。中国ではちょうど唐から宋にかけての時代で、ここでもう一度、帝国の秩序が出てきます。唐はそれまでの漢とは全然違う、もっと巨大な帝国になっていきます。その文脈で、たとえば日本では空海

（七七四～八三五）に代表されるようなユニークな思想が出てきました。つまりペリフェリー（周辺）からそのような思想が登場するわけです。ペリフェリーだから駄目かというとそうではなく、先鋭的な普遍への問いがそこから出てくると思います。第3巻のタイトルにもあるように、この時代には普遍の問題がもう一度摑み直されていった。そのあたりについて、どう考えておられますか。

山内　九世紀から一二世紀にかけて、物流・交易の面ではイスラームが急激に西のほう、中央アジアに広がっていきました。群雄割拠の時代からかなり大きい政治支配ができて、いわゆる世界システムができあがった。経済・政治では統一的な動きが見られましたが、文化的に見ると最先端のものはペリフェリーに現れてくる。キリスト教でもアイルランドやスコットランドに伝統が受け継がれていて、それが中央に戻ってきます。イスラームにおいても周辺のほうに広がっていき、たとえばスペインのアンダルシアなどで先端的なものが出てくる。イブン・シーナーだってブハラの生まれですから中央アジアの人ですよね。中心部で先鋭化しないような問題が周辺部で現れてきて、そこで問題意識が磨かれていく。これはとても大事なことです。

中心部においてはいろんな多様性が現れてくるけれども、周辺部のもっと個別性が強調される場面で、逆に普遍的なものに対する眼差しが現れてきた。そういう時代であるような気がします。第3巻ではいろいろなテーマを扱いましたが、周辺部には同時多発的にいろいろなものが現れてきているイメージがあります。

中島　周辺部は問いの場所であって、そこには思考の緊張が備わっているということですね。納富さんはどのように思われますか。

納富　この時代はかなり長いのでどこを見るかにもよりますが、盛期では安定していて文化的に栄えるわけですよね。山内さんがおっしゃったように、政治経済的な中心部にそれぞれの思想の拠点があり、周辺部に先鋭的な思想が出てくる。イスラームの正統と異端については菊地達也さんが議論してくださいましたが（第6章「イスラームにおける正統と異端」）、どちらかというと異端のほうが思想的に面白く見えてしまう。

それまで受け継がれてきた伝統や権威が、悪く言えば硬直化していく部分もあると思いますが、まさにその中で周辺部から先鋭的な思想が出てくるのはいったいなぜでしょう。世界哲学史的に見て、別のものと出会う場所がなければ新しいことが生まれにくい、周縁部では異質なものに出会いやすく、思考が活性化されるという動きがあるのかもしれません。ですが、異質を生むためには中心が不可欠です。すべてが異質だらけだとそれができない。中心があり、その外側で面白い現象が起こったという時代なのだろうと思います。

†超越に対する見通しの変化

中島　もうひとつうかがってみたいのは、タイトルにもある超越という概念についてです。超越は多義的な概念ですが、いま振り返ってみてどう思われますか。

山内　そうですね。イスラームの思想がヨーロッパに伝わったというとちょっと単純化しすぎなんですが、一三世紀頃に大学制度ができたりしてイスラームが停滞・衰退していく。さらには科学技術においても変化があった。これは第3巻、第4巻の違いにもつながってくると思うんですが、わたしの頭の中では超越というのは世界の外部にあったものと捉えていて、そのほうが無限性として語りやすい。

では一三世紀には何が起こったか。世界と精神があった場合、世界を認識する作用そのものも世界の一部に組み込む。反省の契機（志向性）を強調している人はたくさんいますが、代表的なのはアヴィセンナ（イブン・シーナー）です。アヴィセンナが入ってくる時、存在論の対象が変化する。アリストテレスにもそういう考え方はあるんだろうけど、それはヨーロッパの人たちの認識を変える。つまりそこで世界の捉え方が変わってくるわけです。

これについては可能世界論が入ってくると言ってもいいし、作用性・志向性への注目と言ってもいい。世界の外部という意味でそれは非存在なんですが、非存在をどう対象化するのか。非存在と言うと「ないもの」と見なしますが、じつはこれは人間がつくったものである。これは契約・法制度などにもつながってくるし、経済システムにおいても利子概念を肯定するような形で変わってくる。超越に関するひとつの基本モデルが現れてきたのが九世紀から一二世紀ぐらいまでで、それに対する見通しが変わってきたのが一三世紀なのかなと。

じつはドゥルーズが『意味の論理学』でやっているのもそういうことです。あの本ではリミニのグレゴリウス（一三〇〇頃〜一三五八）やオートルクールのニコラウス（一三〇〇頃〜一三五〇頃）などの中世後期の唯名論者が扱われていますが、彼らは命題が表すものは何なのかに大きな関心を持っていました。命題の意味対象は世界の中にある複合物ではなく、あくまで命題によって表現されるものでしかない。それは志向性、つまり世界とわたしを記述する作用そのものので、精神そのものを世界の一部として組み込んでいく。そこで唯名論、主意主義などが現れてきて、その継承者としてイエズス会などがある。唯名論は単なる「普遍は名のみのものである」という思想ではない。そういった一三世紀的なパラダイムの変化と重ね合わせて読むと、見え方が変わってくるでしょう。

中島　九世紀から一二世紀頃までの中世では外部の問題が重要であり、超越もある種の外部性として認められていました。たとえば空海にとって、サンスクリット語も中国語も、外部にあってそれぞれ異なるものですが、それらに向かい合うことで、かなり突き詰めた思考をしてしまったと思います。つまり、空海は外部のことを考えると同時に日本のことも考えていましたから、インド・中国・日本をコンパウンド（compound 複合語）で考えるという、アクロバティックなことをやらざるをえなかったのです。ここで空海は普遍を問うていったのだと思います。

ところが一三世紀以降になると、外部性を世界の中でどう位置づけ直すかという作業が入ってきます。先ほど唯名論が出てきましたが、普遍論争では九世紀から一二世紀に触れられていた普遍を語り直すという膨大な作業をやるわけですよね。中国でもそれと同様のことが起こっている。たとえば、朱子学は、仏教によって席巻された後に、仏教が立てた問いをこちらから引き受け直し、組み立て直していきました。そこで「理」という概念を持ってきて、それによって外部性と世界を語り直したのです。

4 『世界哲学史4――中世Ⅱ 個人の覚醒』

†超越性の内在化

中島 話はもう第4巻に入っていますが、一三世紀・一四世紀には主要な概念がどんどん洗練されていきます。先ほど出てきた志向性もそうですね。第4巻では本間裕之さんがトマス・アクィナスの「存在と本質について」の議論を展開してくださっています（第3章「西洋中世における存在と本質」）。その際、「そういえば昔、宮本久雄先生のゼミでこのテクストを読んだな」

と思い出しました。そこでは存在や本質といった概念を徹底的に洗練していくわけですが、その情熱は、世界の中で超越についてもう一回語り直したいという恐ろしい欲望から来ているのではないでしょうか。また第4巻の副題には「個人の覚醒」とありますが、そういった議論が個人という新しい場所をつくりあげたのではないかとも思います。そのあたりはどういう連関になっているのでしょうか。

山内　第3巻のテーマが「超越と普遍に向けて」であったこととつなぎ合わせると、一三世紀には超越性をどう内在化するかという問題設定がなされたと言えます。中世スコラ哲学の中枢部を示す概念です。特にトマス・アクィナスはとんでもない人なんですよね。トマスについて一言で語ることはできませんが、『神学大全』を見るとアリストテレス的な概念を初学者でもわかるように教えつつ、正統なキリスト教と異教の考え方を並べて「ここは間違ってますよ」と指摘している。ちゃんと訓練をして神学で使えるように、下準備をして出す。それが第二部の情念論で展開されるわけです。

情念論はさておき、超越の問題に関して言えばアリストテレスの『デ・アニマ（霊魂論）』に能動知性というのが出てきます。能動知性にはいろいろな理解がありますが、ローマ時代の注釈者であるアフロディシアスのアレクサンドロスは「能動知性とは超越したもの、普遍的なものであり、個々の人間から離れたところにあって不滅である」と言っている。これがイスラームで継承され、後にヨーロッパに来るわけですが、トマスは能動知性について、人間の心に内在したものであると捉えた。

単なるテクストの解釈にとどまらず、キリスト教との整合性、人間の位置づけ、魂と世界の関係を組み直す。ギリシア的な課題を引き受けたうえで、キリスト教と整合するようにやっていく。能動知性を人間の心に内在しているものとして捉え、個人概念の下準備をする。トマスの個性概念・個体概念はその後のフランシスコ会などでスコトゥス（一二六五／六六～一三〇八）、オッカム（一二八五頃～一三四七）が強調するような個体概念とは少し位相が違うんですが、つながっていくような側面もある。一二世紀までの超越的なものに個体が解消されていくような方向性に対して、一三世紀以降は現世における有限性を強調する。その面では違うと思いますね。

中島　外部性としての超越に対するアプローチ方法を考える、ということですね。これは超越の内在化と言ってもいいかとは思います。ただ外部性があるだけではしょうがなくて、わたしたちが超越に対してどうアプローチできるのかが重要なわけです。もちろん、それほど簡単には到達できないとは思いますが。

これはたぶん中国でも同じです。朱子学は仏教がないと成立しなかったと思います。仏教が仏を立てるわけですが、朱子学はその仏をわたしたちがどうやって立てればいいのかを考え抜きます。そこで「理」という概念の出番です。仏に匹敵するような理に、いかにしてアプローチすればよいのか。この問題を考え抜いていったわけですが、結果的にそれは成功しなかったように思います。原理的には到達できるはずですが、現実的には極めて困難です。トマスもまた、当時であればほぼ異端であって、極めて危ない考えを展開したと思いますが、そこまで徹しなければアプローチの仕方を変えることができなかったのでしょう。

†テイストと受肉

納富　この時代に何が起こったのか。先ほどの山内さんのご指摘は面白いですね。能動知性に対して人間が持っているのが受動知性だとすると、わたしたちの知性は外部のものによって働いている。つまり、超越と常に一体化している。アリストテレスが最初にそう論じて以来、この問題をどう解釈するかが重要なテーマになるわけですが、超越者の位置づけは微妙で、はたして外と言えるのかどうか。プロティノスが始めた新プラトン主義でも超越について、存在とも言えないものとして捉えているのですが、実のところそれは一者、神、わたしたち自体なので外ではなく、能動・受動関係の原初としてつながっている。その関係を切る、あるいは超えるということは、キリスト教における神の問題でもぎりぎりのところで出てきます。宗教vs.哲学と言われる問題で、トマスですらそんな対立関係があります。

中島さんが先ほどからおっしゃっている外側という問題の捉え方はどこに出てくるのか。それがさらに進むと、近世のプロテスタンティズムとつながってくるようです。そういった大きな流れはヨーロッパのほうが強いと思うのです。

山内　外部と内部の関係というのは、この時代を考えるうえで大事な枠組みとなります。外部を神として捉えた場合、超越者をどう内在化するのか。一二世紀までの修道院神学ではテクストが限られていたということもありますが、理性ではなく味わい（gustus テイスト）、霊的な味覚（スピリチュアル・テイスト）を通じて内部に取り込むことが多かった。一三世紀になると大学制度が成立します。パリ大学が一二一一年に法的に大学として認められ、聖書のテクストとギリシア語のテクスト、アリストテレスを統一的な基準で読めるようになった。これによってひとりの人間が多くの人間に教えることができるようになり、教わった人間が各地に分かれていき、スタンダードな知識を広げることができるようになった。リテラシーが広がり、テクストの統一的な理解ができるようになる。これは大事なことです。

一三世紀、トマスの立場は異端的で危険視された。アリストテレスとキリスト教を同じような枠組みで語るというのはとんでもないことで、これに抵抗することができたのは大学制度の成立とともに、知識の共同体が安定したものとして成立したからではないかと思います。超越性が内在化する場合、リテラシーなどテクストを読む力や知識の共同体が関わってくるのではないかと。

納富　先ほど山内さんがおっしゃったテイストの問題について、わたしには実験的な提案があります。プラトニズムは肉体を捨てるという形で超越を語ったのに対して、アウグスティヌスなどは超越は自分の中に入っていると考え、肉体をもって超越しようとする。ここからどんどん切り離していく幽体離脱のような超越ではなく、自分の肉体・内面に入っていくことによって超越する。アウグスティヌスは後者です。

それに対してトマスがやったような、テクストとして共有するというのは少し違うパターンに見えます。そのテイストとテクストの問題とはどう関わるのでしょうか。そうやって図式的に分けるのはあまりよくないかもしれませんが。

山内　受肉（incarnatio）というのはとても大事な問題です。アウグスティヌスの場合、受肉は人間の罪を支えるものですが、キリスト教の枠組みでは救済可能性が前提となる。罪を持っているから切り捨てるのではなく、そうであるからこそ救済しようとする。アウグスティヌスは神がイエスに受肉したと考え、肉は罪の基体である限りにおいて重要な救済の起源となっている。一二世紀に修道院神学の中で味覚が重んじられ、官能的な描写が多いのは、アウグスティヌス的な伝統を重視する以上、人間の持つ肉体性を免れて捉えることはできなかったからでしょう。

一三世紀になってイスラームとの対抗関係の中でアリストテレス的なものが入ってくると、それまでのアウグスティヌス的な枠組みを捨てるのではなく、それを踏まえたうえで語らなければいけない。その頃、パリ大学ではアラビア語を勉強し、議論によってイスラームをキリスト教徒に改宗させようという動きがあった。神様がイエスになったところで、イスラームはアウグスティヌス的な受肉の話なんて受け付けませんから、別な枠組みで語らなければいけない。そのため一三世紀以降は肉体性と受肉の問題が表面から徐々に消えていき、これが宗教改革につながるひとつのきっかけとなってくる。

†近傍と個人の覚醒

中島　テイストの問題はこの後も出てくると思いますが、わたしは第4巻について、山内さんにぜひうかがってみたいことがあります。一三世紀には近さもしくは近傍が成立し、近傍と超越との関わりが問われていきます。ところが、そこには他者という厄介な問題があります。他の近傍とどういう関係が取り持てるのか。それがちゃんと議論されていなければ、そもそも近傍が成立すること自体を論じられないのではないか。

朱子学でも最大の問題は他者論です。どうしてわたしの近傍が成立するのか。他にも近傍があるのなら、それとの関係についてはどう理解すればいいのか。こうしたことをさんざん議論します。それが可能なのは、仏教をただの概念にしておかないからです。やはり儒教と仏教はあるやり方で通じ合わなければならず、できれば儒教は仏教を超えたい。さっきパリ大学のお話をうかがいましたが、キリスト教にとってイスラームは他者として存在し、ある近傍の仕方で成立しているので、それと通じなければいけません。さらには、その近傍を変容させなければならない。そのあたりの議論はどうなっているのでしょうか。

山内　近傍というのはとても大事な概念だと思うんです。物理的な観点から言うと一三世紀には都市が発展し、集住・密集が始まる。逆に言えば、密集が始まったことによりペストなどが流行るわけですが、近傍はなぜ個体性の問題と結びつくのか。当時の固有名詞を調べた歴史学者によると、パリでは四割の人がヨハネ、ヨハネスだったそうです。もちろん、近所で五人ぐらいヨハネスさんがいたとしても背の高いヨハネスさん、太ってるヨハネスさんというように分ければいいいんですが。このように農村から都市への移住が多くなり、同姓同名の人がたくさんいたので、自分の犯罪歴などのキャリアをロンダリングできたそうです。

都市の成立とともに集住が始まり、近傍の中に他者が凝集するようになったわけですが、これは個人の覚醒を引き起こす契機になったという見方もある。互いに似ていて名前も同じようであるがゆえに、個体をして個体たらしめる権利が求められた。そこにはいろんな要因がありますが、一二一五年の第四ラテラン公会議で、一年に最低一回は告解をすることが定められた。

神父に向かって自分の罪や悩みを告白し、許しを乞う。そのような内的な場面の中で個人概念が成立したわけです。これはミシェル・フーコー（一九二六～一九八四）が強調し、阿部謹也（一九三五～二〇〇六）さんが世間論という枠組みの中で西洋的な個人概念の起源として考えているところでもあります。

近傍の中で個人が個人としての反省をするきっかけになったのが内面性、自己意識であったわけですが、告解規定書はパターナリズムに陥り、外側から悩みを規定しようとする歪んだものであったゆえに問題視されることになる。西洋的な個人化の発端はある意味で歪んでいるというか、いろいろな弊害を引き起こしたような気がします。近傍に対して個体化が成立する場合、別の枠組みもありえたのではないかと。

中島　そうですね。そうしなくてもよかったんですよね。

5『世界哲学史5――中世Ⅲ　バロックの哲学』

†一五世紀と一六世紀の断絶

中島　では第5巻を見ていきましょう。第5巻のサブテーマは「バロックの哲学」です。

納富　通常は近代哲学と言われるところの最初ですね。

中島　第5巻では、第4巻までの中世とはまた配置が変わってきます。まず、イエズス会に代表される宣教師たちが世界中のあちこちに行くようになります。それにより、聖書に書かれているよりも古い歴史が中国やインド、エジプトにもあるということがわかり、他の地域の「古さ」を発見せざるをえなくなりました。これは大きいと思うのですね。

当時のヨーロッパは中国と比べると経済的にそれほどたいしたことはなかったはずなのですが、そこで大きな地殻変動が起きます。それとさっきまで論じてきた中世の議論が混ざり合っていきます。その状況をわたしたちはバロックというキーワードで摑み直してみたわけです。

納富　この時代は大きな変化が起こり、ここで世界史が二分されると言ってかまいません。まず大航海時代、一四九二年にコロンブス（一四五一頃〜一五〇六）がスペインを出航し、西インド諸島およびキューバに到達した。そういう地理的な変化がありますよね。それと連動する形で宗教改革が起こり、その前後に印刷革命が起こって人文主義が復興する。わたしたちはそのあたりをセットにしてルネサンス、近代の始まりと見なしている。いわゆる近代哲学の始まりはそれから一世紀ほど遅いので、今回はその転換をあまり強調せず、むしろ中世との連続として捉えました。そこが素晴らしいところなのですが、まだアンビバレントな感じはあって……

山内さんは第3巻でマクルーハン（一九一一〜一九八〇）のメディア論を引いて書かれていま

すが、やはり印刷術の発達は大きかった。人文主義者によるギリシア・ローマ古典の復興では新しいテクストを発見しただけではなく、活版印刷が古典を普及させたのが大きいです。ですから一五世紀末ぐらいがかなり大きな変革期と思われるんですが、それについてどう位置づけられますか。

山内　今回はバロックの時代も中世に入れてしまいましたが、ここでは一五世紀と一六世紀を連続的に捉えることが主眼ではない。大航海時代に入って印刷術も発達し、宗教改革や人文主義もあった。ここにはとんでもない断絶があったと思うんです。いままでは大きな断絶とともに中世的なものが全部淘汰され、カトリックが終わってプロテスタントになり、資本主義も現れたという枠組みが主流でしたが、それに対するカウンターバランスとして、わたしたちはイエズス会をクローズアップした。バロックを担った者の半分以上がイエズス会、スペイン的なものですからいささか強調しすぎた面はあるんですが、現代とのつながりや資本主義の成立について考える場合、それは大事かなと思うんです。

†イエズス会の起爆力

山内　マックス・ウェーバー（一八六四～一九二〇）の『プロテスタンティズムの倫理と資本主義の精神』もそうですが、これまでは中世的・神秘主義的な側面に根差していた資本主義を受け継いだのはプロテスタントであるという見方が強かった。ところが最近、二、三〇年前からイエズス会の経済学の本の翻訳が始まり、それを見るとイエズス会の人々の世界観はまさに新世界であったことがわかる。彼らは新大陸や日本、中国などに行き、大航海時代の人間の活動の拡大に即応したような活動を行った。その中で多くの生徒に教育するための大規模学校をつくり、印刷術でつくったかなり分厚い教科書を用いた。イエズス会はカトリックの中にありながら近代性を持ち、デカルトへの影響も大きい。デカルトもイエズス会の学校（ラ・フレーシュ学院）を出ていますし。しかもその中には神秘主義的な側面もある。それについては渡辺優さんに書いていただきました（第2章「西洋近世の神秘主義」）。

経済思想において営利・利子を肯定的に扱うというのはトマスにおいて先鋭的にあったんですが、それがイエズス会でかなり明確に示され「お金儲けをしてもいいですよ」という感じで書かれる。そういった近代の始まりにおいて、イエズス会の貢献度はかなり高かった。第5巻では若干それを強調しすぎたあまり、デカルトが軽く扱われてしまっているところがあるんですけど（笑）。

納富 いや、そういう方針だからいいんですよ（笑）。

山内 ルネサンスもない。

納富 いや、それは旗幟鮮明でいいと思います。トマスの段階でイスラームvs.キリスト教という図式の説得的な要素が出てきたわけですが、イエズス会はもっとそれが広い。彼らは中南米にも行ったけれども、中国や日本にも来た。そこでは積極的に活動をしていますが、じつは彼らの内的な理論はフレキシブルなのですよね。特に初期はそうで、それぞれの土地に合わせていった。そのあたりが持っていた起爆力はすごいですよね。わたしたちはついついイエズス会について、保守的で硬直しているというイメージを持ってしまいがちですが。そこの見直しが大事ですね。

中島 チャールズ・テイラー（一九三一〜）も「わたしたちの理想はマテオ・リッチだ」と言っています。最初にそれを目にしたときは驚きました（笑）。

納富 イエズス会の場合、布教するという目的が強烈ですから。生命をかけて伝道と説得をしています。

山内 一七世紀のドイツの大学の教科書を見ると、フランシスコ・スアレス（一五四八〜一六一七）などイエズス会の人々の思想が教科書の基本的枠組みをつくっている。一七世紀にはプロテスタントのドイツですら、イエズス会の影響が強かったわけですが、それはあまり強調されてこなかった。あと一七世紀には、ブレーズ・パスカル（一六二三〜一六六二）がジャンセニストとしてイエズス会を批判しますね。その時にイエズス会的な決疑論（Kasuistik）が批判されるわけですが、決疑論はラテン語で casus conscientiae（良心の事例）となります。一般的な規定書に書かれている規則では判定できないような問題が起こった場合、それとは別の原理、個別的な特殊事例などを考察したうえで対応しなければいけない。それが良心という実践的な応用能力なんですが、良心の概念自体も変わっていきます。

マテオ・リッチ（一五五二～一六一〇）が中国にやってきた場合、まさにそういった良心の問題をもっと突き詰めなければならない。大航海時代の中でそういったことに適応できるフレキシブルな能力を持っていたという点で、イエズス会は力強かったという気がしますよね。

†利子の問題

中島　中国でもイエズス会のインパクトは大きく、その後の中国哲学の語り方自体が大きく変わっていきます。たとえば経書に注釈をつけるというスタイルから、いまで言う哲学書のようなスタイルが登場します。イエズス会士が来ていたのは明から清の時代ですから、相当の議論が行われて、それによって中国的な概念がもう一度鍛え直されていったと思います。

さきほど味（テイスト）の問題が出てきましたが、味をめぐる論争もこの頃に同時に起きました。たとえば動物を殺して食べることが許されるかどうかをめぐる議論において、「この肉が美味しいという次元は何か」というところまで議論が深まっていきます。もともと中国にも味をめぐる議論はあったのですが、やはりマテオ・リッチたちとの議論を通じてそれが深まったという気がします。

山内さんが第3章「西洋中世の経済と倫理」でお書きになった利子の問題はやはり大きいなと思います。そこではペトルス・ヨハネス・オリヴィ（一二四八〜一二九八）という人を挙げてくださいました。「そうか、資本という概念はここから来ているのか」とようやくわかったところです。ラテン語の interesse（間にあること）が interest（利子、関心）になるわけですが、「間にある」ことを哲学的・神学的に深めていく中で、利子の問題にたどり着いたわけです。そうすると、まさにオイコノミアの場所として interesse が問われたのですね。

少し話は飛びますが、たとえばエマニュエル・レヴィナス（一九〇六〜一九九五）もこの問題について考えていました。interesse をどう乗り越えるのか。彼はこれに否定の dés を付けて désintéressement（無関心）という問題を展開するんですが、これは当然 interesse の議論を踏まえている。interesse ではないやり方を構想しなければならないわけです。それでも山内さんがお書きになったように、その手前にある interesse の議論にはけっこう深いものがあります。このinteresse について、もう少しお話しいただきたいと思います。

山内　オリヴィの場合は利子の問題も出てきますが、まず共通善（bonum commune）というのがありますね。一人一人が資本をどう蓄積するかではなく、みんなで資本を貯めよう。オリヴィは南フランスの人ですが、当時のイタリアにおいて組合がつくられる。その組合に伴うリスクをいかにして共同で担い、利益をいかにしてみんなで配分するか。その場合、お金というのは貯めるものではなく投資するものである。投資する以上、危険性があるので未来の時間性を組み込み、儲ける可能性と損する可能性を管理する。その中で富の流通の観点から、全体でどう回すのかをみんなで考える。そこで共通善というのが現れてきて、聖霊も出てきた。これは流れとしての経済のモデル、アダム・スミス（一七二三〜一七九〇）につながってくるところもありますが、そういうものが現れてきたわけです。

オリヴィは清貧の思想を重んじる。アッシジのフランシスコ（一一八二〜一二二六）は一切お金に触りたくないという人でした。そういったお金を忌み嫌うフランシスコ会の中から「お金儲けは自分のためではなく、全体のためである」という発想が出てくるのは面白いですね。ここには近世につながる発想があるような気がします。

†アソシエーションとバロック

中島　第4巻では勤労と個人の問題が出てきましたが、そこにはもうひとつアソシエーションの問題があります。個人からいきなり国家や宇宙に行くのではなく、中間的な段階としてアソシエーションがあり、これがバロックにおいては相当重要であったのではないか。イエズス会だって一種のアソシエーションですね。共通善というローマの概念が読み直され、この時代に特有のアソシエーションを構築する原動力になるわけです。

interesse はアソシエーションの問題ですね。当時、ヨーロッパや中国では、国家でも個人でもない中間的なものとしてアソシエーションができて、場合によってはこれが国家よりも大きな力を持ってしまいます。さきほど他者の問題が出てきましたが、最終的には解決できないにしても、ある種の折り合いをつけて他の人と一緒にやっていくにはどうすればよいのか。たとえばマテオ・リッチは、文化や言語が違っても何かをつくれるというひとつの方向を示していました。アソシエーションとしてのバロックについて、どのようなお考えをお持ちでしょうか。

山内　中世における人間の共同体では宗教的な教会組織と村が重なり合っていて、宗教的な共同体と経済的な共同体がひとつになっているところがありましたが、その後、物流が盛んになり、大航海時代になって地理的・空間的に広がるにつれて共同体も広がり、カンパニーというのができる。カンパニーの語源は後ラテン語の compāniōn、ともに（com）パン（pānis）を食べることを意味する。これはいわば組合ですが、カンパニーがいろいろなところでできる。たとえばフィレンツェ、パリ、ロンドン、ブルージュなどに会社の支店をつくっていますがこれは同じ会社のカンパニーで、物流の広がりによって小切手や為替が使われ、共同体・アソシエーションが広がっていく。

そしてイエズス会は、大航海時代に世界的な規模で広がっていく。イエズス会は経済的な組織ではありませんが、ゴアや長崎など世界各地に教会や学校をつくり、カンパニーをモデルにするような形で広めていく。これは面白いですね。あるいは、アソシエーションの世界的な展開が行われた時代がバロックだったのかなという気がします。

中島 少し付け加えると、法人という概念はヨーロッパの大学から来たと言われています。大学もまさにアソシエーション、カンパニーのひとつのあり方ですよね。イエズス会に代表されるようなカンパニー、アソシエーションが可能になる手前に、大学というあり方があります。これは教会でもなく村でもない、独特なあり方ですね。そして、メディチ家はその典型ですが、ヨーロッパのあちこちにカンパニーを持っていて、為替の問題として利子が処理されたそうです。しかし、それはカンパニーがあるから可能だったのですね。カンパニーやアソシエーションというあり方は、バロックの時代の大きな前提であったような気もします。

†大学と哲学

納富 ヨーロッパの大学の前身は基本的に組合で、もちろん大学によって成立事情は違いますが、誰かの命令によってつくられたものではありません。人が集まり、修道院の延長のような形でつくられた。でもバロックの時代は大学の発生から数世紀経っているので、そのあたりはどうなんですかね。イエズス会のような活動はさておき、当時の大学が持っていた役割は何なのか。哲学者は必ずしも大学に所属していたわけではないし。

山内　一六世紀まで、ルネサンスはそうですね。大学に所属していない学者が多くて。

納富　わたしたちはつい目立つ人に注目してしまいがちですが、山内さんがおっしゃるように、大学の中でも教育があったのでしょう。でもそれは、現代のわたしたちが持っている大学の研究のイメージとは違うかもしれませんね。カントだってそうですし。学問の世界でも組合的なものはあると思いますが、それはどの時代まで該当するのかなと疑問に思います。

中島　中国にも書院というのがありますね。それから、朋党論というのがあって、友情に基づいた連結（朋）と、利害に基づいた連結（党）が論じられました。特に明代には、朋と党は違うタイプの人間のアソシエーションであるという議論を徹底的に行い、党ではなく朋の方向に行くべきだ、というのです。そういう議論は、時の政権を批判することにもなります。人間はどうつながるのがよいのか。書院はまさに朋の集合体ですから、納富さんがおっしゃるようなこともあるかもしれません。

納富　そもそも学校（school）の語源はギリシア語のスコレー（閑暇・時間のゆとり）で、両方の側面がありますよね。オープンで公的な場ですが、それがお互いに対抗し合うと党派になってしまう。それから、誰かがコントロールするような場面も生じてくるし。

山内　これはバロックという時代に固有の問題かどうかわかりませんが、大学にはもともと修道会、ドミニコ会やフランシスコ会、聖アウグスチノ修道会などといったホストがあり、カレッジ（学寮・寄宿舎）があった。寄宿舎ですから泊まり込みですね。それ以外にブルゴーニュやフランドルなど国ごとに分かれたナツィオ（国民団）が四つあり、各ナツィオがひとつずつハンコを持っていて、全部のハンコが揃わないと大学内でコンセンサスが得られないというシステムがあった。このように大学はバラバラに分かれていて、一五、六世紀になってもそういったセクショナリズム、分断は続いていた。自分はどういうセクトに所属しているかによって、こっちとは違う思想を語らなきゃいけない。たとえばイエズス会はドミニコ会とは違う思想を語らなければいけないゆえに、反対側のフランシスコ会に近づいてしまうということもあった。そういう意味では大学という組織が持っている力学もあった。

あと一三世紀以降、一般市民の人々のリテラシーが高まってきて、自分で本を読んで勉強できるようになった。特に女性がそういったリテラシーを蓄えることにより、一四、五世紀には女性の神秘主義者が数多く現れてくる。ですから哲学をやっていた人は大学の内部にはおらず、特にドイツ神秘主義の人々は大学から離れていった。

中島　この点で、渡辺優さんのアビラのテレサ（一五一五～一五八二）についての論考（第２章「西洋近世の神秘主義」）はよかったですね。

6 『世界哲学史6――近代Ⅰ 啓蒙と人間感情論』

†自然科学の展開と感情論の深化

中島 第6巻は近代ですが、わたしたちは理性中心ではなく、感情を重視するという方針を立てて、これをかなり強調しました。感情についての論考がこれだけ並ぶのは珍しいのではないかと思います。この巻からは伊藤先生が関わっておられるので、本当は伊藤先生にいろいろとうかがいたかったのですが、ここではスコットランド啓蒙がひとつの軸になると思います。

スコットランドにおいて、ヒューム(一七一一～一七七六)は、理性は感情のひとつであると言うぐらいに、感情に道徳的な基礎づけを求めていきました。そういった方法はユーラシア大陸の東でも行われます。中国ではヒュームのスコットランド啓蒙とほぼ同時期に感情論が徹底されていきまして、それについては石井剛さんが上手に書いてくださっています(第9章「中国における感情の哲学」)。生のあり方としての性だけでは議論が不十分で、ここで情が導入されます。もともと中国では情の問題が重視されていますが、情が洗練された先で規範をどのように構想していくのか。

中国の場合は「孟子ルネサンス」という言葉がありますが、朱子学も『孟子』のテクストを読み直すことから始まりました。孟子（前三七二〜前二八九）にある性善の理論は、ある種の同情・共感に規範を基礎づけるものです。惻隠《そくいん》の情や忍びざる心という言葉があります。『孟子』をもう一度読み直すことで、朱熹（一一三〇〜一二〇〇）以降の孟子ルネサンスが起きたのは、この点においてです。そして高山大毅さんが第10章でお書きになっているように、日本でも朱子学を読解していく中で朱子学批判が出てきますが（「江戸時代の「情」の思想」）、その根拠になるのはやはり情の問題でありました。

このように興味深いことに、一八世紀にユーラシア大陸の東と西で感情の問題がほぼ同時に登場してきています。このことの意味をいったいどのように摑まえていけばいいのでしょうか。

納富　理性と感情という対概念はギリシアなどで古くからありますが、感情論というのは昔からあったのか、それともこの時代に初めてフォーカスが当たったのかは面白い問題です。探せばそれにあたる考察がストア派にもプラトンにもありますが、感情論という問題設定ではありませんでした。一八世紀にこういう形で新たに問題が起こったのはなぜか。まず、自然科学の発展が大きかったと思うんです。わたしたちが哲学の歴史を捉えるうえで、理性と感情が軸となる。先ほどの「世界と魂」と同様に、理性vs.感情・情念はこの巻のテーマであり、この時代を切り取るうえでの鍵になっています。

あまり単純化するのもよくありませんが、科学革命からしばらく経って自然科学がかなり明確な形をとってきた段階で、感情という問題にフォーカスが当たったことは、西洋において一番大きな出来事だと思います。では、朱子学や日本における議論は同じ論理で出てきたのか、あるいは少し違う枠組みで出てきたのか。そこのあたりはどうですか。

中島　ニーダム問題というものがあります。ニーダム（一九〇〇～一九九五）による中国には科学的な思考がなかったわけではないのに、なぜ近代的な科学が登場しなかったのかという問いです（第2巻コラム3、塚原東吾）。たとえば朱子学でも、厳密な方法で科学的な探究を次々やっていきました。それによって仏教的な言説に対抗しようとしたわけです。それこそ格物致知ですから事物を正しく認識し、定義していく努力を続けていたわけです。しかし、なぜ近代的な科学が登場しなかったのか。

それに関わると思うのですが、ヨーロッパにおける自然科学の展開と感情論の深化との関係についてうかがいたいと思います。感情に対して否定的に捉える態度があります。つまり、感情は不安定であるために規範の根拠にはならないという考え方ですね。しかし、他方、感情抜きに人間を摑まえることは難しいという考え方もあります。中国では、規範の根拠をどこに立てるかというとき、性のほうに立てていく場合と情のほうに立てていく場合に分かれていました。ただ、明代以降になると感情を絶対に無視できないことが明らかになってきます。キリスト教やマニ教などが入ってきたことによる思想的な混沌の中で、人間の根拠を考える時には感情が不可欠であるということがくっきりと浮かび上がってきた。

もちろん感情には不安定という問題があるので、そこは何としてもクリアしなければなりません。中国では他者論との組み合わせで、感情に基づいたある種の弱い規範について考えていくことになります。一種科学的に人間を見ると、そこには感情というものがあり、それは無視できないということです。ヨーロッパでは、自然科学と感情はどのような関係にあるのでしょうか。

†西洋の情念論の系譜

山内 わたしはかねてから西洋における情念論・情動論の系譜に関心があり、特に中世に関しては昔、調べたことがあります。アリストテレスの『デ・アニマ』についてイスラームで注釈が生まれ、それがヨーロッパに入っていって論じられた。情念についてはストア派で、無情念（アパテイア）が理想的な精神状態であるという議論がありました。しかし中期ストア派になると、情念がないというのは人間としてありえないと言われるようになった。いくら哲人であっても、船が揺れると顔が青くなる。哲学者でも感情は制御できない。そこで極端な情念のみを排除し、中間的なところ、つまり人間の喜怒哀楽は残そうということになり、メトリオ・パテイアという穏やかな情念が重視された。

中世の起源として情念論のストア派における展開について調べたとき、ここには二つの流派があると思ったんです。ひとつはガレノス（一二九頃～二〇〇頃）で、彼は医学的な四体液説に基づいて情念がどう成立するのかを論じ、情念とは人間の身体の状態に必然的に起こるものであると考える。それに対してクリュシッポス（?～前二〇八／二〇四）の情念論はそういった生理学的な枠組みとは異なり、それぞれの感情とはいかなるもので、人間はいかなる場合にそれを持ち、制御するのかを論じ、哲学的な情念論を設定した。そこには初期のアパテイア重視から穏やかなメトリオ・パテイア重視へと移行していく流れがあり、それがキケロ（前一〇六～前四三）のトゥスクルム論争で集大成され、中世に受け継がれていく。

人間である以上、情念は必然的に生じるという流れと、それをどうやって制御するのかという流れがありますが、中世に入ると情念はパッション、つまりキリストの十字架上の苦しみの人間的な現れであるとし、もう少し積極的に見ようという流れが出てきた。つまり中世になると、ギリシア的・ストア派的な情念論が変形してくるんですね。

今回、第4巻で松根伸治さんがトマスの情念論について論じておられますが（第5章「トマス情念論による伝統の理論化」）、トマスの場合には情念が観察に基づいてではなくアプリオリに一一個に分けられ、人間の善を欲する気持ちと悪を憎む気持ちが最初の状態・中間状態・得られた状態に分けられ、対象そのものを見た場合は六個、対象との関わり方・手続きを考えた場合には五個になり、六＋五で一一なんですよ。この中途半端さが面白いなと。当時の人もやはり一一個は変だと思ったようで、トマスのライバルであったアエギディウス・ロマヌス（一二四三／四七〜一三一六）という一二六〇年頃の人は、情念は一二個にしなければならず、怒りの反対の概念は慣れであると言った。トマスは怒りの反対概念はないと考えるんですが、ロマヌスは「いや、怒りの反対概念は慣れで、感じないことだ」と言う。

現在、トマスの情念論の研究者は山ほどいるんですが、怒りについては十分な分析がされていない。ロールズ（一九二一〜二〇〇二）の正義論では indignation（憤激）というのがあり、社会的な不正があった場合に怒りを持つという公共性を伴った感情のモデルが復活している。しかしトマス的な一一個に分けるような流れにはいまだに決定版が出ておらず、しかもこれは一四世紀にジャン・ジェルソン（一三六三〜一四二九）などが出してくる情念論とは別なんですよね。ジェルソンの情念論はわたしも読みましたが、ちょっと手に負えませんでした。彼は、動物の情念はすべて美しいと言っている。動物は本性の必然性に基づいているがゆえに、その情念はすべて美しい。一方で人間の情念は醜いが、人間はそれを修正することができる。醜いのであれば、それをよいものにしていこう。そういう議論をしていくわけですよ。

ジャン・ジェルソンの思想は一七世紀のドイツにかなり受け継がれていく。そういった情念論は中世に単発的に出てきますが、相互に影響関係はない。一六世紀に入るとガレノスが読まれるようになり、生理学的・医学的な情念論が膨大に出てくる。当時はド・ラ・シャンブル(一五九四〜一六六九)、コエフトー(一五七四〜一六二三)などの情念論がたくさん出てきますが、デカルトは『情念論』の中で情念はこれまで、哲学的にまともに論じられたことがないとバッサリ切るんですよ。実に気持ちいいぐらいにね。

彼はド・ラ・シャンブルの『情念の性格』など同時代に出た情念論をすべて無視し、もちろんトマスも無視する。彼は新しい生理学的な枠組みでもう一度、情念について説明する。その後にヒュームが「理性は情念の奴隷であり、奴隷であり続けるべきである」と大宣言をするわけですよ。これはデカルトの「我思う、ゆえに我あり」に匹敵するような革命的な展開になるはずでしたが、ことごとく無視される。ヒュームというのはすごい人なんですが、そこで無視されたと言うのが面白いですよね。

第6巻では柘植尚則さんがヒュームの道徳感情論の展開について(第2章「道徳感情論」)、石井剛さんが中国における情動論的転回について書かれている。哲学史において無視されがちだった情念論を取り上げたという意味では、特色のある巻になっていると思います。わたしは面白く読ませていただきました。

†なぜ情念論は注目されたか

納富　まず、情念論は一枚岩ではない。クリュシッポスについては昔、神崎繁さんが議論しましたが（『魂（アニマ）への態度』岩波書店、二〇〇八年）、これは理性vs.感情ではなく、理性の二つの働きの葛藤なのですよね。感情というのは反理性ではなく、じつは理性の中のひとつの形態であるという系統と、理性と感情を分ける系統ではかなり立場が違う。それに生理学的なものと思弁的なものの違いが絡んでくるのが複雑なところです。

それから怒りの話をされましたが、これは魂の三分説の気概の部分ですよね。怒りに反対概念がないのは気概だからで、欲望のように反対概念があるものとは違う枠組みに属する。よって、これらをすべてまとめて感情であると言えるのか。ここには情念と訳すか、感情と訳すかという問題もあると思いますが。先ほど触れたように、感情はそもそも理性に反対する別物かという問題もある。山内さんがおっしゃったように、哲学者によってそれぞれ布置が違いますが、一七、八世紀ぐらいにそこが急にフォーカスされ、一斉に飛びついたのは間違いありません。

中島　どうしてその時代に情念論が注目されたのでしょうか。たとえば怒りにしても、それを「わたしの怒り」と言っていいのかどうかは微妙じゃないですか。何かにアフェクトされない限り、感情は成立しないわけですから。

納富　そうですね。そもそもパッションですから。

中島　感情というのは定義上、自分を超えていくもので、自分じゃないものとの関係の中でしか成立できません。つまり、独立できないということですよね。生の感情をいかにして陶冶《とうや》していくか。別の言い方をすると、正しく悲しむ、正しく怒るというのはどうやったらできるのか。

中国には礼という概念がありますが、これは感情の陶冶の形式を扱うものです。人間はそのままでは正しく感情を表現できないので、礼を通じて感情を豊かにする以外にはない。それこそが（弱い）規範である。そういう考え方によって、一八世紀に礼概念が復活するわけです。石井さんが扱った戴震《たいしん》（一七二四～一七七七）は「人間で一番いけないのは情の薄い者である。人間は情が厚くなければならない」いう理論を展開しました。その際に、戴震はキリスト教のことも念頭にあったと思います。彼はマテオ・リッチたちの影響を受けて哲学のディスクールを根本的に変え、経書への注釈というスタイルをやめました。そういう人が「情の薄い人はいけない」と言っているのは、一八世紀において情という次元が決定的に重要な場所になったということですね。人間の摑まえ方が相当変わってきている気がします。

山内　一七、八世紀になると感情に対する位置づけ・評価が高まり、本がたくさん出てきます。

その中にはデカルトのように「いままでは情念について真面目に論じられてこなかった」と批判する人もいますが、たくさんある情念・感情のどのあたりに焦点を当てればいいのか。たとえばスピノザ（一六三二〜一六七七）の悲しみ（tristitia）は身体性を伴った苦しみでもあるんですが、先ほどの戴震のようにキリスト教をモデルにすれば、これは愛（amor）ですよね。amorやcaritas、dilectioなどいろいろありますが、基本的にはだいたい似たようなものですからamorをベースに考える。amorの捉え方においてルソー（一七一二〜一七七八）はamour propre（利己愛）とamour de soi（自己愛）を分けた。彼は、amourはそんなに悪いものではなく、人間が自分の生命を維持していく以上は必ず持たざるを得ない、自分の存在にとって源泉となるようなよい原理であると位置づけた。

ラテン語に戻るとamor proprius（利己愛）というのは、一六、七世紀には悪いものと見なされた。当時はフランスやイギリスで、デカルトが無視したような情念論が膨大に出されていて、いまはそういうものを読めるようになりましたが、実際に読んでみるとやや冗長です。amor propriusは悪いという議論があった一方で、ルソーがオリジナルだったのかどうか微妙なamour de soi（自己愛）はあったのかどうか調べたんですが、そういう言葉はなかなか出てこないのです。

しかしアウグスティヌスはキリスト教の教えの中で、自分への愛というのは悪いことではなく、隣人愛、神への愛の起源は自分への愛であると言っている。自分への愛を持たないものが隣人や神を愛することができるはずがない。すべての人間は自己愛を持っているので、わたしは強調しない。だいたいそのようなことを言っています。

近世の初頭に情念論が膨大に書かれたということは、アウグスティヌスの系譜を踏まえて概念化したものがあるのではないかと思って探したんですが、なかなか見つからない。情念論というのは予想可能ではないというか、個別的で多様です。その標準・スタンダードはアリストテレスにはあまりなく、プラトンが『国家論』で提示した魂の三分説のひとつである気概（テュモス）から怒りが生まれたというのがありますが、基本的にはモデルがないのが面白いなと。先ほどのヒュームの情念論はいったい何をベースにしたのか、聞きたくなるぐらい不思議なところがあります。

†理性の不安

中島　わたしたちは今回、感情を強調しましたが、通常一八世紀は理性の啓蒙の世紀だと言われてきました。もちろんそれは全然間違っておりません。感情を読み直したうえで、もう一度理性や啓蒙の問題を振り返ってみると、どういうことが言えるのでしょうか。

納富　伊藤先生が第1章「啓蒙の光と影」でおっしゃっているように、やはり光と影のセット・融合として見るのが面白いと思います。人間は理性だけで動いているのではなく、その光が強くなると逆の面が浮かび上がってきます。そもそも理性に対する捉え方自体、単純ではありませんよね。

いま、情念は複雑だという話が出てきましたが、理性もそれに相即して複雑です。世界と魂もそうだったように、一つの概念で捉えることが困難をもっていた、単純な概念がすべてを引っ張るわけではなく、あくまで布置の中で動いているからです。一八世紀の哲学状況を個々の軸で見る場合、理性と感情・情念という形で光を当てることによってかなりはっきりと見えてくるものがあります。わたしが興味を持っているのはむしろ、理性のほうがどのように捉え直されるのかということです。

中島　わたしたちにとっては、坂部恵《さかべめぐみ》先生の『理性の不安』が大事な参照項なわけです。坂部先生は、理性は決してしっかりしたものではなく、そこには不安がべったりと貼りついていると看破されました。

この理性という概念自体が翻訳の歴史の中にあります。しかもそれは単純な翻訳ではなく、さまざまな屈折を経たものです。そのうえで一八世紀の理性概念が出てきました。そういった議論を踏まえたうえで、一八世紀の理性と啓蒙を再評価し直すとすればどのようなチャンスがあるのかですね。

山内　一八世紀に知性と理性の位置関係が変わるわけですが、中世では直観的な能力であるintellect（知性）のほうが上位概念として存在する一方で、ratio（理性）はそれほど出てこない。ratioという言葉は定義・比・理由という意味で使うことが多い。オッカムもratioという言葉を使っていますが、わたしにとって理性を坂部さん的なモデルとつなげるために大事だったのはフランシスコ・スアレスなんですね。

これは授業でも教えていますが、ens rationisという概念があります。これは「理性の存在」、あるいは佐藤一郎さんのスピノザの翻訳で「理屈上の存在」と訳されていますが、佐藤さんの訳は工夫された訳だと思います。わたしは虚構のものという側面を出したくて、「理虚的存在」と訳してみました。つまり否定・欠如・理屈上の関係というのは右左、大小など相対的なものなんですが、これはさっき言ったような純粋反省概念です。ある対象を認識する場合、認識している作用そのものを認識することによってひとつの内容を持った反省概念が生じますが、まったく対象を持たない作用そのものを対象化して現れるのがens rationisです。つまり理性概念とは対象を持たないもので、純粋関係性なわけです。

それがカントになるとVernunftbegriff（理性概念）、つまり理念になっていく。カントの場合、理念とは超越論的な仮象を引き起こすものです。それは認識の彼岸・限界を超えて存在するような世界の始まり、世界の端、魂の不滅、神の存在です。これらは人間が認識できないような対象ではありますが、知らずにはいられない。ここには人間知性の有限性が現れてきますが、そうした非存在、対象性、関係性、志向性の問題を設定したのがスアレスなわけです。

スアレスは世界の内部のみならず、世界に対する関わり方も考察対象とする。これはトマス以降、徐々に現れてくる主意主義、自由の問題の基礎となる。存在しないものであるにもかかわらず、探究せずにはいられない。そこに理性の不安が現れる。ドイツにおいてイエズス会の伝統は少し屈折して歪み、カントまで流れていく。わたしは基本的に、理性が不安を引き起こすという坂部先生の見込みに影響を受けています。

中島　山内さんが普遍論争を扱われるとき、実体ではなく関係性に焦点を当てていらっしゃいます。それがスアレスを経由して理性概念になるというのは面白いですね。ratio ですからまさに比の問題で、比においては比べるもの自体よりその関係性がどう記述されるかのほうが大事です。

ところがカントになると理性が実体に向かい、そこで転倒が起きます。カントはよくヒュームによって「独断の眠りを覚まされた」と言いますが、はたして本当に覚めたのでしょうか。カントのような方向に行かず、ヒューム的な感情についての議論、つまり関係性を問う ens rationis 系の議論を発展させていく道もあったのではないか。そういう気もするのですが、いかがでしょうか。

山内　当時の人はens rationisという概念をなかなか理解できず、なぜratioなのかと思ったことも多かったのです。この場合、むしろintellectusとratioが不思議なコラボレーションを起こすんですね。intellectusとは本来、inter（内側を）lego（読む・認識する）ことですから、事物の本質を読解する。ratioはいまおっしゃったように比・対応関係なので内部性とはちょっと違う。スアレスの場合、知性というのは認識が成立する場で、映画館で言えばスクリーンです。ratioはそれを認識するもの、関係性に関わるもので、フィルムを回して投影することに似ている。知性と理性はそこで役割分担を担い、そのうち知性はカントにおいて悟性となり、どんどん地位が下がっていく。わたしはそう習ったし、実際にそうなんだろうけど、知性と理性が一緒に出てきて相互の位置確認をする場面というのはなかなか難しく、一八世紀、つまり啓蒙の時代になると理性のほうが上になってくる。これについては今後も引き続き、文献の上で調べていく価値はあると思います。

†啓蒙と世俗化

中島　それから、一八世紀で考えたいのは啓蒙の問題です。カントに言わせると啓蒙の敵は宗教で、宗教は未成年の状態にあると言っています。そこから出て大人になれということですが、そこで実際には何が起きていたのでしょうか。

イエズス会は世界に出ていき、聖書よりも古いものを発見してしまいました。たとえば中国に行った人は、天地創造よりも古い歴史に出くわし、ひょっとすると神なしでもやっていけるのではないかという恐ろしい事態に出くわしました。一八世紀の前半ぐらいまでは、ヨーロッパでは中国の位置はけっこう高かったのですね。ところが、その後大きな変換が起きて、中国やインドはどんどん下に押しやられます。そういう構造が突然出てきて、ヘーゲルなどはそれを典型的に現していきます。

つまり、精神がある仕方で展開していく中で、中国のようなヨーロッパの外部はプリミティヴなものとして位置づけられていきます。聖書よりも古いものを何とか処理したかったのだと思います。カントも普遍史について言及していますが、やはりヨーロッパ中心で、ヨーロッパの外部は付け足しのようにあればいい、という見方でした。もちろんカントは地理学をよく研究していた人ですから、世界の配置をよく見ていたとは思いますが、啓蒙の構造の中で宗教が周縁化されていくと同時に、ヨーロッパの外部も貶視《へんし》されていきました。一八世紀に登場したこうした仕掛けを、わたしたちはしばらく引きずっていくことになります。

そもそも一神教という概念が出てきたのは一七世紀ぐらいで、これはケンブリッジ・プラトニストによってつくられたものです。一八世紀になると一神教概念が急速に力を持ち、多神教は駄目だというよくわからない言い方がなされるようになります。一八世紀のヨーロッパにおいて、知の配置がかなり大きな転換を遂げたわけです。その痕跡がカントの知性と理性の関係の中にもあるのですが、後から見る者にはそれが見えにくくなっている。第6巻ではそういった問題にも光を当てたのですが、納富さんは啓蒙の問題についてどうお考えですか。

納富　そうですね。ひと昔前には啓蒙という単語自体が古臭いと言われましたが、そこで何が起こったのかということを正確に見直さなければならない。中島さんがいまおっしゃった通りで、そこで標的にされている宗教が何なのか、じつはそれほど明瞭ではないし、世俗化・科学化についてもひと昔前ほどわたしたちは重視していません。先ほど議論した感情というものも理性の対なので、問題になると思います。

intellectus と ratio の関係についてのお話がありましたが、哲学史・歴史的にこの時代を見るとどうなるのでしょう。哲学史が成立したのはだいたいこの時代で、コンドルセ（一七四三～一七九四）の『人間精神進歩史』もこの時期に書かれています。啓蒙は進歩的な枠組みで歴史を位置づけます。歴史において何か一貫した流れがある場合、理性の発現、精神の展開といった形で自立する図式・枠組みができるわけですが、そうするとその哲学史から外れる西アジア・中国などは当然、位置を失います。素晴らしいものを持っている他者でも、その枠組み・発展の中に位置づけられないと必然的に下位、あるいは外部に押しやられる。そのような歴史的な見方が強まるには世俗化が連動していると感じます。この時代には中国の事情に詳しくなっているにもかかわらず、そういうことが起こる。実際に現地に行ったり直接の情報を得ているからこそ幻想がなくなり、地位が下がったということもあるかもしれません。ですから、ただ単に啓蒙という概念自体が不適切とか、そういう単純な話ではないと思います。

†一八世紀的哲学史を超えて

中島　一八世紀というのはまさにオリエンタリズムが成立してくる時期です。また、納富さんがおっしゃったように歴史学が扱う歴史という概念が整備される時代でもありますよね。ラインハルト・コゼレック（一九二三〜二〇〇六）の概念史によれば、Geschichte（歴史）が集合的単数として成立するのはこの時期で、わたしたちがイメージする歴史はまさにこの時期に成立しました。わたしたちは世界哲学史において歴史を問題にしていますので、どのタイプの歴史叙述を念頭に置くかということは非常に大事です。その際に、一八世紀に成立する歴史学をどこかで相対化する必要があると思います。一八世紀には、中国を含めたヨーロッパの外部がきれいな仕方で位置づけられていきますが、当時の歴史学はそれを許し、それを哲学が取り込んでいきました。その全体が啓蒙という構造をなしています。それをどう理解するのかというのは、大きな問題ですよね。

山内　啓蒙という概念はもしかすると、一般に流通している哲学史概念とかなり親和性があるのかもしれません。わたしたちがいろいろと考える哲学史というのは、ある時代に成立した。日本哲学会でもかつて、柴田隆行さんが哲学史はいつ現れたのかということを発表されたことがありましたが（「哲学史区分再考」日本哲学会編『哲学』五〇号、一九九九年）。

いまお話をいろいろ聞いていて、哲学史には次のような三つの論点があるのではないかと思いました。ひとつは学説史（doxography）ですね。学説史はギリシアや中世にもあり、特に一五世紀、パリ大学のジャン・カプレオルス（一三八〇〜一四四四）などの本を読むと学説史だらけです。そこではいろんな説を並べ、網羅的に書いていくわけですが時代順ではなく、自分と一番敵対する立場から始まり、自分に近い立場が最後になる。つまり、自分のポジションからの思想的な距離を基準として並べるわけです。

イエズス会もそうですが、そういった並べ方はスコラ的な学説史の特徴です。それは一四世紀の半ばにはできあがっているんですが、時代順に並べるという発想が出てくるのはそれよりもかなり後で、おそらく一七世紀ぐらいではないかと思います。一七世紀の唯名論の歴史を扱った本を見ると（ジャン・サラベール『唯名論哲学擁護』一六五一年）、やはり時代ごとに並べているんですね。たとえばロスケリヌス（一〇五〇頃〜一一二五頃）から始まるとか。自分の思想から遠いものから並べる学説史、時代順に並べる哲学史、さらにはひとつの理性・理念に基づいて流れていくヘーゲル的な哲学史がある。理性というのは極めて西洋的な概念なので、その発展にコミットしない、貢献しないようなものは他者として扱われる。

中島　理性の他者ですね。

山内　一八世紀的な哲学史には学説史的な配列、時代列の配列、西洋的な理性の発展に基づく配列という三つの論点がありますが、わたしたちはそういったものとは違う形の哲学史を生みだしたと言えるのではないでしょうか。狭い理性ではなく、もっと広い理性を目指しているのかもしれませんね。

7『世界哲学史7――近代Ⅱ　自由と歴史的発展』

†アメリカのトランセンデンタリズム

中島　伊藤邦武先生の不在がだんだん大きくなってきましたが、では第7巻で扱った一九世紀に参りましょう。一九世紀になると、ヨーロッパに対する疑いが出てきます。そして、アメリカが登場してきたことも大きいことですね。アジアでも日本・中国・インドなどがヨーロッパともう一度接続し直しまして、この間には相当高いテンションが生まれました。一九世紀を哲学的にどのように考えるのか。これはわたしたちにとって、かなり大きなテーマだったと思います。この第7巻を読めばある程度おわかりいただけるかと思いますが、西洋批判を相当強く打ち出しました。一九世紀的な近代をそっくりそのまま継承すればいいわけではなく、じつはそこにはさまざまに入り組み、相互に矛盾したレイヤーがあることを明らかにしたわけです。このあたりについてはいかがでしょうか。

山内　一九世紀にはマルクス主義が現れて社会批判が高まりを見せ、わたしとしては、フィオーレのヨアキム（一一三五頃～一二〇二）が提示したような終末論的な世界が現実的な理論として現れてきたことが面白いと思うんです。まず糸口として考えたいのは、一九世紀とは帝国主義の時代であったということです。大航海時代からすでに搾取は始まっていますが、一九世紀にはヨーロッパが中東の石油をめぐって極めて人工的に分断し、さらに大規模な搾取によりイスラームの民族意識に火を付け、さまざまな運動を起こした。そこでサウジアラビアを建国したイブン・サウード（一八七五～一九五三）や中田考さんがおっしゃっていたサラフィー主義が出てくる。これはサラフ（初期イスラームの時代・原始教団の状態）を模範とする思想で、ムハンマド（?～六三二）が述べたような世界に戻ろうという原理主義的な動きがかなり強烈に現れてくる。

哲学史的に見ると一九世紀にはヘーゲルやマルクス（一八一八～一八八三）がいますが、全体としては中途半端な印象がありますね。いくつか特徴を挙げますと、一九世紀は二〇世紀の二つの世界大戦を引き起こす前提をつくった。そして、世紀末にはニーチェ（一八四四～一九〇〇）やショーペンハウアー（一七八八～一八六〇）が出てきた。啓蒙の時代が光であったのに対して、一九世紀は闇の時代のように思われる。第7巻のサブテーマは「自由と歴史的発展」で、わたしが一九世紀に対して持っているイメージとはぴったり重ならないけれど、そのあたりをどういうふうに頭の中で整理したらいいのかなと考えています。

中島　伊藤先生は、パース（一八三九～一九一四）というアメリカの哲学者を中心に研究されてきました。アメリカの登場というのはやはり大きいですよね。この中でも書かれていますが、アメリカの独立宣言はある種の普遍性を高らかに謳っています。フランス革命では限定された人たちのための人権宣言だったのですが、アメリカにはそれを拡大していく開放的な風土があったということです。

アメリカでプラグマティズムのような考え方が成立する背景には、東海岸のトランセンデンタリズム（超越主義）の運動があります。これは哲学をもう一度宗教ならぬ宗教性に結びつけようとする運動で、パースやジェイムズ（一八四二～一九一〇）に大きな影響を与えました。振り返りますと、一八世紀のカントの啓蒙は「宗教は敵である」と言い、そこから世俗化が浮上してきました。フランスではライシテ（laïcité）という形で世俗化を推し進めていきますが、それを進めれば進めるほど、対極にあった宗教性が見直されていきます。それはロマン主義や、アメリカのトランセンデンタリズムという形で現れましたし、冨澤かなさんが書いておられたインドのスピリチュアリティーの問題も出てきます（第9章「近代インドの普遍思想」）。フランスでもスピリチュアリスムという形で、理性と啓蒙によって周縁に追いやられていたものが浮上してきました。一九世紀にはそのせめぎ合いがけっこうあったわけです。

†古代の発見と原理主義

中島　山内さんがおっしゃったように、一九世紀のヨーロッパの列強としての世界支配のやり方は相当ひどく、それがいまに至るまで禍根を残していることは間違いないと思います。それは普遍の名を借りていろいろに展開したわけですが、結果としては抑圧となり、二〇世紀の二つの世界大戦の前段階をつくってしまいました。

納富　一口に一九世紀と言っても、いろいろなフェーズがありますよね。シリーズ後半では一巻ごとにほぼ一世紀分を扱っていますが、一九世紀も序盤・中盤・後半、世紀末でめまぐるしく変わっています。また、三宅岳史さんが書いたフランスのスピリチュアリスムについての論考（第8章「スピリチュアリスムの変遷」）は、いままであまり知らなかった領域ですが、このように国別のフェーズもだいぶん違うので、単純に「一九世紀はこうだった」とは言えないと思います。

山内さんが最初に言われた帝国主義の問題についてですが、興味深いことに、中島さんが先ほど何度も強調されておられた古代の発見というのは、やはりこの時代なのです。ナポレオン（一七六九〜一八二一）がエジプトに遠征してつくった『エジプト誌』（一八〇九〜一八二二年）という膨大な史料集があり、ナポレオンが失脚した後も彼の名前で出版され続けています。フランス史の研究者はみなこれを参照するようですが、ピラミッドの実測図やロゼッタ・ストーンの模写などいろいろあってとんでもなく面白いです。啓蒙主義・合理主義の権化のようなフランスがエジプトですべての遺物を収集し、そこで初めて古代エジプト文明を発見する。しかもそれは、聖書よりもっと古い時代のものであることがわかる。

うまくつながるかどうかわかりませんが、この古代発見には原理主義的なところがある。これによってより純粋なものに戻り、純粋なヨーロッパ性とは何かという問いが生まれる。これはドイツで言うと古代学（Altertumswissenschaft）で、ドイツはギリシア文明の継承者であるという意識が芽生えます。だから単に、資本主義と科学技術が発達して世界を征服し、植民地支配で無謀なことをしたというだけでなく、哲学では連動する理念的な動きもあったのではないかと思います。啓蒙・理性を重視したヨーロッパが向かった先はエジプトのヒエログリフやインドのサンスクリットであり、それが歴史主義の中で原理主義的な動きになっていきます。そのように前へと突き進む側面、ショーペンハウアーやニーチェの「意志」のようなドロドロした側面も出てきます。一八世紀と一九世紀の動きはある意味で連続していると思いますが、二〇世紀になるとそれが破綻してしまう。これがわたしが漠然といだいている構図です。

†フィロロギーの時代

中島　わたしは、フィロロギーという学問が一九世紀を特徴づけている気がしています。さっきエジプトの話が出ましたが、たとえばフランスでは一六六三年に碑文・文芸アカデミーが設立され、そこではエジプトのみならずギリシアや中国など、古《いにしえ》の問題の研究が行われました。では、古を摑むと何が起こるのか。たとえばサンスクリット語を発見し、これはギリシア語と似ているという指摘から比較言語学が成立しましたし、同様に仏教とキリスト教の対比などから比較宗教学が成立します。この比較〇〇学が、一九世紀の学問を特徴づけています。その背後には、一九世紀的な知の装置が見え隠れしていて、その中心にフィロロギーがあるように思います。

しばしばこれを「文献学」と呼んでいますが、わたしは、フィロロギーはどうもそのような狭い枠には収まらないような気がしてなりません。というのも、それはphilo+logosですから、ロゴスに対する奇妙な愛着がフィロロギーなわけです。ニーチェはその典型でして、フィロローグ（philologue 古典文献学者）でありながら、古代ギリシアのような古を探求するのです。そのような合体したところに、系譜学が出てくるわけです。

では、一九世紀を特徴づけているフィロロギーとはどういうものなのか。重要なのは、ここに再び登場した、ロゴスという言葉です。たとえば一九世紀のフランスでは『老子』を翻訳する時に、道をロゴスと訳しました。これは一九世紀の philo+logos すなわちフィロロギーのひとつの帰結だと思います。もちろん一九世紀のロゴスは、その他方で、精緻な論理学（logic）にも展開していきます。しかし、論理学のロゴスと同時に愛着がそこに込められたロゴスがある。これをどう理解すればいいのでしょうか。

納富　フィロロギー（Philologie）はエラスムス（一四六六～一五三六）が活躍した一五、六世紀から徐々に発展し、一八世紀のオランダとフランスに受け継がれ、一九世紀にドイツで一段突き抜けるわけですよね。フィロロギーの発展を根底で動かしているのは聖書文献学です。これは聖書の校訂をめぐる問題で、エラスムスから始まってリチャード・ベントレー（一六六二～一七四二）やカール・ラハマン（一七九三～一八五一）につながる学問の動きで、基本的には教会権力との抗争となりますが、そこで学問をつうじて神の言葉・ロゴスを復元し、近づいて行こうとしたことは決して無視できません。単に科学的に世界を扱い、世俗化していったのではなく、起源に遡り、ロゴス自体を発掘した。そこには宗教的なモチベーションもありました。その問題を考えなければならない。

あと、一九世紀のドイツで批判文献学が出てきます。批判という単語はカントなどいろいろなところで出てきますが、人間の理性というのは基本的に批判精神である。否定することによってpurify（浄化）して不純なものを切り捨て、できるだけシンプルにしていく。フィロロギー自体にそういう要素があります。一九世紀ドイツ文献学はわたしたちが議論してきた一八世紀以前からの動きの成果でもあり、そこに帝国主義などを含めた近代文明・近代の社会のエッセンスが込められます。フィロロギーの定義は難しいのですが、文献学という日本語で片づけないほうがよいと思います。石井剛さんが意識している中国の動きもそうですが、フィロロギーの実践は世界中の諸文明で非常に似ています。日本でも史料編纂の歴史はありますし。そのように世界に共通して見られるものでありながら、西洋に特化した形で展開された学問なのです。

中島　フィロロギーも、徐々にある種の実証主義と合わさってきます。そうすると中立的な学問のような気がしますが、その手前を見ていくと、たとえばヘルメス思想とフィロロギーが一体化している面もあったりします。そういう神秘的なものと親和的な面もあるのですね。そのために、一九世紀は一筋縄ではいかないと思っているのです。さっき申し上げたスピリチュアリティーといった問題もフィロロギーと無縁ではない気がするんです。

山内　フィロロギーにはいろいろあると思うんですが、ドイツのフィロロギーの伝統はサンスクリット文献学で、古代のインドでヨーロッパのあれだけ精緻なスコラ学を凌ぐような体系が出来上がっていたというのは、彼らにとって大きな驚きだったと思うんです。フィロロギーでは時代を超えて二〇〇〇年以上前のものを読解し、理解することができる。それと同時に比較言語学が出てきて世界各地の言語に対する認識が広がっていくと、似たようなものを発見しようとする比較思想が出てくる。坂部恵先生の授業ではヘルダー（一七四四～一八〇三）について集中的に長年扱われていて、わたしもその授業にずっと出ていましたが、ヘルダーにおいては民話とか民謡とか地域的な文芸が重視されていました。これは地方の民話的な思考、つまり一見すると文化がないようなところにも高度な文化が宿っているという文化人類学的な発想にもつながっていったように思います。

フィロロギーと言うと理念的に単純化した言い方になってしまいますが、これは時代・地域を超えて新しい意味での普遍性、世界哲学の世界性を発見する道具になっていったのではないか。これは大学の学問の中では評価されにくいところもあるんですが、じつは重要なものであるように思います。

†プロトタイプ重視のイデオロギー

納富　わたしはいま山内さんがおっしゃったのとは違う感じを持っているので、ここで一応議論のために言います。西洋と同じように、中国でも日本でも文献を尊重していく文化があったのは間違いありませんが、そこでは対等に比較できるのかどうか。

中島　いや、非対称的ですね。

納富　第1巻で赤松明彦さんがパウル・ドイッセン（一八四五〜一九一九）のインド哲学研究を紹介していますが（第5章「古代インドにおける世界と魂」）、インド思想というのは西洋のインドロジー（Indology）の枠組みでつくられてしまった。もちろんサンスクリットはあったけれど、基本的にヨーロッパのインド学になっています。中国についてもある程度同様ですよね、インド哲学や中国哲学を西洋的なフィロロギー、ヒストリーに改装してしまった。今回の『世界哲学史』の場合、その問題がどうしても鍵になってきます。特にインドなどについてはそれ以外の語り方がないのです。わたしたちはそれほど意識していませんが、いま言ったようなことを指摘するのは重要です。

そもそもこのように歴史を語ること自体、一八、一九世紀の西洋的なメンタリティかもしれません。インドについてのわたしの知識は限られていますが、初期仏典への復帰は、明らかに、それまであまりなされていなかった側面をヨーロッパ的な観点から考えた結果です。つまり、ブッダが最初に仏教を始めたのであれば、後々の仏典よりもブッダの言葉のほうがはるかに重要なはずだ、という発想です。つまりこれはキリスト教で言えば福音書の発見ですよね。中村元先生などは福音書がなければ駄目だということで、初期仏典の解説や翻訳に精力的に取り組まれましたが、あれは明らかに西洋的な思考です。それまでは初期仏典なんて仏教では誰も相手にしていなかったのですが、そこを研究しなければ仏教とは言えないと考えたわけです。これはフィロロギーがもたらした成果ではありますが、ある種の文化的偏向、非対称性の現れとも言えます。

中国の場合はすこし状況が違っていて、伝統との確執があるようですが、インドの方がより強く西洋の図式に組み込まれてしまっていると感じます。日本についてはそもそも語るベースがほとんどなかったわけですが。フィロロギーは希望の星であると同時に、ギリシア、ローマ以来のイデオロギッシュなところも引きずっている点に注意が必要です。

中島　比較言語学では、たとえばインド・ヨーロッパ語族の祖語を設定しますが、納富さんがおっしゃるように、この発想は非対称性を生みがちです。また、宗教に関しても、原型を見つけられるはずだという信念がありますよね。

納富　ギリシアの「アルケー（始原）」のように、単純な原理が最初にあったという発想も西洋の伝統です。ユダヤ教はモーセしかいないけど、キリスト教の場合はイエスという人がいて、イエスが本当に喋ったことは何だったのかという福音書の研究があり、そこではオリジナルを復元しようとする。オリジナル復元にこだわると「じつは孟子はこうだった」とか「孔子は謎だ」という話になってしまいますが、最初は誰もそんなことを気にしていなかったわけでしょう。そこには良し悪しで片づけられない問題がありますが、わたしたちはいまだにそれをベースにして物事を考えています。

†進化論の衝撃

中島　そのような思考がいまだに続いているわけですが、一九世紀はダーウィン（一八〇九～一八八二）の時代でもあります。やはり進化論はかなり衝撃的なもので、プラグマティズムもこれ抜きでは成立しなかったと思います。ダーウィンは一九世紀的な知のあり方が前提としている因果律を断ち切ってしまいました。つまり、因果律に収まらないような継起もありうるだろうと問題提起したわけです。この点は、プラグマティズムではデューイ（一八五九～一九五二）が典型的です。彼はもともとヘーゲル研究者でしたが、それをやめてしまう。因果律を強いものとしては設定できず、もっと偶然性などについて研究しなければいけないと大きく転換していくわけです。このようなダーウィンの衝撃をどう測ればよいのでしょうか。ベルクソン（一八五九～一九四一）もそうですが、ダーウィンの衝撃はわたしたちが思っている以上に大きかったのではないでしょうか。

山内　ダーウィンの進化論の影響も大きかったし、フロイト（一八五六～一九三九）の精神分析の衝撃も大きかった。ダーウィンは世界の歴史、生物の発展を全部見通していたわけではないけれども、安定したキリスト教的な生物の発展という世界像に対して「それは違うんじゃないか」と対抗馬を出してきた。現代のわたしたちが思う以上に、当時の人はダーウィンの進化論やフロイトの思想に対して恐れを抱き、なおかつ怒りをもって受け止めたのではないでしょうか。

中島 そうすると、当時の生物学はどう考えればよいのでしょうね。ダーウィンはその枠組みの中であれだけの革新的なことを言ってしまったのですが、一九世紀には、人間も含めた生き物を摑み直すという動きがすでに生じていたのでしょうか。

納富 進化論が与えた衝撃は多様ですが、進化倫理学など現代のさまざまなトピック・問い、さらには理性をどうするかという問題にもつながってきます。物質から順番に来たというのであれば、人間が特権的だと言わなくても構わない。人間を含めたどの生物がそれを持っていようと構わないのだけど、そこで理性をどう説明するのかがあらためて問題となります。

適者生存的な合理的思考など、わたしたちが信じていたものはどうなるのか。生物学においても、人間とは何かという問題についてはまだ完全に解決できていない。あるいは、言語と理性の問題をどうするのか。スタティックに捉えようと進化論的に捉えようと、これまでカッコを付けていた「人間、理性」という問題について真面目に考えるとどうなのか。これは哲学にとって、とりわけ大きなチャレンジではないかと思います。

中島　一九世紀はそれと同時にヒューマニズムの時代でもあります。人間は別格で、神に代わって人間が世界の中心にいる。そう高らかに宣言したわけですが、そのただ中で「いやそうじゃなくて、人間は中心になどいないのではないか」という批判もあるわけですよね。中心にいるのは偶然で、たまたまそうなっただけではないかと。わたしたちはいまだに、そのインパクトを測りかねているのかもしれません。

†功利主義をどう評価するか

中島　あともうひとつ、一九世紀で気になるのは功利主義の問題です。たとえば福澤諭吉（一八三五～一九〇一）は「これからは功利主義の時代だが、われわれは江戸時代からすでに功利主義を実践していた」と、面白いことを言っています。福澤はいろいろ世界を見た上でそう思ったわけです。いまベンサム（一七四八～一八三二）やミル（一八〇六～一八五三）について大きな見直しが始まっていますが、一九世紀の功利主義をどう評価したらいいのでしょうか。

山内　倫理学の中で功利主義については批判する流れと擁護する流れがあり、いまだに盛んに議論しています。二〇世紀後半以降、功利主義は快楽主義（hedonism）の側面を含んでいると批判されたこともありますが、ベンサムが出した功利主義は個人の快楽を追求するのではなく、社会を変える運動だった。社会全体において格差が拡大しているが、貧しい人々もまたワン・オブ・ゼムで一人一人に発言権があり、当然ながら功利の対象となる。これは倫理学で個人の論理として見ると批判されがちなんですが、実際には民主主義というか、格差を是正する社会運動という意味合いがあった。ここは大事だと思うんです。

これは第8巻にも出てくる議論ですが、たとえばバーナード・ウィリアムズ（一九二九〜二〇〇三）は徳倫理学の観点から功利主義を批判する。徳倫理学の場合、パティキュラリズム（個別主義）なんですよね。啓蒙と理性の立場、カント的な立場から見る普遍化可能性のもとに倫理学を考えるというのがあったわけですが、徳倫理学では人間の価値基準はたくさんあると考えるので、一元的な価値基準によって評価するのではなく、多元的に見なければいけない。しかもどの価値基準を選ぶのかは人によって違うわけですから、「俺はこう行くんだ」という決断が徳倫理学、パティキュラリズムとして現れてくるし、それがバーナード・ウィリアムズが言うところのモラル・ラック（道徳的な運）という問題にもつながっていく。

功利主義を批判する論点はいまもたくさんありますが、ベンサム自身はそれとずれたところで考えていたというのは面白い。ベンサムは当時の倫理学の枠組み、特定のエリートしか考えないような話からずらすために一般庶民を倫理学的な考察の主体・対象にしようとしたわけですが、逆に言えばこれは一種のパティキュラリズムなんですよ。一九世紀の中で功利主義というのは必然性を持つ面白い思想なんですが、批判されて敵にされていた。功利主義の語り方に関する歴史の変遷という意味で、これは面白いと思っています。

中島　いまの日本ではそれこそ義務論vs.功利主義という図式になっています。

納富　世界中でそうなっています。

中島　ベンサムは当時のイギリスの同性愛者へのひどい仕打ちに対して、批判的だったと聞きました。山内さんがおっしゃったように、ベンサムの功利主義にはある種の社会改良という側面もあったわけですね。しかし、それがうまく見えないような仕方で理解されています。それもわたしたちの問題なのかもしれません。一九世紀というのはそれだけ、多様な力線が張られていたということですね。

8　『世界哲学史8――現代　グローバル時代の知』

†二〇世紀をどう捉えるか

中島　では、いよいよ二〇世紀に入りましょうか。二〇世紀は戦争の世紀でもあり、二度の世界大戦が起きますが、これらはほぼ連続していると言っていいものです。二〇世紀には一九世紀にピークを迎えたヨーロッパ的な文明に対する厳しい批判が展開され、人間自体をどう考え直したらいいのかが問われてきました。

檜垣立哉さんが書いてくれたように（第2章「ヨーロッパの自意識と不安」）、ヨーロッパの不安というのはかなり根底的なものでした。さっきの山内さんの議論に引き付けて言うと、二〇世紀には大衆が登場します。また二〇世紀はグローバル化の時代でもありますから、世界は高い密度とスピードでつながりました。ここではまさに世界哲学について考える意味があると思うのですが、どういう角度から論じたらよろしいでしょうか。

納富　二〇世紀について議論するのか、それとも現代について議論するのでしょうか。わたしたちは二一世紀にいるから、そろそろ二〇世紀を過去として振り返る時期に来ているとも感じます。わたしたちにとって、少なくとも世紀後半のポストモダンは同時代だったので歴史的に語りにくいところはありますが、二一世紀に入ってからこうして「世界哲学史」を推進している以上、そろそろ二〇世紀をきちんと捉え直そうという覚悟で発言されているのかなと。

その一方で、いまのわたしたちはどこまで二〇世紀から抜け出しているのか。あるいは、二〇世紀を見られる位置まで来ているのか。これについてはかなり怪しいところがあります。第8巻はそれまでの第7巻までとはちょっと違って、まだ現在進行形でやっている最中という書きぶりが多いですよね。意図的にそういうふうに書いてらっしゃる方もいらっしゃるとは思いますが。他の巻も含めて、過去を叙述すること自体が現代の哲学の営みではありますが、第8巻では現在性がかなり前面に出て一体化していて、それが大きなポイントになっています。

もちろん戦争は常にどこかでありましたが、通常言われている二つの世界大戦から八〇年近く経つわけですから、「戦後」とはたしてひとつのまとまりとして言えるのかどうか。「二〇世紀は戦争の時代でした」と言っている段階と、その後にいろいろと起こった段階をひとつのつながりにして適切か。あるいは、二〇世紀の初頭はもっと細かく分けたほうがよいのではないか。いま、わたしたちが二〇世紀を語るうえでの視点はどこにあるのか。それがはっきりしていないと次に進めない気がします。今回は執筆者の皆さんにそれぞれの視点で書いていただいたうえで、このラインナップで良かったのかという疑問もないとは言えません。

中島　それは難しいですね。

納富　ほとんどの問題が論じられていると思うんですが、そもそも二〇世紀という時代がこういうラインナップで捉えられるのか。これについては多角的な反省が必要だと思います。

†全体主義や科学技術を後追いした哲学

中島　悩ましいのは、わたしたちがこの企画を構想した時（二〇一八年）といまではまったく事情が変わっていることです。新型コロナのパンデミック以降、一〇〇年前の第一次世界大戦、

「スペイン風邪」の時の状況とどうしても比べてしまい、「わたしたちはそんなに変わっていないのではないか」という反省をせざるをえません。しかしそうは言っても、もう一度世界大戦をやりたくはないし、そんなことはできません。では何が二〇世紀に刻みをもたらしているのか。二〇世紀における最大の問題は全体主義で、ナチズムを筆頭とする動きをあちこちで生み出してしまいました。しかもそれは哲学と無縁ではない。「理性の行き着く先はファシズムではないか」とまで言われるわけですが、哲学はどうすればよりましなものになりうるのか。それについてはどうでしょうか。

山内　これには全体の巻数のバランスが関連してくると思うんですが、八冊あったら三冊ぐらいは現代にして、中世は一冊にするという方法もあって、いままではそのほうが主流だったわけですが、わたしたちはあえて現代を一冊にまとめた。一巻にまとめた以上、全部はとても盛り切らない。現象学を扱っていなかったり、抜けているところは山ほどあるので反省点もあるんですが、これはわたしたちの戦略でもあった。つまり「ここに注目しますよ」という強い気持ちを持たなきゃいけない。二〇世紀は第一次世界大戦・第二次世界大戦という二つの戦争を踏まえており、全体主義の問題は大きい。あと二一世紀との関係で言うとやはり九・一一があり、イスラミック・ターンという言葉が出てきましたが、やはり宗教の復権という契機もあったように思います。

二〇世紀・二一世紀の切り口はいろいろありますが、全体主義も宗教の復権も特定の地域の出来事ではなく、世界中を巻き込んでいるとはっきり言える。わたしたちとしても、そうした世界を巻き込むような思想を選びたかったのは強調しておいてもいい。

中島　たしかにいまは「ポスト世俗化」という言葉もあり、あちこちで宗教復興が見られます。とはいえ、その意味や意義をちゃんと摑まえているとは言いがたい。宗教と世俗に関しては、一八・一九世紀的な知の配置を引きずっているところがありますが、現実には近代の原理であった世俗化が大いに疑われていて、社会のあり方も変わってきている。

全体主義をどのように捉えるかについてはいろいろと議論がありますが、人間があそこまで徹底した暴力を振るうことができたのは、ある種の官僚制が制度的に機能したからこそだと思います。わたしたちはそういう社会を生きているわけですが、これはもはや一地域の問題ではなく、世界中が即座に影響を受けるものになってしまっている。その中で哲学の使命と言うと大げさですが、いま哲学に問われているものは何なのか。これは『世界哲学史』を第8巻までしあげた後に、わたしたちに向けられた問いでもあるかと思います。

納富　この第8巻でも書かれていることですが、科学技術との兼ね合い・距離という問題が大きいです。科学技術のほうがどんどん先に進み、哲学は置いていかれたわけですが、科学技術ですべてが解決したかというとそうではない。今回のコロナの問題もそうですが、一番手前のところで何もできないということはいくらでもあります。

人間の理性的な判断において政治が行われ、革命が起こり、科学技術が進歩して生活も豊かになる。そういう一体化的幻想があったわけですが、全体主義にしても人間が意識的・意図的にどんどん進めたというばかりではない。もののほうが先に進んでしまったから大量破壊ができたし、誰の良心も傷つけずに大量虐殺できてしまった。そこで哲学が置いていかれるという状況が続いたわけですよ。それについて後から様々な反省はしたのですが、「哲学に語る言葉はない」と考える人も「それは哲学のせいだ」と言う人もいた。でも実際には多くの人は「いや、哲学はそんなに関係ない」と思ったのではないでしょうか。哲学が社会で持っている力・可能性はごく小さいかもしれないけど、できることはいったい何なのか。二〇世紀にはそういう問題が明確化しました。

整理すると、まず政治や科学技術との距離ができてしまい、これらをコントロールあるいはスーパーバイズしているつもりだった哲学は完全に後追い的な役割になってしまった。いまは後追いすらしていないかもしれませんが、わたしたちがさらにもう一歩先に行こうとする時、哲学で考えることの意味は何なのか。あらためて向き合うべき時です。

†巨大なものをどう捉えるか

中島　わたしたちが現実に関与するとき、その関与の仕方をもう少し洗練していく必要があるのではないでしょうか。概念も含めて、哲学は現実に何らかの貢献ができるのではないかと思います。わたしたちは概念的に硬直した仕方で世界をつかまえ、それを人に押し付けてしまいがちです。みんな意味に渇いているから、手っ取り早くそれを手に入れたいし、それがしっかりしたものであれば安心します。哲学はそういった安心・安全というイデオロギーに貢献してきたと言えなくもありません。しかし、哲学とはある種の問い返し・批判でもありますから、そういったものには安住しない面もあります。世界との関わり方は、もっと繊細な仕方であってもいいのではないか。ひょっとして、哲学には弱い繊細さみたいなものが求められているのではないか。いかがでしょうか。

山内　たとえば現在のコロナに関して、西浦博教授は三月の初めから「流行拡大を防ぐには人との接触を八割削減することが必要である」と提唱し、インターネット上で「八割おじさん」と名乗った。このように、最初のうちは小さなディスクール・言葉であった政治的・個人的レベルの行動の原理が社会的に波及していくという場面がありましたが、実際にはほとんどがシステム化してイナーシャ（inertia 惰性）で動くので、そういった一言が現実を動かすことは極めて少ない。

福澤先生が慶應義塾をつくった頃は比較的に規模が小さかったからシステムを変えても大丈

夫だったけど、これがいまのように何万人の規模になってくると、いったんつくりあげたシステムは五年、一〇年単位でなければ変えられなくなってくる。イナーシャの中に入っていけばいいんだけど、それは外から入りにくかったりするし、一回動かしたものは止めにくい。資本主義もそういったイナーシャの巨大なシステムになってしまっていて、全体主義やスターリニズムもそうだと思うんですね。スターリニズムの起源のひとつとしてマルクス主義があり、それはスターリニズムの原因の何パーセントに当たるのかわからないけど、そういうふうに大きなものになってくると止めようがなくなる。でも、止めようがなくなって絶望すべきかというとそうでもない。もはや止めようがないイナーシャを持ったシステムであっても、それに対して新しくトリガーを引けばいい。直接的な影響関係を及ぼさないにしても、そこで種を蒔いておく必要はある。

タレス（前六二四頃〜前五四六頃）以来、哲学は役に立たないと言われてきましたが、そうでもない。芽が出ない種もあるのかもしれないけど、種は蒔いておいたほうがいい。もしかするとそれはイナーシャとして大きなものになっているかもしれないし。哲学をやる人間はそういったこだわりというか小さな種（アルケー・起源）を探し、植えてみる。芽が出なくても植えてみるのは楽しいし、それは大事な作業なのかなと思います。世界システムという巨大なものに対するわたしたちの心構えというのも、世界哲学史の一部に入っていいような気がしますね。

納富　いま大きさの点についておっしゃいましたが、時間軸でもそうだと思います。わたしたちは「世界はグローバル化している」などと言いながら、本当に狭い世界・側面しか見えていません。いつの時代も人々は世界をきちんと捉えてはいないにしても、巨大なものを見る視点をある程度確保しなければ、完全に状況のなすがままになってしまう。何かが動くのではないとしても、やはり少なくともそれが何かを見る視点は必要です。大きなものを見る視点、さまざまな角度からの多元的な視野・時間軸を持つことは、哲学でなければできないはずです。

†魂への配慮をもう一度

中島　第8巻の終章「世界哲学史の展望」で、伊藤先生は「もう一度、世界と魂について考えなさい」という宿題を出されています。納富さんがおっしゃったように、違うスケールで見ていくというのは哲学のひとつの役割ですね。第8巻まで終わったところから、第1巻で展開した「世界と魂」というテーマを振り返ってみると、どういうことが言えるのでしょうか。伊藤先生は「世界と魂は別々の二つの領域ではなく、魂にとっての世界、世界にとっての魂である」というメッセージを残されているんですが、これはどう受け止めればよいのでしょうか。

山内　世界哲学史の中で世界という概念が出てきましたが、世界のスケールの大きさは人によって違っているのかもしれません。わたしたちにとって世界と魂の関係が大事なのは、世界と折り合いを付けて生きていくしかないからです。社会の中にうまく組み込まれていれば、世界と折り合いを付けて生きていくことはできるんだけど、これから世界に入っていく若い人々は、まず、世界との折り合いを付けていかねばならない。その場合にはいろんな準備が必要で、共同体の原理として世間を否定的に見るか、肯定的に見るかとも関わってくる。では魂とは何なのか。セルフコントロール・自己発見のプロセスとして人生を考えた場合、コントロール・制御できる枠組みを一人一人が持っていなければならない。世界哲学史は世界と魂の関係であるとするならば、これは一人一人が備えるべきツール、能力なのかもしれません。

納富　最初に言われたように、「世界」という言葉はさまざまな意味で使われてきました。そしてわたしが記憶する限り、二〇世紀後半にみんながいったん「魂」という言葉を捨てかけていました。哲学における魂の問題を心・精神、あるいは脳という単語で片づけようとしたのですが、やはり生き残ってきました。時代によって視野・観点は異なるので、違うふうに見えてきたわけですが、未解決なまま残っている課題だとわかりました。人類が最初から抱えてきた「世界と魂」という問題がいまふたたび問題となっています。枠組みをずらしながら考えてきたあとで、もう一度、「世界と魂」という言葉で何を考えるべきか、そこを見ながら語らないと、いま議論していることと今後やるべきことを見失いかねません。

先ほど功利主義の話が出てきました。問題を局所的に考えてしまうと、功利主義と義務論のどちらがいいのかという選択になりますが、そんな話を続けても仕方ありません。「世界と魂」「自由と超越」「理性と情念」などといった枠組みは、わたしたちが考える大きな土俵としていまでも生きているし、こうやって哲学を活性化させる基軸になります。さらに言えば、それは西洋・ヨーロッパに限らず開かれた哲学の問題、可能性としてあるのではないかと感じます。しかしわたしたちは、西洋とフィロソフィーという枠をすべて外したところで「世界と魂」について話せたのでしょうか。それはわたしたち人間の限界かもしれませんが、さまざまな歴史の屈折を踏まえたうえでそういった問題を捉え返す。その心構えが必要だと思います。

わたし自身は魂という言葉を以前からよく使っていますが、学生や哲学者に向かって「もっと魂について語れ」とは言わない（笑）。それは現代では難しいだろうと思うからです。わたしは古代哲学のバックグラウンドを踏まえながら話しているから意味を与えられますが、現代のわたしたちの生活の現場において、魂についてミスリーディングでない形で語るのはかなり難しい。それだけ起爆力がある概念だとは思うのですけど。

中島　この時代に、魂への配慮についてもう一度考え直すことは大事かもしれません。魂への配慮をやり直すことにより、人間中心主義的ではない形で人間を問い直せるかもしれませんし、これは、世界をもう少しましな形で立ち上がらせていくきっかけになるのかもしれません。

納富　いま中島さんがおっしゃったことは素晴らしいと思います。世界は変えようもなくわたしたちを縛り付けるようなものとしてすでにありますが、わたしたちのほうが世界を立ち上げていく。こうして語ることも、関与・行動して生きることも世界の立ち上げです。そういう形で世界を捉えなければ、あまりにも息苦しい。「もうこんなガチガチの世界では駄目です」などとしか言えないとすると、哲学にはなりません。

山内　世界はあまりにも巨大なので、なかなか操作しきれないところがあるけれども、いろんなディシプリン、学問はそれぞれ世界に関与し、なおかつ操作している。哲学には世界を切り分け、味わい、対応できるようなものにしていく道具がたくさん揃っている。哲学的な概念の中には古くなって使わなくなったものもたくさんありますが、それらはそれぞれの世界を切り分けていき、自分らしいものにカスタマイズしていくための手がかりになっている。世界に関わっていく場合、哲学的な概念というのは重要なオルガノン・道具だと思います。

†日本哲学の可能性

中島　わたしたちは『世界哲学史』で、人類がいままでいろいろな手がかりを発明してきた痕跡を少しずつ紹介しました。中には使えそうなものもありますし、使えなさそうなものもあるのかもしれません。それでも、先人たちがジグザグと歩きながらやってきたことのいくばくかは示せたかと思います。

納富　『世界哲学史』というタイトルを聞いて、一般の方々は統一的なひとつのプロジェクトに則った網羅的なマッピングみたいなものをイメージして期待されたと思います。それはどこにもない……。わたしたちは最初から、そうではないと言っていますが。しかも一人一人の執筆者はその分野の専門家ですから、局所性や限定もあります。わたしたち編者もそうですが、ひとりが全部を見て上からなにか大きなことを言うことはできない。自分が持っている部分を持ち寄り、「ここはどうですか」「ここは使えますか」というような形でいろいろなものを味わいながら、シェアしていくというやり方でしか世界を語ることはできないように感じます。しかし、各自が部分を語るにあたり世界哲学の全体を意識して、それを語ることを目指すのです。今シリーズは一〇〇人以上の執筆者が関わっていますが、これでも全然足りないわけでしょう。もっと多くいれば十分だとも思いませんが、ひとつのサンプルとして「このようにやるとこのぐらい出る」といったことは示せたと思います。

中島　このプロジェクトは幸いにもこれで一区切りしたわけですが、第8巻までやってみたうえでの今後の展望についてうかがいたいと思います。一言ずつお願いします。

山内　今回はできるだけ若い方に書いていただくという方針を立て、三〇〜四〇代の人にもたくさん書いてもらったのでよかったと思います。今回でそれぞれの分野に関する研究が終わりというのではなく、若手にとっての宿題というか「わたしはこういうことをやりたい」という宣言のような形でお書きいただいた。今後、そういった若い人たちに新しい企画のもとで、さらに哲学史を書いていただくためのひとつの足がかりになればいいなと思います。

あとわたしはジャパニストではないんだけど、わたしたちは日本人である以上、日本人であることを学ぶことはできないので、日本思想・日本哲学の可能性が出てくると思うんです。トマス・カスリスさんは日本の宗教と哲学を専門としていますが、彼のインティグリティー（誠実・真摯・高潔）とインティマシー（親密）という分類にはちょっと抵抗感があって、そうではない新しい日本哲学の可能性があると思うんです。

日本哲学が成立するためには、哲学とはそもそも何なのかを考え直す必要がある。それはもともと日本の中であったのかどうか、それともこれからつくるのか。そこにはいろんな考え方があると思うんですが、わたしたちが日本でこれからも生きていく以上、日本哲学をもう少し打ち出したほうが安心できるように思います。

いずれにせよ今回は、世界レベルでいろいろな哲学を取り上げました。こういう機会がなければ触れられないようなアフリカの哲学（第8巻第10章）など、いろんなものが出てきましたよね。日本哲学も十分あり得るだろうし、今後そういうのが出てきたらいいなと思います。

†言語をどう超えていくか

納富　いま山内さんがおっしゃったことに引っかけて言わせていただきます。若い人も含めて、今回は寄稿してもらう時に「世界哲学史の中で、あなたは自分の研究対象をどのように位置づけますか」というわたしたち編者の問いを投げかけたのですが、いままでそういう問いを聞いたことがある研究者はひとりもいなかったのではないかと思います。たとえば近代のデカルトを研究している人は「世界哲学史の中で、デカルトがやったことは何だったのか」とは考えず、「デカルトの『省察』の何ページ何行目にこういう議論があります」という話に終始していた。現代のわたしたちが大学で行っている哲学がある種の自家中毒に陥っていたのは、わたしたちが発した問いが必ずしも明瞭に意識されていなかったからです。まあ、中にはそういう問題意識を持っている人もいたかもしれませんが。

今回、わたしたちのそうした問いに対してうまく答えてくださった方もいれば、苦労された方もいた。あるいは、それにすぐに答えられないと思った方もいたかもしれませんが、それも含めて今回の成果だったと思うのです。今後もそのように問い続けることによって、世界哲学・世界哲学史が立ち上がってくるのではないか。わたし自身は先生からそういう問いを投げかけられたことがない。山内さんと一緒に教わった坂部恵先生にしても、そういうことは考えておられたかもしれませんが、明示的には言われなかった。わたし自身の専門分野も含めて、そういった問いをとてもたくさんの方々に投げかけてこの広い場に誘ったことはひとつの成果で、これは今後も続けなければいけないと思います。

もうひとつ、わたしは第2巻で書いて「これはやり残したな」と思ったことがあります。それは山内さんがおっしゃった日本哲学とも関係がありますが、翻訳の問題ですね。普遍性がどこで確保されるかということについて、わたしは第2巻で、それは翻訳を通じてではないかと暫定的に提案しました。ひとつの言語・文化を超えた世界の全てにわたる法則のようなものがあり、トランスカルチャー・トランスリンガルに普遍性が生まれ、それが別の文化に生かされることによってどんどん広がっていく。その意味で西洋哲学はかなりの普遍性を持っていて、日本哲学やアフリカ哲学などもさまざまな翻訳を経ることによって普遍化していく。そういったダイナミズムがあると思います。

今回、わたしたちは傲慢にも、日本語で世界中のものを全部書いてしまうという、そういう形の翻訳はしたわけですけど(笑)。今後は、これを逆輸出というか、フランス語でも英語でも中国語でもいいのですが、投げかけてみなければならない。いま英語は世界共通になっているので世界哲学という場合、英語でやらざるをえない状況があります。そこをもどかしく感じながらも、普遍性という問題をどう考えるかを問うていきたいです。中国など東アジアには漢字文化圏があるけれど、西洋の場合はラテン語・フランス語、学問世界では一時期のドイツ語と、過去にはリンガ・フランカがあった。わたしたちは今回、それらの言語のネイティヴではない人たちがいる周縁部で起こった新しい思想についても見てきたわけですが、言語をどう超えていくか。新しい言語をつくっていくのは、世界哲学の課題です。

†運動を継続しなければならない

中島 世界哲学にしても世界哲学史にしてもそれが何であるか、編集委員のわたしたちがよくわかっていない（笑）。そういう恐ろしいところから始まったのが、大変いいと思います。哲学は知っていることを問うのではなく、知らないことを問うものだからです。これに尽きるように思います。知らないことを問うので、問い方もよくわからず、それ自体を発明しなければいけない。これは大変に愉快で、こんなに面白いことはない経験です。

世界と哲学、この二つは関係がないとも言えますが「世界哲学」という複合語にして、しかもそこに歴史までくっつけた。そうすると、その間にテンションがたくさんできて、安心できない概念になります。安心できないものに身を投げ出し、七転八倒したというのが実際のところですね。しかも一〇〇人を超える執筆者の方々がひとりの脱落もなく引き受けてくださった。これは嬉しいことです。

哲学はひとりの英雄的な個人が英雄的に思考し、体系をつくるというモデルには収まらない。この全八巻は一〇〇人を超える執筆者たちのある種のヌース（nous）の働きというか、不思議な作品になった気がします。これが別な仕方でスピンアウトしていく、あるいはもう少し丁寧にやるなどいろいろな形があっていいと思います。韓国語訳、中国語訳のオファーが来ているようですが、翻訳の試練にさらされれば、誤訳も出てくるかもしれませんが、新しいチャンスに開かれるはずです。その中でもっと仲間が増えていき、さっき申し上げた魂への配慮のスタイルが共有されていけばよいと思います。

少し引いたところから哲学を見ると、他の学問と比べて西洋中心主義から抜け出すのが遅かった気がしてなりません。哲学は役に立たないと言われる一方で、役に立ちすぎてしまう面もあります。自分のやっていることに対して距離を取り、批判していくことは本当に大事だと思います。そのためのひとつの試みがこの『世界哲学史』でした。

魂への配慮のスタイルを、わたしたちがある仕方で示すことができたとしたら、本当に嬉しいと思いますが、これは継続しなければいけないですね。これが決定版というものはないというか、そもそも決定版をつくっているわけではないからです。これはひとつの運動で、この運動を続けること自体がある種の哲学的な意味を持っているような気がします。おそらく、わたしたちの行ったことの限界もまた明らかに見えていることでしょう。それを踏まえて、よりよい仕方で魂への配慮のスタイルを洗練してもらいたいと思っています。

（二〇二〇年八月二五日、於 山の上ホテル）

第2章　辺境から見た世界哲学

山内志朗

1　辺境から見た世界哲学

†辺境の新しさ

世界哲学とはどういう概念なのだろうか。いやそのような問い方自体が世界哲学を狭隘化しているのかもしれない。世界哲学とは、概念というよりも、カントが述べた意味での理性概念＝理念である。理念は記述的な命題の述語に収まるようなものではない。理性は知性の限界を超えて突き進もうとする。理念の本質は経験的認識の外部にあって、現実に存在していないとしても、非存在のままで現実を動かす駆動力を備えていることにあった。

世界哲学が理念であるとすれば、世界哲学史もまた過去の事実の集積としての歴史にとどまることなく、未来を向いて存在する課題追究の営為と考えることができる。古い事績に目を遣るだけでなく、新たなものを措定してこそ、課題追求という営みは成立する。辺境が中心から離れた周辺部としてだけでなく、外部と接する新たなものが移入する領域と捉えるとき、辺境という概念は世界哲学と関わりをもつことができる。

全世界のことをラテン語で、オルビス・テラールムという。様々な地域（テラールム）が円形（オルビス）に配されているイメージである。世界が円形として表象されることによって、そこに中心と周辺という概念構成が入り込んでくる。この枠組みが、哲学史においては辺境という問題設定を呼び寄せるのである。古来、辺境は新しい思想潮流の源泉としてしばしば哲学史に姿を現してきた。辺境は革新性という属性を隠し持っているのかもしれない。

辺境とは内部と外部の交錯する領域である。ジンメル（一八五八～一九一八）は橋と扉に、外部と内部をめぐる分離と結合の図式を発見した。壁は無言だが扉は語るという表現にその一端は示される。類比的な言い方をしてみれば、辺境とは無言の領域なのではない。

とはいえ、中心から遠方にあるだけのものであるとしたら、そこに新しさは現れにくいように見える。辺境の生み出す新しさとはどういうことか。

†旅人としての精神

芭蕉（一六四四～一六九四）の『奥の細道』の冒頭「月日は百代の過客にして、行きかう年もまた旅人なり」は人口に膾炙し、口吻を賑わし続けている。その文が、唐の李白（七〇一～七六二）の漢詩に由来することもよく知られている。西洋中世神学においても、人間は旅人と捉えられていた。天国＝父の国＝故郷から離れて現世を歩む者は「旅人（ウィアトル）」と捉えられていた。現世は住み心地の悪い旅であるという表象は、科学・技術・医学の発達した近代以降では忘れられてしまいがちだが、それは現世の本質である。

旅人（ウィアトル）のウィアとは道の意味だ。道を歩む者が旅人であり、住居（ドムス）を離れて歩み続ける者だ。人生を行路と捉え、それを歩む者として旅人＝人間と捉えることは、人間の生き方の表象として普遍性を持っているようだ。探しても見つかるはずもない「自分探し」の旅として人生を捉えることは漂泊者を目指す人間の心の姿を描写している。旅人は、住み慣れた住居から離れ、寝食や服装にも不自由な状態となり、非日常性の中で様々に難渋することとなる。洋の東西を問わず、多くの人々は霊場や聖地を目指して、旅路に踏み込んでいった。人生の本質は旅である。旅は功利主義的に具体的な効用を求めてなされるものではない。

旅とは所定の目的でなされる場所の移動、物資の運搬ということとは別に、特定の目的実現や効用利益から離れてなされるものであった。巡礼の目的地たる霊場に願をかけるために赴くことはあっても、旅という過程の中に目的があったのである。

巡礼とはペレグリナチオという。ペル（全面に及ぶ意の接頭辞）＋アゲル（畑）、つまり、自分の領地をすっかり巡回することであったが、遠くの目的を目指して巡回することが巡礼だったのである。

学問をなすことにおいても、辺境にあることは、独学者として学び、中央のアカデミズムの影響を受けないまま自分の研究をすすめることがしやすい環境である。そのような意味で捉えられる辺境の独学者には事欠かない。

辺境は学問にのみ与えられた環境なのではない。イエス・キリストはナザレの生まれであった。ユダヤ民族を救済する王はベツレヘムから生まれるという伝承にもかかわらず、イエスは辺境たるナザレに生まれた。そして、ナザレ近くのタボル山において変容を遂げ、この物語は東方正教会の系譜において決定的に重要な出来事として語り継がれた。辺境に光あれ！

アウグスティヌスに一つの源泉を有する西方カトリックの原罪を重視する流れと、東方正教会の光と聖霊の力が人間に及ぶ流れを強調する立場の違いの起源をそこに見出すこともできる。とすれば、ナザレのすぐ隣にタボル山があったのは偶然ではないのかもしれない。辺境は内部と外部の境界としてあるばかりか、大きな二つの流れの分水嶺としての役割をはたすのかもしれない。

2　辺境とは何か

†中心と辺境

辺境とは何かを定義するには、とりあえずは中心から遠く離れた場所と曖昧に説明することで始めるしかないだろう。そして、その中心もまたいかなる意味で中心なのか、様々な見方が可能だからだ。

古来ヘルメス・トリスメギストスの伝統の中で、宇宙とは中心が至る所にあって周辺がどこにもない球体として表象されてきた。しかし、世界の中での普遍的伝達可能性を考える場合、世界の中心に〈私〉という主体がいるからではなく、むしろ辺境が至るところにあって、辺境が外部にさらなる辺境を生成していくと考えるべきではないのか。

西洋の伝説の中に、地中海が大西洋に開かれた出口ジブラルタル海峡には、ヘラクレスの柱が二本立っていて、ヨーロッパの西の最果てと見なされ、「この先進むべからず（ノン・プルス・ウルトラ）」という標識があったという。実際に標識があったかどうかとは別に、世界の限界についての表象として、人々がそのようにイメージしていたことは重要である。

地球が球体ではなく、平面であるという理解のもとでは、世界の果てに行けば、海の水が溢れ出て奈落に落ち、その縁の手前に「ノン・プルス・ウルトラ」という標識が書かれている挿絵が掲載されたりする。世界の果て、限界は滅亡の徴だったのである。

ジブラルタル海峡の外側にアトランティス大陸があって、強大な繁栄を誇りながら、物質主義に走って荒廃し、戦争にも負けたのちに海に沈み、滅亡していったという伝説がある。「この先進むべからず（ノン・プルス・ウルトラ）」の規則を守ることのなかった民族の滅亡譚という教訓の意味が込められていたのだろう。

限界を超えて探究に進むあり方を提唱したフランシス・ベイコン（一五六一〜一六二六）が『ニュー・アトランティス』を著し、表扉にヘラクレスの柱の間に「プルス・ウルトラ」の標語を掲げたのは、あまりにも当然の成り行きだったのである。

†理性を拒むものとしての無限性

無限ということは、ギリシア以来忌み嫌われた。理解を拒み理性を蔑《ないがし》ろにするからだろう。無限大ということは、最大とも考えられる。しかし最大ということは、いかに大きな数であろうとさらに何ものかを付加すればもっと大きなものが生じる。すぐさまパラドックスに陥る。いくら大きくしても、限界がないという否定的なものとして考えられるようになった、この場合、無限は可能性にとどまり、現実になることはない。無限とは先があることであり、経験のうちに与えられるものではないものだった。「死」と同じように、経験できない経験の外部にあるものとされたのである。中世においては、真空恐怖だけでなく、無限への禁忌が存在していた。「無限に進む」ということは、非合理ということだったのである。

最大という意味での無限、際限がないという意味での無限に加えて、さらにどこまでも操作を継続できるという意味で、積極的な意味での無限が考えられるようになったのは、一七世紀のライプニッツ（一六四六〜一七一六）においてだった。中世においても神に備わった無限は否定的なものではなく、積極的なものだったが、被造物の世界には見出されない、論理を超えたものとして扱われた。近世に入って、積極的な意味での無限が被造物や人間の側にも見出されるようになった。「無限の内在化」が生じたのである。これは、バロックの時代に生じたことだ。

この時期は、スペイン国王カルロス一世（神聖ローマ帝国カール五世、一五〇〇〜一五五八）が「プルス・ウルトラ」を一五一六年に紋章に採用し、彼の野望を示す語句となっている。中世哲学において、無限は忌み嫌われたが、バロックの時代に導き入れられた。天動説から地動説に、閉じた世界から開かれた無限の宇宙へと表象の枠組みは変化していったのである。それを典型的に示す言葉が「プルス・ウルトラ」だったのである。

これは、内部と外部を分かつもの、境界・限界・閾を内在化しようとする試みでもあった。

3 源泉としての辺境

†辺境を求める心

哲学的に見ると、辺境も周辺も非価値であるが、交易者や冒険者によっては富と栄誉の源泉であった。

中世にも地図は数多く作られた。その多くの地図作成者は、約束の地は地上か大洋の真ん中か、さもなければ遠隔の地にあり、近づきがたい場所にあるはずだと信じていた。地上の楽園はアジアの東側に描かれることが多かったのだ。未踏の地は怪物が住む恐怖の土地として表象されていたわけではない。

洋の東西を問わず、人々は未踏の地（テラ・インコグニタ）に憧れを持ってきた。旅行記の類は膨大に書かれ、刊行され、流通した。

マルコ・ポーロ（一二五四〜一三二四）は東方交易のパイオニアであり、彼の『東方見聞録』は東方と世界の発見へとつながっていった。未開と野蛮の地、怪異と脅威という古くからの東方像は崩壊し、東方は布教と通商の場所になったのである。

オリエントとは、物言わぬ他者、自分で自分を代表できず、他者によって代表してもらわなければならない他者であった。少なくとも、長くそのように捉えられてきた。カウンター・イメージとして東方を見る、つまり鏡に映った裏返しの自分の姿として認識し、そのための道具として活用してきた。サイード（一九三五〜二〇〇三）は『オリエンタリズム』のなかで、物言わぬ他者として貶められたオリエント（サイードにとってはオリエントは中近東であって、インドや極東は含まれていないが）の姿を取り出した。交易と搾取のための領域としてオリエントは長い間考えられてきた。

中心と周辺という図式そのものが、落差の濫用を導き入れているのかもしれない。中心と周辺という図式は中心が成立しない限り成り立たない。権力の集中とその中心への人口集中が成立しなければ、中心と周辺は成立しない。その意味では、ヤスパースが、世界文明が各地に成立していた時代を「枢軸の時代」と呼んだのは納得できることだ。いくつもの中心を考える場合、分散（ディアスポラ）として捉えることもできる。一つの民族が単一国家を形成できず、貿易に従事し離散する場合、分散として考えざるを得ない。

冒険譚や伝説から構成されるイメージでは、東方や西方海上に楽園が想像された。東方の楽園に関しては、アレクサンダー大王の遠征がイメージの原型としてあった。

しかしながら、東方についてはモンゴルの侵入が西欧人の意識を変え、幻想的な楽園としてではなく、交易の相手として捉え、一三世紀以降のアジアへの扉を開くこととともなった。時代が移り、一五世紀に世界に関する表象は変わる。西に向かっての新しい扉を開いたのが、コロンブスによるアメリカ到達であった。

大航海時代に入り、辺境に赴き、現地の人々との交易にかかわった人々が「辺境外進出者」と呼ばれるが、彼らの共同体が一七世紀の南アメリカでしばしば見られた。長距離交易商人は世界の辺境にまで赴き、分散型の生活形態を作り上げた。大航海時代とは、中核諸国が世界経済の辺境（周辺）地域を収奪する枠組みの中で、従属地域たる辺境をいかに確保するのかという競争の時代の始まりだったのである。

辺境・周辺が収奪の歴史と強く結びついているとはしても、哲学の活動においては、大学や宗教組織などを核として営まれ、中心と周辺という図式は有効な分類である。

表象する力は中心と周辺という図式で考えやすい。自分を中心に考えがちだからであろう。周辺は四方八方に等方向的に成立するわけではない。

†世界システム論における辺境

ウォーラーステイン（一九三〇～二〇一九）の世界システム論が辺境ということを重視してい

ることは面白い。その理論においては、周辺と半周辺と中核とに地域が分類される。労働管理の形態から見ると、中核には賃金労働と自営が配され、半周辺には、分益小作制、つまり小作制でありながら収穫量が多くなれば小作者の取り分も増える制度が配され、周辺には奴隷制（換金作物栽培のための強制労働）と封建制が配されるとされる。半周辺のあり方は、中世までの西欧の封建的荘園制度を考えればよいだろう。労働賦役を含む農奴のような身分から生産物と貨幣地代によってのみ拘束される身分まで幅はある。周辺とは、近代において急速に成長した植民地支配の形式である。

経済的交易から見ると、辺境は富の落差が現れるところである。距離の大きさと獲得できる物資の希少性は、それ自体価値を有していた。距離と時間の隔絶は、それ自体価値を生み出す。経済行為は落差が大きければ大きいほど交換が盛んになり、経済の本質は流通と交換であるがゆえに、巨大な富を生む。辺境とは、文化の果つる地としてのみあるのではない。辺境とはフロンティアであり、新しいものが流入する境域でもあった。人々が競争するように辺境を目指したのは、金銀宝石や交易品の収取先だからではあるが、辺境を目指すべく人間は条件づけられているからなのである。

辺境とは経済的価値の源泉なのである。だからこそ、西洋中世においては、光り輝く辺境は東方に求められた。マルコ・ポーロの『東方見聞録』やジョン・マンディヴィル（?〜一三七二）の『東方旅行記』は一四世紀に書かれ、一五世紀に印刷され広く読まれた。そこには東方の驚異とそこから得られる莫大なる富への願望が込められていた。その上で、宣教への理想が異境に向かって放たれたのである。

†精神における辺境を求める人々

物流が活発化し、人々が移動するようになれば、道路も移動手段も発達し、途中の宿泊地も整備され、交易を目的とするのでもない人々の移動も容易になる。辺境とは一つの層から成り立つものではなく、住み慣れた中心として表象される居住地から離れるにつれ、いくつもの越境を繰り返し、行動圏は拡大していく。そして、移動に伴って生じる外部と内部の交流は常に新しい出来事を引き起こす。

人は時として日常生活を激しく厭い、旅に出ようとする。それが人住まぬ荒野であれば、なおのこと非日常性の強度は高くなる。そして、精神的な遍歴を経て、精神の荒れ野のなかに光が現れることは多い。哲学は、広漠たる荒れ野の広がりのなかでの精神の歩みなのである。

人間に見捨てられた土地においても、神の恵みは何ものをも見捨てることなく及ぶものであるために遍在するものとなる。暗闇の中でも光があるかのごとく。だから人間の光の届きにくい場所こそ、恩寵の光が確認しやすい場所であった。修道士がもともとモナクス＝孤独に暮らす者であり、旅が荒れ野や辺境への歩みであったのは、人間から離れるためばかりでなく、自分の求めるものに出会うためであった。修道院が険阻な岩山上に立てられたり、仏教の寺院が深山幽谷に建てられたのは、そこに精神的な豊饒さを見出していたが故なのである。

荒れ野は人間から離れた場所にのみあるわけではない。精神の魑魅魍魎が現れる場面もまた荒れ野なのである。神秘主義は精神の中核に荒れ野を見出す。その典型的思想家として我々は井筒俊彦を数えることができる。

4　哲学における辺境

†精神の辺境

文化は求心的に大都市や都や大学にあつまると人々は考えがちだ。しかし、哲学の流れ、特に新しい観点の登場が辺境から現れてくるということは珍しくはない。新しいものが辺境から現れる場合、何かしらの意外さを伴うことが多い。網羅することはできないが、私の関心の赴くままに挙げると、ヨハネス・エリウゲナ（八一〇〜八七七以降、アイルランド）、アヴィセンナ（〔イブン・シーナー〕九八〇〜一〇三七、中央アジアのブハラ）、イブン・アラビー（一一六五〜一二四〇、スペイン・ムルシア）、アヴェロエス（イブン・ルシュド）一一二六～一一九八、スペイン・アンダルシア）、フィオーレのヨアキム（一一三五頃～一二〇二、イタリアのカラブリア）、ドゥンス・スコトゥス（一二六五頃～一三〇八、スコットランド・ボーダー地方）、カント（一七二四～一八〇四、ケーニヒスベルク）、安藤昌益（一七〇三～一七六二、秋田県）、三浦梅園（一七二三～一七八九、大分県）などである。

キリスト教は古代ローマから見れば辺境のパレスチナに生じた。イエス・キリストは、その地の中でも辺境たるナザレに生まれた。辺境に生まれた革新者には事欠かないのである。カロリング・ルネサンスの祖であるアルクィヌスは、イングランドのヨークの出身であった。近世哲学への端緒とも考えられるヨハネス・ドゥンス・スコトゥスが生まれたのはイングランドとスコットランドが境を接するベリックシャーのドゥンスという村だった。カントは、プロイセンの東端のケーニヒスベルクで先端的な哲学を構築した。

もちろんのこと、新しい思想がすべて辺境で生まれたわけではない。しかし、辺境に新しい思想が萌しとなったことは珍しくない。中心や都市ではなく、辺境や荒野が思想の舞台として求められてきたのである。

アヴェロエス（イブン・ルシュド）はスペイン・アンダルシアのコルドバに、イブン・アラビーはスペインのムルシアに生まれた。二人とも、アラビアの文化的中心から離れた場所に現れたが、華々しい活躍をなした。

コペルニクス（一四七三〜一五四三、ポーランドのトルニ生まれ）、スコットランド常識学派の祖トマス・リード（一七一〇〜一七九六）はスコットランドのアバディーンで活躍した。西欧圏からは常に辺境扱いされてきたロシア思想には辺境の哲学の特色が如実に表れている。ソロヴィヨフ（一八五三〜一九〇〇）が挙げられる。ドストエフスキー（一八二一〜一八八一）やレーニン（一八七〇〜一九二四）に流れるロシア中心性の思想は重要な論点を含む。

辺境を意識しながら、逆に中心性を見出す理論に「帝国の遷移」というものがあった。ダニエル書の「神は時を移し、季節を変え、王を退け、王を立て」（ダニエル二：二一）の一節は、ローマ帝国が他の民族に伝達継承されることの根拠と見なされ、西洋中世においては、シャルルマーニュ（七四二〜八一四）のローマ皇帝としての戴冠を支える根拠となった。この延長線上にロシア的精神がある。ローマ、コンスタンティノープルの次に来る第三のローマたるモスクワという枠組みは、東方の辺境における世界の中心性の主張と結びつき、ロシア革命の起爆剤となった。辺境が中心であることは追究され、正当化されてきた。

インドや中国における辺境の思想家についてはここでは挙げないが、辺境は遅れて思想が到達する場所ではなく、先端的な思想を中央に送り届ける場所となっていることが数多く見られることは確かであろう。もちろん、辺境の方が新しいとはいえないだろう。ただ、辺境に現れた新しさは時として時代を画するものになったことに目を向けたいのである。

†遍在性ということ

辺境の有する新しさを、知識社会学的に追いかけることは説得力のあることだろう。ここでは、ア・プリオリな説明の仕方を考えてみたい。遍在性ということを考えてみたい。知識が遍在するということではない。遍在という概念の枠組みは辺境において、思想が営まれる場面と形を表しているように見えるのだ。

遍在性ということは、中世哲学に関わっていると、昔から語られてきたことのように思う。キリスト教の神学の根本を為す三位一体の構成する聖霊は、我々のすべてが受け取り、すべての事物を満たし、実体において単純であり、力能に満ち、すべてのものに現前し、すべてのものに自らを分かち、全体が損なわれることなく遍在しどの場所にもある、と考えられたのである。

フィリップ・K・ディック（一九二八～一九八二）が『ユービック』で描いたような遍在性が聖霊論においては語られていた。聖霊の働きは「発出」（プロケッシオ）として語られた。発出とは、外から内に出ていくこととは異なる。聖霊の贈り物が聖霊であるという表現で語られたが、メディアそのものがメッセージということであり、伝えられたことがそれ自体メディアとして働き、別のところに伝わっていくということだ。自己伝達的なメディアであり、受け取る人間が消え去っても、永遠に流れ続け、すべての人に及ぶ媒体として考えられていた。これが隣人愛ということであり、永遠に吹き及び、世界を吹き渉る風として考えられていた。

風のごとき聖霊は光として表象されることもあった。この光は物質的なものよりも霊的なものとして捉えられ、形を持つことなく、目にも見えないとされた。目に見えない状態がルクスであり、目に見えるようになったものがルーメンである。いずれも現在、光度の強さに使われている。ルクスは中心から周辺に向かって拡散する性質を有し、それが辺境の限界にまで及ぶと、遠心的に拡散する力が逆転して求心的に凝集し始めると考えられていた。ルクスは限界にまで及ぶことによって、方向を変え、中心に向かう過程で物質化するのである。この光の形而上学は、中世のフランシスコ会の神学者ロバート・グロステスト（一一七五頃～一二五三）に見られるものだが、まさに哲学史における「辺境」の働きをものの見事に表現していると思う。

グロステストは、独自の光の形而上学を展開し、非物質的な光（ルクス）と物質化したものとしての〈ひかり〉（ルーメン）を対極的に用い、特徴的な宇宙論を繰り広げている。光（ルクス）は自力で自分自身をすべての方向に均等に無限に増殖させる。もっとも外側の部分を最高度に希薄にし、もっとも外側の球において質料の可能性を完成させる。そのもっとも外側の領域こそ、光の球体を支える囲いとしての穹天なのである。

穹天である第一物体が完成されると、それは自らのすべての部分から自らのひかり（ルーメン）を全体の中心に向かって放出するのである。すなわち、光（ルクス）は第一物体の完全性であり本性的に第一物体から自己自身を増殖させるものであるから、必然的に光は全体の中心へと拡散させられるのである。（ロバート・グロステスト「光について」、『キリスト教神秘主義著作集3　サン・ヴィクトル派とその周辺』教文館、二〇〇〇年）

周辺・辺境が思想の伝搬における終着点のように見えて、そこで転回が生じることで、中心点となることが示されているのだ。辺境の中心性とは思想史の歴史においては決して珍しいことではない。どこにもあってどこにもないという遍在性は、これらから哲学が教授され、いまだ哲学がないように見える地域をも辺境として待ち受けているのである。理念とはそのような普遍性のことであり、一元的な全体を構成しない普遍性なのである。

外部と内部、境界とは外部と内部が異質のものである場合、異質性が落差や暴力として顕現する領域である。

†内部と外部との形而上学

内部と外部をめぐる政治的図式については、カール・シュミット（一八八八～一九八五）とジヨルジョ・アガンベン（一九四二〜）の論点を見ておくべきだろう。

シュミットが述べるところによると、あらゆる政治は境界を設定しこちら側とあちら側に分けること、つまり「味方と敵」に分けることから始まった。暴力と正義が「秩序の閾《いき》」を超えるところで無効になり、識別不能域に入っていくとされた。

合法的な正義の暴力としての権力と、非合法なる正義を脱する暴力とを区分することがアガンベンのプロジェクトの端緒であった。アガンベンは外部の生を保護されていない剝き出しの生、裸の生として捉える。この枠組みでは、外部は殺害可能性の領域となる。権力という暴力の枠組みを示すのに、アガンベンの思想は鋭い。たしかに、アガンベンの考える〈閾〉は、異邦人への政治という面では面白いが、周辺部という、到達可能性の外部への理解としての辺境ということには適用は必ずしもできない。

万里の長城もハドリアヌス（七六〜一三八）の城壁も、例外者を作り出す境界でも、外的な敵の侵入を阻止するものであるというよりも、辺境の人々に雇用を提供することで懐柔しようとする政策と考えるべきではないのか。いかに壁が長大であろうと外的の侵入を阻止する効果は少なかったのである。辺境とフロンティアは外部を招き入れるエレメントなのである。

†中心としての辺境

両者は隔たり・遠さによって関係づけられるだけではなく、近みにおいて、ときには直接性が現れる。中心部においては様々なノイズを含んで展開される思想が周辺部に伝播する過程で純粋化され、ときには鮮烈なる問題意識が込められ強度を増して、周辺部で開花する場合もある。世界哲学の醍醐味の一つはそこにある。

最も遠いものを、自分自身よりも近くにおいて感じとること、これは合理性においては受け入れにくくとも、心情の論理においては歴史を通じて至るところで語られてきた。神秘主義もモチーフはそこにあった。ムハンマドは神は喉仏よりも近くにいると語り、日本でも妙好人は阿弥陀菩薩を「親っさま」と呼び、家族同然に向かい合った。こういった直接性の契機は、宗教が体系化し複雑なものになり、組織が巨大なものとなるとき、原初の姿に戻ろうとする傾向が常に現れる。思想も組織も巨大になれば一般庶民には踏破できない障害になってしまう。

中世のキリスト教神学においては、神との直接的対面とその幸福な状態を表現する「至福直観」、その認識論的基礎としての直観的認識、功徳なしに救済される道筋としての「神の絶対的能力」など、直接性、無媒介性の契機が強調される思想が相次いだ。その流れが、哲学においては「唯名論」として総括されるが、哲学的理論というよりは、庶民を中心とした社会宗教思想として捉えた方がその流れを展望しやすいのである。

唯名論もまた神秘主義と結び付けて語ることは奇妙なことではなく、当然のことなのである。唯名論の潮流の基本精神を、懐疑主義、理性と信仰の分離、論理性、破壊性などとして特徴づけようとしたのは、乖離してしまった神と被造物の距離を縮減しようとする試みであったことを隠蔽するためであった。宗教改革が政教分離と寛容の精神をもたらすことによって、宗教を非合理性において整理する流れが出てきてしまった。一次元的精神に染まった科学主義が横行し始めた。

分断と分離こそ西欧的近代精神の特徴であった。ロシアの思想家ウラジーミル・セルゲーヴィッチ・ソロヴィヨフの語る「全一性」とはすべての個体の個体性を廃棄することなく、取り込む仕方での全体性であった。ヨハネス・ダマスケヌス（六七六頃〜七四九）の「実体の無限なる海」という発想は脈々と息づいているのである。時空間の疎隔観念の消失は、個体性の消去に基づく普遍性ではなく、個体性を保存したままの全体性としての「全一性」への途をも拓くのである。その延長線上に世界哲学史はある。

5 非中心への希求としての世界哲学

†課題としての非中心

人間社会は、常に格差を保存し、ときに拡大し、落差に苦しむ人々を搾取することで高度な文化を営んできた。そういった人間社会の辺境に生きる人々を救済することこそ、普遍宗教の本願であった。聖書において「地の民」と言われる人々、徴税人、病人、異邦人といった人間社会の辺境に押し込められた弱者救済こそその狙いであった。このことは、仏教においてもイスラーム教においても同じである。辺境にまで及ぶ慈悲と恩寵と愛を語り、それを制度化し実践することで、現世と来世の双方における救済という願いが実現する。来世のみにおける救済を図る者は破壊性と悪魔性に塗れた異端にならざるを得ないし、現世における救済にのみ心を留める宗教は腐敗せざるを得ない。非中心への祈りを普遍的宗教の核心に見出すことは不可能ではない。

辺境の本質とは何か。中心から空間的に離れた最周辺部ということでしかないのか。辺境の辺境たる本質は、キリスト教の聖霊論に見られると思う。アンブロシウス（三三九〜三九七）は、

『聖霊論』において、聖霊の性質を次のように整理した。

「本性的に接近不可能なものでありながら、善性のゆえに我々すべてがそれを受け取ることができ、その力はすべての物を満たし、義なる人によって分有され、実体において単純で、力において豊かで、各々に現前し、各々はそれを分有し、至る所に全体がある」

この論点は、ペトルス・ロンバルドゥス（一一〇〇頃〜一一六〇）が『命題集』第一巻第五章で引用することで西洋中世には定型表現となっていた。そして、全体が至るところにあるということは、世界哲学史ということの本質を表す概念である。

物資・経済ばかりでなく、知においても流通という側面を見逃してしまうとその実態は見失われがちだ。哲学においてもその概念構成やコンテンツばかりに注目するのは一種の天使主義なのだ。流通という側面は重要である。大学といった教育組織・知の再生産システム、出版・インターネットといったメディア、書物やパソコンといった媒体、教授方法とカリキュラム、学び支える人数、場所が重要なのだ。いくら高度で緻密で体系的な哲学であれ、流通しない哲学は存在しているとは言えない。知は流れとしてある。そしてその流れは辺境をも巻き込みながら流れる。辺境とは流れの終端ではなく、外部との臨界でもある。

無限性と有限性の接するところにこそ中世スコラ哲学の境位があった。仕切り壁のような生命のない区切りではなく、永続する生命の交流の場なのである。

哲学とは、辺境にとどまろうとする意志から発せられる知の形態である。知の中心に安住する哲学がすべからく衰退してきたことは歴史が伝える贈り物としての教訓なのである。辺境とは地域的文化的なものに限られるわけではない。精神の辺境とは、現実化していないもの、現実性の限界を超えて行こうとする精神の勢いである。アフリカも南アメリカも辺境であるとして、そして世界哲学が辺境を目指し、世界哲学史が時間においての辺境を目指す試みであるとすれば、時間的にも空間的にも世界を蓋《おお》う哲学こそ世界哲学史と言えるかもしれない。版図・辺境・外部、それらがいかに広大であって、それらの間に軋轢と落差があろうとも、それらの大地は共通なる基盤としてある。世界哲学とはそのような大地性をも兼ね備えている。全体的で静態的な普遍ではなく、生成しつつつある動態的な普遍が世界哲学であるとすれば、たとえそれが小さなプロジェクトであるとしても、大きなものを宿していると言えると思う。それが世界哲学史というシリーズの祈りなのである。

さらに詳しく知るための参考文献

エドワード・W・サイード『オリエンタリズム』上・下（板垣雄三・杉田英明監修、今沢紀子訳、平凡社ライブラリー、一九九三年）……西欧にとってオリエントとは何であったのか。東洋と西洋との間には本質的な差異があり、東洋は西洋とは全く異質の曖昧性、敵対性、遠隔性の象徴とされた。東洋は「物言わぬ他者」であり、自分で自分を代表することができず誰かに代表してもらわなければならない存在とされた。辺境に現れる新しさを現代に示す重要著作である。

E・H・カントーロヴィチ『王の二つの身体』上・下（小林公訳、ちくま学芸文庫、二〇〇三年）……国王には可死的身体と不死的身体の二つがあるという近世初頭の政治理論の背後に、中世におけるキリストの神秘的身体としての教会という発想を見抜き、中世の神学と近世の政治思想の神秘主義的な連関を示した名著。聖と俗という対立を媒介する壮大な理論を解読する枠組みは戦慄を覚える。

ホイジンガ『中世の秋』上・下（堀越孝一訳、中公文庫、一九七六年）……ファン・エイクに代表される北方ルネサンスはフランドルを中心に展開し、その絵画は神秘主義と結びついていた。神秘主義は、精神の中心部に自分から最も遠いものの現出を直接的に感じ取る宗教形態である。中世末期の民衆の狂騒と神秘主義の両立を鮮やかに示す。

谷寿美『ソロヴィヨフの哲学――ロシアの精神風土をめぐって』（理想社、一九九〇年）……ロシアの精神性は、ドストエフスキーとソロヴィヨフに結晶しているように思われる。ソロヴィヨフの「全一性」という概念の姿を鮮やかに示す著作である。

第3章　世界哲学としての日本哲学

中島隆博

1　空海へのリフ

†空海はすべてを知りたかった

「空海はすべてを知りたかった」。これはトマス・カスリスがその『日本哲学小史』（ハワイ大学出版会、二〇一八年）に書きつけた言葉である。カスリスは続けて、日本の哲学伝統は「空海へのリフ（繰り返される音楽のフレーズ）」だと述べる。それは、アルフレッド・ノース・ホワイトヘッド（一八六一～一九四七）が『過程と実在』（一九二九年）のなかで言った、「ヨーロッパの哲学伝統のもっとも安全な全体的特徴は、それがプラトンへの注釈のシリーズであるということだ」を念頭に置いてのものだ。つまり、日本哲学は空海への注釈ではなく、空海へのトリビュート演奏だというのである。

本シリーズ第3巻で阿部龍一が述べたように、世界哲学史から見れば、空海（七七四〜八三五）は儒教が仏教を補佐するという構想を、東アジアではじめて実現させた点にすごみがある。大学で儒教を学んだ空海はそれに飽き足らず、仏教しかも密教に向かい、儒教を包摂することですべてを知ろうとしたのである。

†複合語と即の論理

では、空海はいかにしてすべてを知ろうとしたのか。小林康夫によると、それは複合語と即の論理を考えることによってである。複合語というのはサンスクリット文法に出てくる概念で、異なる語を複合することによって、新しい意味を生じさせるというものだ。空海はその『声字実相義』において、この複合語の問題を延々と論じているが、しかし、それは単に文法的な議論をしているのではない。小林によると、空海は『声字実相義』というタイトルにある、声・文字・実相の三つを複合語として捉え、それらを即という概念によって繋いだ。その際、即は、単に「AはBである」という、形式論理学的な等号ではなく、ここにはある種の実践がある。それは、まったく別の次元にある異なる概念を実践的に繋ぐ関与である。その関与がなければ、声・字・実相が同じであるということは、まったく意味を持たない。「それにしても、なんという飛躍、いや、なんという驚くべき独創でしょう」（小林康夫・中島隆博『日本を解き放つ』東京大学出版会、二〇一九年、六七頁)。

この複合語と即の論理は、身口意すなわち身体・言語・心という「三密」にも適用され、また真言としてのサンスクリットと、中国語・日本語の関係にも適用される。重要なことは、繋ぐことによって開かれる知のあり方である。世界哲学が、このように関与する知のあり方を示すものであるとすれば、空海はまさに世界哲学という実践を行った人であることになる。

カスリスによれば、その後の日本哲学は、その「過激」な空海を、注釈の対象として経典化したわけではなく、それぞれの仕方で再演し続けた。それは空海を文献実証的に理解するのではなく、音楽や舞踊がそうであるように、ともに音を奏で、舞いを舞う相手として見たということだ。音は出して合わせてみなければ音楽になるかどうかわからないし、ひと舞い舞ってみなければ舞踊になるかどうかわからない。これは、テキストとその読解という学問的な構えに対して、大幅な態度変更を迫るものだ。

2　フィロロジー

†ロゴスと道

わたしたちは依然として一九世紀的な知の配置のなかにいる。その重要なひとつがフィロロジー（フィロロギー）である。フィロロジーはしばしば文献学と訳されるが、やや誤解を招く翻訳であろう。というのも、フィロロジーはフィロ・ロゴスすなわちロゴスへの愛というかなり特殊な態度に基づいてテキストを扱う学だからである。それは必ずしも中立的な実証研究ではない。

たとえば、フランスの近代中国学の第一世代であるジャン＝ピエール・アベル＝レミュザ（一七八八〜一八三二）を見てみよう。その著作である『前六世紀の中国の哲学者である老子の人生と主張について――老子はピュタゴラス、プラトン、そして彼らの弟子たちに共通する主張を行った』（一八二三年）は、その長いタイトルから明らかなように、『老子』をギリシアそしてローマの哲学との比較において論じたものだ。フィロロジーは、比較研究と「起源」への欲望によって支えられていたのである。

そして、アベル゠レミュザは『老子』の道を、まさにロゴスと翻訳していた。そのロゴスは「至上の存在、理性、言葉という三つの意味」を併せ持った複雑な概念である。しかも興味深いことに、そこにヘルメス思想という神秘思想までも導き入れていたのである。これによって、一九世紀のフィロロジーの独特な雰囲気が少し垣間見られるのではないだろうか。

†古さという問題

しかし、なぜフィロロジーは中国へ向かったのだろうか。ひとつのヒントとして、アベル゠レミュザが「碑文・文芸アカデミー」の会員に一八一六年に選ばれていることを取り上げておこう。これは現在でもフランス学士院を構成する四つのアカデミーの一つであるが、一六三三年にLa Petite Académieとして作られ、そしてアベル゠レミュザが会員になった年に、現在の名称となった。その目的は、古代の探究であり、そこにはオリエントとギリシア・ラテンそして中世が含まれていた。

ヨーロッパは一六世紀以降、積極的に外に出て行ったのだが、そこで出会ったエジプト、インド、そして中国は、キリスト教が前提していた神による世界の創造よりも古い歴史を有していた。これは神学的には由々しき問題である。具体的には、「神に先立つもの」というやっかいな問題を考えなければならなくなったからだ。そして、太古であるとか古代といった古さをどう考えるかは、その存在理由に関わる問いとなったのである。フィロロジーが古典学に向かう必然性はここにある。

ニーチェがギリシアを研究するフィロローグ（古典文献学者）であったことを思い出そう。本シリーズの第7巻で、竹内綱史がニーチェの「神の死」について示唆的な分析を行ない、「神の影」すなわち形而上学の打倒の意味を問うていた。興味深いことに、その「神の死」や「神の影」は、仏陀の死を念頭に置いたものだ。インドと出会ったショーペンハウアーに揺り動かされていたことからすれば、ニーチェが仏陀に言及するのは不思議なことではない。大文字の根拠を失った人間が、ニヒリズムを超え、「神の影」を振り払い、生を再び肯定するにはどうすればよいのか。この問いにニーチェが答えられたのかはわからない。しかし、少なくとも、フィロロジーが探究してしまった「神に先立つもの」はフィロロジーの内部では処理しきれないことだけは確かであった。

3　世界崩壊と自我の縮小

日本哲学に戻ろう。空海はその「起源」ではないし、フィロロジーが注釈を施すべきテキストでもない。そこには大文字の意味とそれによって支えられたひとつの世界などないからである。別の言い方をすれば、身口意といった身体や言語あるいは心のどれかが世界の主要な構成要素であるわけではない。世界は何かによって基礎づけられる巨大な箱ではなく、それらの実践的な相互関与によって垣間見られる場にほかならない。日本哲学が空海へのリフであるとすれば、反復され続けてきたのは、このような意味と世界に対する態度なのだろう。

道元（一二〇〇～一二五三）は『正法眼蔵』のなかで「古仏心」を論じていた。問題となったのは「古仏」という、より古い仏という概念である。それは「神に先立つもの」ならぬ「仏に先立つもの」という問いを開く。いかにして「古仏」を知ることができるのか。ここには、直接の通路がすぐにあるわけではない。「古仏のありかを知るのは古仏である」と道元は述べる。自らが「古仏」に変容しなければ、「古仏」はわからないというのである。まさに禅問答である。

その一方で、道元は「古仏心」という複合語を解体し、自由に組み立て直す。「古心」「仏古」「心古」「心仏」等である。組み立て直された複合語の意味を確定することが重要なわけではない。意味が成立する場面それ自体を問い直すことによって、世界それ自体を捉え直そうというのである。ポイントは、ここで、「古仏心はいかなるものでしょうか」という問い（これが

what の問いではなく、how の問いであることに注意したい）に対して、「世界崩壊」と答えさせていることだ。無論、ここで言う「世界」は world の翻訳語ではなく、サンスクリット語の「loka-dhātu（ローカ＝人間とその住む場所、ダートゥ＝構成要素、層）」の翻訳語であり、世間と同義とされるものである。また「崩壊」も「ほうえ」と読ませるものであるために、「世界崩壊」のイメージはやや現在と異なるかもしれない。それでも、その衝撃は何ら減じるものではない。「古仏心」を問う実践そのものが「世界崩壊」にほかならないというのだ。

では、「世界崩壊」の具体的なイメージとは何か。それは「牆壁瓦礫《しょうへきがりゃく》」、つまり割れて砕け散った断片である。道元はその断片は身であり心でもあるとまで述べる。断片化されたものへ眼差しを注いだヴァルター・ベンヤミン（一八九二～一九四〇）を彷彿とさせる態度である。では、道元であれば、ベンヤミンの求めた「救済」をどう実践しようとしたのか。それは、単に断片を接着させ、世界と意味を回復することではない。「世界崩壊」に耐えながら、断片化された身と心を通じて、自ら「古仏」となる、もしくは自らを「古仏心」とすることなのだ。いったいそれはどういうことなのか。

†直下承当

そのひとつのヒントが『学道用心集』（一二三四年）の「直下に承当すること」という一節に

ある。

人は皆な身と心をもっており、その作《はたらき》には必ず強弱があり、勇猛であったり鈍く劣っていたり、あるいは躍動的であったり、ゆったりとしていたりする。この身と心でただちに仏を実証する、これが承当ということである。言ってみれば、これまでの身や心のあり方を特別な状態に変えるというのではなく、ただ、他（師）が実証した道に随ってゆくのを、「直下」と名付け、また「承当」と名付けるのである。ただ、他に随ってゆくのであるから、自分のこれまでの古い考えではないのである。ただ承当してゆくのであるから、新らしい住処を作り上げるのではないのである。（「永平初祖学道用心集」、『道元禅師全集』第一四巻、伊藤秀憲・角田泰隆・石井修道訳注、春秋社、二〇〇七年、七三頁）

ここで述べられているのは、身心の変容であるが、それは何か「特別な状態に変える」のではなく、「他に随ってゆく」ことで、自分の古い考えを捨て、しかし、新しい自分の考えを持つことではない。それは、他者のためにスペースを開け、「この身と心でただちに仏を実証する」ことなのだ。宮川敬之はこの自我の放擲を、「自我を縮小する」と表現した（宮川敬之「「渾身」とは何か」、『本』二〇一三年九月号、講談社、六〇〜六一頁）。「世界崩壊」において「古仏」に変容するには、他者を受け取り、自我を縮小するほかないのである。

4　古さはいくつあるのか

†一と複数

古さという問題は、その後の日本哲学にもずっとつきまとっていった。空海や道元は、仏教を通じて、サンスクリット語や中国語といった他者の言語に直面していたのだが、それは日本語と並ぶような自然言語であると同時に、言語一般さらには聖なる言語でもあった。そうすると、そこに埋め込まれた古さは、特定の古さであると同時に、古さ一般さらには聖なる古さということにもなる。

別の言い方をすれば、「古さはいくつあるのか」という問いがどうしても出てくるということだ。しかし、その答えが一であったとしても、複数であったとしても、困難が減じるわけではない。その場合の一の意味がさらに問われなければならないし、複数であるとすれば、やはりいかなる意味での複数か（数え上げられるような複数性なのか、数えることが息切れするような複数性なのか）が問われなければならないからだ。

それは、世界のあり方とも連動している。「古仏」のように「古い世界」と言った場合に、その世界はどのような意味で一なのか、それとも複数なのか。そして、この問いは、「古仏」の個物性もしくは個体性にも関わってしまうので、中世のキリスト教神学が問うた個体化の原理とも交差してしまう。

†荻生徂徠と先王の道

荻生徂徠《おぎゅうそらい》（一六六六〜一七二八）は、この問いに対して、ひとつの答え方を発明した。それは、古さを唯一の聖なる古さだとしながら、同時に、それをあらゆる文脈で反復可能だと言ったのである。どういうことか。問題となるのは、古代中国において作り上げられた「先王の道」である。さきほどの「古仏」と同様に、聖人のなかにも「先王」というより古い聖王がいる。その先王が道を「制作」したのである。この「制作」に対しては、神による世界の創造を重ねたり、丸山眞男（一九一四〜一九九六）のように政治的な想像力を読みこんだりすることがなされてきた。とはいえ、「先王」は歴史的な存在であり、しかも複数存在しているはずである。徂徠が大きな影響を受けた『荀子』は、さらに「後王」という概念を持ち出し、現在の聖王による「制作」まで認めていた。

ところが、徂徠は、「先王の道」の唯一性を保証するために、「後王」を退ける。『荀子』が

「後王」による名の制作・改変の可能性を認めていたのに対して、徂徠は「思うに名というものは、聖人が建てたもので、変更できないものである」(荻生徂徠『読荀子』正名篇)という強い批判を行い、さらに「後王」に対しても、「註に、後王は当時の王とあるが、それは間違いである。後王とは周の文王・武王である」(同、成相篇)として、あくまでも理想的な古代である周の王に限定したのだ。徂徠は「先王の道」を、古において一撃のもとに作られた聖なる古い道にしたかったのである。

それは「先王の道」をかなり強力な原理とするものだ。しかし、ではなぜ言語と歴史を異にする日本において、その「先王の道」を反復することができるのだろうか。無論、徂徠としては、中国語と中国の歴史という軛から「先王の道」を解放し、聖なる道一般にすることで、他の文脈での反復可能性を開きたかったのであろう。政治的には、徂徠は、「先王の道」のひとつの表現である「封建」という制度が、徳川の治世において正しく反復されうることを望んでいた。

とはいえ、実際に徂徠が可能であったのは、漢文訓読ではなく、中国語を中国語として理解することで、「先王の道」を透明に理解するという方法でしかなかった。そして、そのように理解された「先王の道」は日本語に正しく翻訳される必要がある。つまり、中国の古さと同じ質を有した日本語の文章を徂徠は必要としたのである。

†本居宣長の「うつす」

だが、徂徠のこのような透明で純粋な古さの反復は、他の古さと他の反復可能性をあらかじめ排除することによってしか成立しない。しかし、もし古さが複数であるとすれば、しかも聖なる古さ自体が複数であるとすればどうなるだろうか。この問いを考えたのが本居宣長（一七三〇〜一八〇一）である。古代中国ではなく、古代日本に聖なる古さを認め、それを反復すればよいのではないのか。

「漢意《からごころ》」という摑まえ方は、「先王の道」をひとつの特殊なものとみなし、それを批判することだ。それに対して、「物のあはれをしる」を置くことで、宣長は古代日本に古さの根拠を置き、それを「うつす」（移す、訳す、写す）ことによって反復しようとした。

だが、そうなると、「物のあはれをしる」ことが日本以外においても反復されなければ、それはどうしても日本のなかに閉じることになりかねない。宣長は、『紫文要領』において、『源氏物語』を孔子が見ていれば、『詩経』に代えたはずだと述べており、「物のあはれをしる」の普遍化可能性を想定してはいた。しかし、「物のあはれをしる」ことが他の言語や文脈で反復されることはほとんどなかったし、どちらかというと、この宣長の議論は日本の特殊性や優位性を補強する方向に用いられていったのである。

5 反復せよ、しかし反復してはならない

†近代と反復

古さと世界という問題は、近代になってさらに複雑なものになっていった。「近代」というのは「後王」と同様に、もともとは直近の時代という意味である。ところが、それは今やmodernityやmodernの翻訳語でもある。つまり、今日性であるとか新しさへの傾倒といった意味がこめられるようになった。それは同時に、古さに対する新しい態度でもあった。つまり、新たに古さを作り直し、さらにその古さから自らを区別するという態度である。

フィロロジーのところで見たように、世界には多くの古さがある。いや、古さと同じだけ世界もあると言ったほうがよいだろう。もしその古さをある仕方で並べ直し、秩序づけることができるとすればどうだろうか。世界はそのラディカルな複数性から抜け出し、一つの世界に統合できるのではないか。フィロロジーを用いた比較言語学、比較宗教学がなそうとしたのはそのようなことだ。「祖語」であるとか、「世界宗教」とか「民族宗教」などという概念による整理はその典型である。そして、そのような整理を行うヨーロッパの学知こそが近代的であると

見なされた。

近代の日本哲学は、こうした背景において展開していった。その隠れた合言葉は、「反復せよ、しかし反復してはならない」である。近代が世界を一つにする以上、近代を反復しなければならない。しかし、それは同時に、日本のそれ以前の思想的遺産を前近代として清算することでもある。そう、それらは「思想」であって「哲学」ではない。そうすると、もし自らの思想的遺産を失いたくなければ、近代は決して反復してはならない。「近代の超克」が繰り返し論じられたのは、この矛盾した命題「反復せよ、しかし反復してはならない」のためである。

やっかいなのは、この命題が欧米においても同時に問われていたということである。アメリカがそうであったのは見やすいだろう。ヨーロッパを反復せよ、しかし反復してはならない。プラグマティズムが反哲学であったことを思い出したい。しかし、それは同時に、進化論やスピリチュアリティといった最も新しい議論の突端でもあった。ヨーロッパでは、ギリシアやローマという古さの反復が問われるとともに、西欧諸国の間での相互模倣が重要である。たとえば、ギリシアのデモクラシーやローマの共和国の理想をどう反復するのか、そして「国民」という概念をドイツとフランスが相互にどう模倣しあうかなどである。

そうであれば、日本において、「反復せよ、しかし反復してはならない」という命題は、それ自体が「反復せよ、しかし反復してはならない」という入れ子構造にまでなってしまっている。その締め付けるような束縛を逃れて、よりロマン化された外部に出ようとしても、そのロマン主義自体がさらに折り返される。これが「近代の超克」とロマン主義の奇妙な共犯関係の意味である。

†和辻哲郎と壊れた仏像

フィロロジーにとって鍵となる概念のひとつはロゴスである。和辻哲郎(一八八九〜一九六〇)は、「自分はロゴスの思想に共鳴を感ずる」(『日本精神史研究』、『和辻哲郎全集』第四巻、岩波書店、一九六二年、一六二頁)とその『沙門道元』(一九二〇〜一九二三年)に書きつけていた。道元の「人格と思想」を問題にしたこのテキストは、キリスト教的なロゴスとその展開を日本仏教に発見しつつ、そこに道元を位置づけようとしたものだ。具体的には、『正法眼蔵』にある「道得《どうて》」すなわち「言いうる」とは、「ロゴスの自己展開」だと解釈される(同、二三八頁)。道元は近代において反復されなければならない。

その少し前に、和辻は『古寺巡礼』を出版している(一九一九年)。それは一九一七年に奈良をめぐった時の記録でもある。「僕が巡礼しようとするのは古美術に対してであって、衆生救《しゆじよう》済の御仏《みほとけ》に対してではない」(和辻哲郎『初版 古寺巡礼』ちくま学芸文庫、二〇一二年、三七頁)。この印象的な一節が述べているのは、和辻にとって見るべきは「古美術」としての仏像であって、もはや道元の言う意味での「古仏」などではない、ということだ。この言葉を述べた時、和辻は奈良の宿にいて、そこの食堂に外国人が集っていた光景を見ていた。さきほどの文章の直前は、初版では享楽的な視線が強調されていたのだが、後にこう改稿されている。「奈良の古都へ古寺巡礼に来てこういう国際的な風景をおもしろがるのは、少しおかしく感じられるかも知れぬが、自分の気持ちには少しも矛盾はなかった」(『古寺巡礼』、『和辻哲郎全集』第二巻、岩波書店、一九六一年、二八頁)。

しかし、改稿してまで述べるように、本当に「少しも矛盾はなかった」のだろうか。和辻は、『古寺巡礼』の終盤において、フェノロサ(一八五三〜一九〇八)が開けさせた法隆寺夢殿の救世観音菩薩立像に言及し、フェノロサの「発見」に「感謝」してみせている。ところが、その後には、以下のような記述がある。

　屋根のひくい絵殿の廊下を通りぬけて、その後方の伝法堂に行った。そこにも多くの仏像が並んでいるが、しかし秘仏を見たあとでは殆《ほと》んど目にはいって来ない。挨《ほこり》の多い床板の上を歩きながら、フェノロサの本の挿絵にある壊れた仏像の堆積を思い出して、本尊の裏手の廊下のようなところへ踏み込んだ。壊れた仏像はまだ随分多く残っていた。殊《こと》に頭部や手などが挨のうちにゴロゴロ転《ころが》っているのは、一種異様な面白さがあった。(和辻哲郎『初版 古寺

巡礼』二八五頁）

近代日本において多くの仏像が破壊され、また「古美術」として売られていったことを和辻が知らないはずもない。まるで「牆壁瓦礫」のように、壊れた仏像が「ゴロゴロ転がってている」のだ。それは「一種異様な感じであった」のに、和辻はその「世界崩壊」のなかには入っていかない。まるで目を逸らすかのように、次の中宮寺に向かい、そこで聖母マリア像との比較を再び行なってしまうのである。

6　世界戦争と生

†梁啓超のヨーロッパ巡礼

巡礼は断片を繫ぎ合わせる実践である。それは必ずしもひとつの全体に向かう必要はない。道元はそう考えていたのに対して、奈良の古寺を巡礼した和辻は、何とかしてインド、ギリシア、キリスト教という他なる古さと合一させ、断片化を乗り越えようとした。それは、第一次世界大戦と呼ばれた、世界それ自体が戦争状態に入った時代においては、喫緊の課題ではあったのだろう。

『古寺巡礼』と『沙門道元』と同時期に、梁啓超（一八七三〜一九二九）はヨーロッパに向かい、一九一九年から一九二〇年にかけて、いわば巡礼を行なっている。その記録である『欧游心影録』（一九二〇年）においてこう述べるに至った。

今やその〔科学の〕功績はほぼ完成し、百年にわたる物質的な進歩はそれ以前の三千年間に獲得したものの何倍にもなった。しかし、我々人類は幸福を得られなかったばかりか、かえって多くの災難がもたらされたのである。あたかも砂漠の中でラクダを失った旅人が、遥か遠くに大きな黒い影を見て懸命に前に走り、それを頼りにすればよいと考えて、どれだけか距離を走ってみると影はかえって見えなくなり、大いに悲しみ失望するようなものである。影が誰かと言えば、まさに「科学先生」である。欧州の人は科学が万能であるという大きな夢を見ていたが、今や科学は破産したと言い出したのである。（梁啓超『欧游心影録節録』、『飲冰室合集』第七、専集二三、中華書局、一九八九年、一二頁）

万能であったはずの科学は、幸福をもたらすどころか災難をもたらした。では、破産した科学をどうすればよいのか。梁啓超はここで東洋文明を導入して、科学を主体とする西洋文明を中和し、心と物の調和を図ることを提案する。その東洋文明の具体的な内容は、唯識や禅といった仏教である。梁啓超は科学の行き過ぎを宗教によって緩和しようとしたのである。

とはいえ、梁啓超が想定する宗教としての仏教は、西洋近代の言う宗教すなわち「来世ばかりを重んじる」ものでもなければ、「深遠なものに対する高踏的な議論を繰り広げる」「唯心派の哲学」でもない。それは「人間の生の問題」に寄り添うことのできる宗教である。

世界が戦争状態に入ったということは、ジョルジョ・アガンベンが述べるように、生が剝き出しの状態になるということだ。二〇世紀の哲学が生を問題にせざるをえなかったのは、そのためでもある。

†西田幾多郎と生

生を問題にした近代日本の哲学者のなかで、やはり第一に指を屈すべきは西田幾多郎（一八七〇～一九四五）であろう。一九〇二年二月二四日の日記に、「学問は畢竟life〔生〕の為なりlifeか第一等の事なりlifeなき学問は無用なり　急いて書物よむへからす」（『西田幾多郎全集』一七巻、岩波書店、二〇〇五年、八二頁）とある。二〇世紀の初頭にあって、若き西田は「ライフ」を思索の中心においていた。最晩年においても、西田は遺稿となった「場所的論理と宗教的世界観」とともに、未完に終わった「生命」を書いていたのである。

西田が『善の研究』を出版したのは、明治が終わりを迎えようとしていた一九一一年であった。その前年は、韓国併合と大逆事件である。幸徳秋水たちが処刑されたのは一九一一年一月であるが、その同じ月に『善の研究』は出版されたのである。なお、『青鞜』が出版されたのは同年九月であり、一〇月には中国で辛亥革命が起きている。

「経験するといふのは事実其儘に知るの意である。全く自己の細工を棄てゝ、事実に従うて知るのである」（西田幾多郎『善の研究』、『西田幾多郎全集』第一巻、岩波書店、二〇〇三年、九頁）。この「純粋経験」を述べた『善の研究』冒頭の一節に、西田の哲学はすべて尽きているとも言われる。これを生の観点から言い直してみるならば、西田は「純粋経験」によって人間の剝き出しの生を示したと言えるだろう。人間の生に対する従来の伝統的な意味づけが崩落し、しかし新しい近代の科学による意味づけではなお不十分である時に、西田は、人間の生の原点である意味を剝奪された「純粋経験」にまで遡り、そこに潜む構造を明らかにし、あらためて人間の生に意味を回復しようとしたのである。

此書を特に「善の研究」と名づけた訳は、哲学的研究が其前半を占め居るにも拘らず、人生の問題が中心であり、終結であると考へた故である。（同、六頁）

『善の研究』がもともとは『純粋経験と実在』という書名で構想されており、紀平正美（一八七四〜一九四九年）の助言を容れて『善の研究』になったことはよく知られている。つまり、「人生の問題」を考察した後半の「第三編　善」と「第四編　宗教」を重視して『善の研究』と名づけたと序では述べているが、西田の意図としては、「人生の問題」すなわち人間の生に意味を与えるためにも、前半の「第一編　純粋経験」と「第二編　実在」において論じられる、人間の剝き出しの生の構造を把握し、そこから意味を構成していく哲学もまた重要であると考えていたのである。

†宗教的世界観

その後、西田は二つの世界大戦を経験していく。アプローチの仕方に変化はあっても、ライフすなわち「人生の問題」が中心にあることに変わりはなかった。最晩年の西田が務台理作（一八九〇〜一九七四年）に宛てた一九四三年七月二七日の手紙にこうある。

私の場所の論理を媒介として仏教思想と科学的近代精神の結合といふことは私の最も念願とする所であり　最終の目的とする所で御座いますが　もうさういふ余力もなくなつた様に思はれます。（『西田幾多郎全集』第二三巻、岩波書店、二〇〇七年、一二三頁）

まるで梁啓超を彷彿とさせるように、西田は科学と宗教とりわけ仏教を「場所の論理」という哲学によって繋ぎ合わせようと奮闘していたのである。とはいえ、それは決して容易に実現するものではなかった。遺稿となった「場所的論理と宗教的世界観」（一九四六年）というタイトルがよく示しているように、「場所の論理」がこの世界を宗教的にしなければならなかったのだが、そこに忍び入ったのは国家であった。

　真の国家は、その根柢に於て自ら宗教的でなければならない。而して真の宗教的回心の人は、その実践に於て、歴史的形成的として、自ら国民的でなければならない。〔中略〕国家とは、此土において浄土を映すものでなければならない。（西田幾多郎「場所的論理と宗教的世界観」、『西田幾多郎全集』第一〇巻、岩波書店、二〇〇四年、三六六〜三六七頁）

世界戦争という戦争状態となった世界に登場したのは、国家主義もしくは超国家主義であった。西田が生に真剣に向かい合おうとすればするほど、その断片化された生は国家を呼び求めてしまう。なぜなら、科学は生を救済できないどころか、その断片化を推し進めたし、宗教もまた「神の死」を乗り越えられずニヒリズムを深めるばかりであったからだ。では、その二つを複合させて起死回生を図ってみればどうなるのか。梁啓超も西田幾多郎もそれを試みたはずだが、その複合を実践することは実に困難なことであったのだ。

7 戦後の日本哲学の方位

†鈴木大拙と霊性

戦後の日本哲学は、西田の「宗教的世界観」を、別の仕方で仕上げることがひとつの目標であったと考えることもできるだろう。そのためには、何としても宗教を再定義し直さなければならない。それは近代的な宗教概念の見直しであると同時に、そのもとに再編されていた既存宗教からも離れるということだ。本シリーズ第7巻で冨澤かなが明らかにしたような近代インドで練り上げられたスピリチュアリティは、概念の旅を経て、鈴木大拙（一八七〇～一九六六）の日本的霊性に入っていた。『日本的霊性』という書物が公刊されたのが一九四四年であることを考えると、霊性は当時の大和魂や日本精神が織りなす社会的想像へのひとつの抵抗であった。それは、つとに内村鑑三（一八六一～一九三〇）が日本的基督教という概念で、別の普遍性への通路や、別の国家像を構想していたことと重なり合うものである。ちなみに内村が平民に定位した基督教を最良の「国家的宗教」であると述べていたことも想起しておきたい。

大拙に戻ると、戦後直後に、『霊性的日本の建設』（一九四六年）や『日本の霊性化』（一九四七年）を次々に発表している。『日本の霊性化』は、国家神道と化した神道を批判しながら、戦後日本社会を支える霊性とは何かを検討したものだ。大拙は、霊性なしに民主化が可能だと考えてはいなかったのである。その序文にこうある。

新憲法の発布は日本霊性化の第一歩と云つてもよい。これは政治的革命を意味するだけのものでない。戦争放棄は「世界政府」又は「世界国家」建設の伏線である。これはただ日本の憲法の条文中に編み込まれたと云ふだけでは済まされぬ、霊性的なものが其裏にある。これに気付かないかぎり日本の更生は期待せられぬ。さうしてこの更生には大いに世界性のあることを忘れてはならぬ。（鈴木大拙『日本の霊性化』、『鈴木大拙全集』第八巻、岩波書店、一九九九年、二二七～二二八頁）

霊性によって更生する日本がそれによって世界性を有していく。しかしながら、大拙のこうした提言が戦後日本に響くことはあまりなかった。なぜなら、国家と宗教、あるいは国家と宗教性の関係自体が問い直されていなかったし、そこに深い問題が残っていることが感じられ続けていたからである。

†井筒俊彦と「神に先立つもの」

もうひとり、大拙の精神的な後継者である井筒俊彦についても見ておこう。本シリーズ第8巻で安藤礼二が指摘したように、井筒は、本居宣長、平田篤胤(一七七六～一八四三)、折口信夫(一八八七～一九五三)といったシャーマニズムの系譜にある。同時に、その空海に言及し続けた並々ならぬ関心を考えると、井筒もまた「空海へのリフ」を奏でたひとりでもある。加えて、若き日には、大川周明(一八八六～一九五七)のもとで国家と宗教の関係を突き詰めて考えていた。その井筒が戦後に提出したのは、神に先行する神秘であった。それは、宗教ならぬ宗教性としての神秘であり、かつ一九世紀のフィロロジーがその周りで考え続けた「神に先立つもの」であったのである。

井筒は、大拙が行ったのと同様に、『老子』を解釈していく。焦点は、『老子』第四章の「吾不知誰之子、象帝之先」である。大拙はポール・ケーラス(一八五二～一九一九)とともに出した『老子』の英語訳(一八九八年)において、それをすでに「道すなわち理性が誰の子であるかを知らない。それは神に先んじているようだ」と訳していた。「神に先立つもの」をここに読み込み、それをつとに唱えていたマイスター・エックハルト(一二六〇頃～一三二八頃)にも言及していたのである。それを踏まえて、井筒はこう翻訳していた。

すなわち、誰もそれは本当に何なのかを知らないが、しかし原始的なprimordial〈像〉として、それはこの世界の存在以前からそこにある、ということ。とすると、それは、原始的で神秘の〈像〉としてしか表現できないのだ。「〈帝王〉」という語により、初代の神話上の〈帝王〉、もしくは〈天帝〉や〈神〉が意味されている。

別解「それは〈帝王〉に先立ちすらするようだ」、もしくは「それは、かの人自身、〈天帝〉の先祖であるとさえ言えるかもしれない」。(井筒俊彦『老子道徳経』古勝隆一訳、慶應義塾大学出版会、二〇一七年、三〇頁)

井筒は別解において大拙を継承し、「神に先立つもの」の問題を考えている。しかし、井筒が強調したのは、「象」を「像」すなわちイマージュと解釈する方向だ。つまり、神に先立つ神秘を、積極的にイマージュとして措定しようとしたのである。

†イマージュ

なぜイマージュなのか。それは、井筒が、シャーマンが持つ「原型的イマージュ」(井筒俊彦

『スーフィズムと老荘思想』下、仁子寿晴訳、慶應義塾大学出版会、二〇一九年、二〇頁）の探究を根本に据えていたからであった。

絶対に触れることができず、入り込むこともできぬこの〈神秘〉が、已れの暗闇から一歩踏み出し、「名」を帯びるに相応しい段階に至る。已れを顕すこの段階でのそれは、微かな、また影の如き〈像《イマージュ》〉だ。この〈像〉のなかに我々は、恐ろしく神秘的な〈何か〉が眼の前にあることをぼんやりと感ずる。だが、我々はそれが何であるのかをまだ知らない。〈何か〉だと感ぜられるが、まだ「名」はもたない。

本書第一部で、イブン・アラビーの形而上学的体系において、絶対性の状態にある絶対者がいかなる仕方で、「名を欠く」のかを見た。そうした状態にある絶対者がいかなる仕方で、アッラーという名で適切に意味表示される段階すらも超えるのかも見た。イブン・アラビーの場合と同じく、老子も、この〈何か〉を神（文字通りには、天の帝）にすら先立つとみなす。（同、一四三頁）

とはいえ、注意しなければならないのは、井筒は「名を欠く」イマージュに満足しているわけではないということだ。それは何としても「名」に接続し、あらたな「コトバ」に変貌しなければならない。ここで井筒が訴えたのが空海である。

†空海へのリフ再び

井筒は「言語哲学としての真言」（一九八四年）という講演のなかで、空海の真言密教の核心を、「コトバの「深秘《じんぴ》」に思いをひそめてきた」（井筒俊彦「意味分節理論と空海――真言密教の言語哲学的可能性を探る」、『井筒俊彦全集』第八巻、慶應義塾大学出版会、二〇一四年、三八七頁）ことに見た。

悟りの境地はコトバにならないと主張して止まぬ通説に対して、悟りの境地を言語化することを可能にする異次元のコトバの働きを、それは説く。コトバを超えた世界が、みずからコトバを語る、と言ってもいい。あるいはまた、コトバを超えた世界が、実は、それ自体、コトバなのである、とも。（同、三九二頁）

「存在はコトバである」もしくは「あらゆるものがコトバである」（同、三八八頁）という非常識な命題を、空海は考え続け、その果てに、「異次元のコトバの働き」を見出した。これこそが、真言密教の「深秘」である。

そして、この「異次元のコトバの働き」は、この世界、この存在者の世界に響いていなければならない。したがって、井筒はこう続けた。

注意すべきは、悟りの境地を言語化するといっても、人間が人為的に言語化するというのではないことだ。むしろ、悟りの世界そのものの自己言語化のプロセスとしてのコトバを考えているのである。そしてそのプロセスが、また同時に存在世界現出のプロセスでもある、と。（同、三九二頁）

「深秘」としての「コトバ」のプロセスが世界を現出させる。これが現代版の「空海へのリフ」である。それは、しかし、長い時間をかけて概念が旅をしてきたことで可能になったリフである。日本哲学において、わたしたちは二一世紀においてもなお「空海へのリフ」を続けるのか、それともまったく新しい音を奏でるのか。「世界哲学史」が問うのはこの問いである。

さらに詳しく知るための参考文献

小林康夫・中島隆博『日本を解き放つ』（東京大学出版会、二〇一九年）……日本哲学を従来の本質主義的な読解から解き放ち、より広い世界的な文脈で読み直したもの。また、哲学が対話であることをあらためて確認し直すためにも、ご一読いただきたい。

中島隆博『思想としての言語』（岩波書店、二〇一七年）……これまた拙作で恐縮だが、日本哲学を言語に関する議論から読み解いたもの。空海から井筒俊彦へという本論の流れをより詳細に確認することができる。

宮川敬之『和辻哲郎――人格から間柄へ』（講談社学術文庫、二〇一五年）……和辻哲郎は自作をしばしば改稿しているが、それをたどりながら、和辻哲郎の倫理学の核心に迫った労作。そのなかでも、和辻の『正法眼蔵』読解の解釈は出色である。

井筒俊彦『スーフィズムと老荘思想』上・下（仁子寿晴訳、慶應義塾大学出版会、二〇一九年）……生誕一〇〇年を記念した『井筒俊彦全集』に続いて、井筒の英文著作の翻訳が「井筒俊彦英文著作翻訳コレクション」として出版された。慶應義塾大学出版会の偉業である。そのなかでも、翻訳の苦労がいかばかりであったかと思われるこの本をあえて挙げておきたい。日本哲学はこのような翻訳によって豊かになっているのである。

第4章

世界哲学のスタイルと実践

納富信留

1　哲学のスタイル

†哲学の自明性

世界哲学・世界哲学史を考える上で、現在「哲学」と呼ばれている営みが何であるか、改めて反省して再検討することが必要である。世界哲学とは、既成の「哲学」を様々な面で批判的に刷新して、再構築する運動だからである。私たちが自明だと思っている「哲学」のあり方が、実は歴史的に成立した特殊なものであること、具体的には、西洋近代の大学と学問の制度に位置づけられてきた形に過ぎないと認識することが、まずは大切である。その認識には、世界哲学史の視点が生かされるとともに、そこで西洋哲学にとどまらない世界哲学への視野が開ける。

二一世紀の現在、日本で「哲学」というと、大学の文学部や各種の学術・研究機関で専門的に研究され、学生に教授する学問の一つと見なされている。そこで「哲学」は人文科学の一部門として、歴史学、文学、社会学、心理学などと同列に位置づけられる。二〇世紀末に一般に「哲学」という名称を避けて複合的な名称をつけた時代もあったが、学術部門としては変わらずに学問序列の筆頭におかれる。哲学の研究者は基本的にそれらの研究・教育機関に職をもつ専門家を指し、学術雑誌に論文を掲載したり、国内外の学会で研究発表を行ったりする点で、理工系をはじめとする他の専門分野と同様の研究活動で評価を受けている。哲学はいまや特別な学問ではなく、大学でも埋没しがちである。

他方で、伝統的に「哲学は万学の祖である」とか、「あらゆる学問は哲学を基礎にしている」といったことが語られ、形の上であれ現在でも敬意が払われている。その見方はどこで発生し、どれほど私たちの哲学に妥当するのか。哲学が現代の社会でどのような意義をもつのか、現状を考える必要がある。

西洋哲学が日本に本格的に導入されたのは幕末・明治期であるが、一八七七(明治一〇)年に東京大学が創立された時には、すでに文学部の二学科に「第一史学、哲学及政治学科」が含まれていた。「フィロソフィー」の訳語にいくつかの提案があったなかで、大学の学科名に「哲学」が採用されたのは、西周(一八二九〜一八九七)の影響力によると推察されている。一九世紀後半の日本がモデルにしたヨーロッパの学問、とりわけドイツの大学は、近代学問の完成形態であり、東京大学での学科編成もそのモデルに倣って始まったものであろう。

明治初期の哲学は、イギリスの功利主義や進化論、フランスの実証主義を積極的に紹介した啓蒙思想から、明治二三年頃を転機にドイツ観念論の哲学へと重点を移したと言われる。東京大学哲学科の初期の卒業生である井上円了（一八五八～一九一九）は、「四聖人」として古代哲学者ソクラテスと並んで近代哲学者カントを崇敬したが、カントは日本近代をつうじて哲学のモデルでありつづけた。その哲学科で教えたドイツ人外国人教師ブッセ（一八六二～一九〇七）、その後に来日して二一年間教鞭をとったドイツ系ロシア人のケーベル（一八四八～一九二三）はドイツ哲学を日本に根付かせ、ドイツ観念論は西洋哲学の主流として日本で受け入れられていった。ケーベル博士は人格的な尊敬を集め、和辻哲郎、九鬼周造（一八八八～一九四一）、阿部次郎（一八八三～一九五九）、波多野精一（一八七七～一九五〇）ら弟子たちは大正・昭和の教養主義を通じて一般への影響を揮った。

これが日本で自明と思われている「哲学」の姿だとして、それがどこまで当たり前のことであり、歴史を遡って妥当と見なされるのかは、慎重に検討されるべき問題である。

†大学と学会での哲学

では、今日哲学が営まれている「大学」と「学会」という組織はどれほど哲学に結びついているのか。

古今の哲学者の伝記を繙《ひもと》けばわかるように、哲学者がかならず「大学」で教えていたわけではない。パリ大学やオックスフォード大学やケンブリッジ大学などで哲学は中世以来さかんに論じられた。だが、多くの哲学者は別の職業をもち、在野で活動していて、大学で哲学を学ぶという課程も必要条件ではなかった。国や文化によって違いはあるが、哲学を学び、思想を講義したり書物として出版したりする営みは、大学を離れても十分に成り立っており、少なくとも近代の前半まで大学は哲学の拠点とは言えなかった。

「学会」は各国それぞれの事情で成立して自然科学や人文・社会科学で研究をリードしてきた。一六六〇年に設立されたイギリスの王立学会（ニュートンら）や、一六六六年創立のフランスの科学アカデミー（コンドルセら）といった自然科学振興の学術組織が、王立や民間設立で展開されたが、哲学は比較的個人ベースで行われていたようである。アメリカではベンジャミン・フランクリン（一七〇六～一七九〇）が「有用な組織の促進」を掲げて一七四三年に「哲学学会」を設立した。今日では一九〇〇年創立のアメリカ哲学協会（APA）が一万人を超える会員を有する世界最大規模の哲学学会となっている。

学会が懸賞課題を出して学者たちに議論を促した時期もある。プロイセンのフリードリッヒ大王がベルリン王立学術アカデミーに出させた懸賞課題が、カントやメンデルスゾーン（一七二九〜一七八六）に「啓蒙とは何か」の議論を促したことはよく知られている。一七七一年の「言語起源」に関する懸賞論文はヘルダー（一七四四〜一八〇三）を世に出すきっかけとなったが、その主題はやがて一八六六年にパリ言語学協会が議論の禁止を発するに至る。学会が実際の哲学議論を導き、方向づけた例である。今日でも学会はシンポジウムのテーマや学術誌で特集を組んで特定の主題を促すことがあるが、影響は限られている。

日本では、東京大学文学部哲学科で一八八四（明治一七）年に「哲学会」が設立されて以来、戦後の一九四九年創立の日本哲学会が中心となって、各分野やテーマごとに大小多数の哲学関係学会が活動している。それらの学会は、研究者や学生が学会員に登録して年会費を払い、年に一回以上の研究大会で発表や議論を行うとともに、学会誌と呼ばれる学術雑誌を発行して、そこに会員から寄稿された論文や公募論文を掲載している。それら学会の活動は、専門分野としての哲学の研究を発展させ、同業者の間で最新の情報や意見を交わす場となるとともに、「査読」と呼ばれる論文評価を行い、採用された論文を学術水準に達するものと保証する機関となっている。この点でも、哲学は他の学術専門分野と同様の態勢をとっている。

個別の領域で実質的な研究や議論を行う学会の上には「学会連合」と呼ばれる組織があり、そこでは各学会代表が集まって活動の連携をはかることがある。日本学術会議を場として哲学系の諸学会が集まった「日本哲学系諸学会連合（ＪＦＰＳ）」は、国連ユネスコの下部組織である「哲学系諸学会国際連合（FISP）」に会員組織として所属している。このような多層的な学会活動によって、最終的には世界規模で哲学者の共同体制が構築されている。

同じ専門テーマを研究する人々が地域を超えて集まって議論する国際学会も、様々な形で活動を広げている。私が長く関わってきた国際プラトン学会（IPS）は、世界中で約五〇〇名の会員を擁し、一九八九年の創立以来三年ごとに世界各地でプラトン・シンポジウムを開催し、その議論成果を中心に研究書を発刊している。使用言語は英語・フランス語・ドイツ語・イタリア語・スペイン語だが、近年は英語の比重が高くなっている。

一般にはあまり知られていないそういった学術組織の活動は、個々の大学の枠組みを超えて専門家同士が切磋琢磨する場であり、研究レヴェルを管理する権威の役割も果たしている。だが、このような大学、学会のあり方では、哲学も他の人文・社会系の学問や自然科学と同様で、独自の特色はほとんどない。むしろ、自然科学の研究スタンダードに同化してしまったのが、現代の私たちの「哲学」の営みであると言えるだろう。

長い歴史をかけて積み重ねられ、学問の自由や言論の自由として守られてきた「哲学」の営みはそれ自体で尊重される。他方で、そこに閉じこもり、それだけが哲学だと思い込む弊害は、真の哲学から私たちを遠ざけてしまいかねない。

†古代ギリシア哲学者の生き様

大学という場で哲学が集中的に研究され教授されるようになったのは、一八～一九世紀のヨーロッパ、とりわけドイツの大学と学問の影響が大きい。一九世紀ドイツの学問状況については近年検討が進んでおり、専門研究に任せるとして、ここでは、一気に時代を遡って、古代ギリシアでの哲学のあり方を見ることにしたい。近現代になっても、哲学の原イメージはギリシアに求められているからである。

まず、古代ギリシアで今日「哲学者」と呼ばれる人たちは、どんな生き方をしていたのか。紀元前六世紀のギリシアに登場した最初の哲学者たちは、職業的に哲学に従事していたわけではない。出身ポリスの指導にあたった有力者が、知識人として研究や著述にもあたったのであろう。各地を遍歴する詩人だったクセノファネス（前五七〇頃～前四七〇頃）の例はあるが、概して財産に困らない自由な上流市民として思索や議論に打ち込んでいたようである。

古代ギリシアで哲学が栄えたのは、奴隷に労働させた自由人たちの余暇（スコレー）のお陰という俗説があるが、もしそれが理由ならエジプトやバビュロニアでさらに強大な力と余裕をもった有閑階級が同様の哲学を行っていたはずである。ギリシア・ポリスの自由市民はそれぞれ職業をもって自ら仕事をしており、ソクラテスなら石工として彫刻制作にあたっていた。けっして奴隷労働に依存して余裕を楽しんでいたばかりではない。

金銭をとって職業として知識の教育を行ったのは、前五世紀後半のソフィストたちが最初であったが、知識を金銭にかえることへの社会での衝撃と反発は大きかった。ソクラテスは哲学は自由な対話活動であって、金銭をとる営為は不自由だと批判したが、弟子プラトンはその精神を生かして、私財を投じて開設した学園アカデメイアでは授業料を一切とらなかった。もっとも、有力者からの寄付は受けたようである。こうして共同で生活して学問研究を行う「学校」が成立したのは、前四世紀のアテナイにおいてであった。

ヘレニズム時代には、プトレマイオス王家の庇護の下で図書館を充実させたアレクサンドリアで、学者たちが文献学や科学や哲学の研究に勤しんだ。

では、彼らギリシア哲学者はどのように哲学を進めていたのか。哲学の中心に言論と思索があるとして、それを書き表すことは必須の条件ではなかった。タレスは著作を残さなかったと考えられているが、他にもピュタゴラスやシノペのディオゲネス（前四〇五頃～前三二三）のように、著作を書いたか不明な哲学者も多い。ソクラテスはアテナイで評判の知者であったが、生涯何も書かなかった。それは、面と向かって交わす生きた対話こそが哲学であると考え、それを文字に書き表す必要を感じていなかったからである。同様の意図的な著作拒否は、エリスのピュロン（前三六〇頃～前二七〇頃）や中期アカデメイアのカルネアデス（前二一四～前一二九）

ら、懐疑主義者に見られる。あらゆる独断を排する懐疑の態度は、なにかの考えを書き記す固定化すらもドグマと見なしたからである。

だが、そうして何も書かなかった哲学者たちも、著作を残した哲学者にもまして影響を与え、今日に至るまで尊敬されている。それは、彼らの言行を弟子たちが書き残したからである。ソクラテスには、プラトンやクセノフォン（前四三〇頃〜前三五四頃）ら多数の「ソクラテス文学」の作品が著されてその一部が今日に伝わっている。ピュロンの哲学は弟子のティモン（前三二五／三二〇頃〜前二三五／二三〇頃）が報告し、カルネアデスはクレイトマコス（前一八七／一八六〜前一一〇／一〇九）が、ローマ時代のストア派哲学者エピクテトス（五〇頃〜一三五頃）には、聴講者だったアッリアノス（後二世紀）が『語録』『提要』の二種類の言行録を残してくれた。弟子たちの書き物のおかげで、私たちは彼ら哲学者たちの生き方を知ることができるのである。

興味深いのはシノペのディオゲネスの場合である。故国を追放されてアテナイやコリントスで浮浪者のような生活を送っていたディオゲネスは、人々と丁々発止の哲学的やり取りをするとともに、行動や生の態度で人々の常識に挑戦する哲学を実践した。彼の言行は「クレイア（有用なもの）」と呼ばれる逸話や金言としてまとめられ、キュニコス派やストア派にとって哲学者のモデルとなった。ディオゲネス・ラエルティオス（後三世紀）『ギリシア哲学者列伝』第六巻第二章に集められたそれら多数の逸話は、今日に至るまで、「哲学者」のある種のイメージを形づくっている。

街角の大甕《おおがめ》に住んで、ずだ袋ひとつで生活する姿や、真昼にランプを灯して街の広場を歩きながら「人間を探している」と語った姿などは、近代絵画の主題にもなってきた。

†言論スタイルの競合

古代ギリシアから現代に伝えられた哲学の営みは、結局文字で表された書物として残されてきたが、彼らが書いた著述のスタイルも実に様々であった。ギリシアに限らず、古代文明は口承の世界で、ホメロス、ヘシオドスらの詩は暗唱され、人前で朗唱された。叙事詩を歌う六脚韻（ヘクサメトロス）は神々の言葉を人間に伝える特別なリズムであった。それを使って神の視点から語ることを拒否したのが、散文、つまり韻律のない「裸の言葉」で書いた、アナクシマンドロス（前六一〇頃～前五四六頃）に始まるイオニアの探究であった。人間の立場で、探究と思考の成果をつづる散文での著作は、多くの哲学者と科学者に採用されて、アリストテレスの講義録に代表される古代哲学の基本スタイルとなる。

他方で、散文が主流になった時代でも、あえて六脚韻で語ることで神の視点に身をおいて哲学する者たちもいた、女神から語られた真理を言葉にしたパルメニデス、自身が神になったという語り口で高みから人々に語るエンペドクレス（前四九〇頃～前四三〇頃）。共和政ローマではルクレティウス（前九九頃〜前五五）がエピクロス哲学を壮大なラテン語叙事詩で表現した。また、韻文ではないがアポロン神託を気取る謎かけの箴言を書き残したヘラクレイトス（前五四〇頃〜前四八〇頃）も、通常の論文とはまったく異なるスタイルで、人々を思索へと挑発した。

前五世紀後半にソフィストたちは模擬弁論の形式を哲学的思索に応用し、言論の技法や様々な知識を競って論じた（ゴルギアス『ヘレネ頌』など）。前四世紀に入るとソクラテスを主人公とする戯曲形式の対話篇で多くの哲学著作が書かれ、同時期にはイソクラテス（前四三六〜前三三八）が書簡スタイルを本格的に導入し自説を展開して、前三世紀のエピクロス（前三四一〜前二七〇）の書簡に受け継がれる。そうして書き言葉による哲学は、異なるスタイルによる競合を通じて発展した。それらのスタイルは、けっしてどれを使っても中身は変わらないような器ではなく、また、便宜や装飾のためでもなく、思索をどのように展開し、どの視点からどう語るか、誰に何をどのように伝えるかという哲学の本質に関わる言語活動の実験であった。

古代ギリシア哲学の最大の魅力の一つは、この多彩で生き生きした言論スタイルの応酬である。それは論文や専門書という現代の画一的な学校哲学とはかけ離れた、生きた哲学の現場、いや、生きる現場の哲学を私たちに鮮やかに示してくれる。西洋哲学の始点を動かした多様なスタイルの競合は、中国やインドなど他の哲学諸伝統とも多くの共通性を持つ。今後検討されるべき課題である。

2 テクストと翻訳

†書かれた哲学を読み解く

古代から受け継がれた哲学は、どのような形であれ書き物として伝承された。一〇〇年前のものもあれば、二四〇〇年前のものもある。それらを現代に読むとはどのような営みか。

古い書物を読み解くことは、一つの喩えでは、冷凍して倉庫に保存しておいた哲学の言葉を、何世紀も経ってから取り出して解凍を加えるのに似ている。そうして再び生き生きと語り出させ、味わうことが、哲学研究者の役割である。別の比喩を使おう。楽譜に記された音符や指示書きの、やや書きなぐりの筆跡を読み解いて、その音楽をコンサートホールで演奏すること、それが哲学研究者の仕事である。

だが、これらの比喩でも尽くせない点が二つある。まず、そうして古代の思索を蘇らせて、今ここで語り直すことは、それ自体今を生きる哲学者の哲学的行為だという点である。作曲したバッハと演奏するグールドは異なる営みをしているかもしれないが、現代の哲学は古代の哲学者と向き合い対話することで、自身の哲学を語っていく。理想ではあるが、それが哲学史研究が哲学そのものになる場面である。もう一点は、哲学の書物の多くは、何世紀も寝かされて復活したものではなく、その間ずっと読まれてきた点である。プラトンやアリストテレスは、ラテン中世では読まれなくなっていても、ビザンツでは脈々と読み継がれ、書写されてきた。その都度蘇り、新たな装いで次に読まれるべく伝えられるという過程を繰り返してきたのである。そうして成立した注釈の伝統が、古い言説を読み解く知恵の蓄積であり、技法の伝承であった。

ある時代に徹底した思索や議論を展開し、それを人々に語ったり書き残したりした哲学者の営みが、まずは二〇〇〇年にわたって伝承される過程が必要であった。その事情を検討して、現在に残る中世写本からオリジナルのテクストをできるかぎり復元して示すのが、文献学（フィロロジー）の仕事である。哲学史も歴史の一種である以上、時代と社会の状況の十分な考慮なしにその復元作業を行うことはできない。プラトンが書いた対話篇のテクスト、アリストテレスが語った講義録のテクストをできるだけ生の形で現在の思索に投げかけると、両者のぶつかり合いが新たな哲学を生み出すはずである。

世界哲学史で紹介された、異なる時代、異なる地域での様々な思索は、むしろ私たち現代の考え方とは大きく異なるがゆえに、それだけ大きな刺激を与えてくれる。そういった他者との出会いと交わりを「対話」と呼ぶことができれば、対話として成り立つ哲学は、過去の哲学の言葉と向き合う対話として、今ここで遂行されることになる。

†書簡を読み解く技法

書かれたものを読み解くには、一定の約束事を理解することと、読み解く技法を身につける訓練が必要である。何百年前にも書かれた異国の哲学文献を読んで、すぐにその文脈や内容がわかる人はいない。哲学史と文献学が必要な理由である。現在ではほとんど忘れられてしまった書き物のスタイルとして、「書簡」による哲学を例に考えてみよう。

一七世紀にはデカルトが七三〇通以上の書簡を仲間や哲学者たちと交わし（『デカルト全書簡集』知泉書館）、そこで永遠真理創造説や諸科学をめぐる重要な考察が表明されている。また、一七世紀後半から一八世紀初頭にライプニッツはホッブズ（一五八八〜一六七九）やスピノザらと一〇〇〇〇通もの往復書簡を交わした（『ライプニッツ著作集 第Ⅱ期 第1巻 哲学書簡』工作舎）。公刊著作が少ないライプニッツの研究にとって、書簡のもつ意味は極めて大きい。古代から二〇世紀まで続く、哲学者の間の書簡による議論は、読み解きに習熟を要する約束事に満ちている。

誰か特定の相手に向けて書かれた書簡形式では、その相手が誰なのか、いつ書かれたか、なぜそんな議論をしているのか、それ以前にどんなやりとりがあったのかという理解が欠かせない。さらに、なぜ書簡で主張を書き残したのか、個人宛の書簡なのにどうしてこうして誰でも読めるのかといった素朴な疑問も出てくるに違いない。誰かに宛ててペンで手紙にしたためた文章は、通常は送付してしまえば相手方に渡ってしまう。その人が保存してくれることもあるが、他の書類に紛れることもあるだろう。だが、今とは違い、知識人の間のコミュニケーションが極めて限られていた時代に、書簡は意見交換の基本的な媒体であった。今ならEメールなりで即時にやりとりすることが、昔は長い時間と手間をかけて遠く離れた土地の間で交わされたのである。そうして自分の考えや相手への反論や疑問を書くことは、慎重に準備された重要な意見表明であり、書き手は手元に控えを残しておき、返信において以前の書簡に言及したり引用すらしたのである。

さらに、二人の哲学者の間の最先端の議論は、おそらく同時代の仲間たちの大きな関心を引いたはずで、両者の間の書簡は写されて回覧され、より多くの人たちに共有されて思索や議論を促していた。書簡を執筆する目的は、自身の主張を説明したり擁護したり、相手の議論に反論したり、新たな問題を提起して問いかけたり、教育しようとしたりと様々であったはずであるが、それらが社交的な口上に埋め込められている様が読み取られる。

著名な哲学者の間の書簡は後にまとめられて「往復書簡集」といった形で公刊されることもある。注意すべきは、それらが生前にどれほど公表を意識して書かれたかということ、さらにそこに含まれない他の書簡がどれくらいあったのかという、ミッシング・リンクの問題である。

いずれにしても、哲学の資料を読み解く技法は、各哲学者の著作スタイルによって異なるし、時代や文化の違いを含めた背景の熟知が必要である。

†哲学言語の翻訳

哲学の著作を読み進める上でもう一つ避けて通れないのは、それぞれの言語で書かれたテクストをどう読解し、翻訳していくかという問題である。多くの言語を学んだ人でも、母語で読むことは何よりスムーズであり、信頼できる翻訳があれば、接近はよりたやすくなる。実際、日本は伝統的に外国語文献を翻訳によって取り込むことに長けた文化であり、古代や近現代の西洋哲学でいえば、基本的な哲学文献はほとんど日本語で読むことができる。

ここでまず考えなければならないのは、哲学を遂行する言葉はどのようなものか、それは翻訳が可能か、という問題である。自然科学の研究が、数式やテクニカルな表現だけで世界共通に英語で論文執筆や議論がなされるのとは大きく異なり、哲学の思索と表現はそれぞれの自然言語に深く根を下ろしている。私自身はイギリスの大学院で博士論文を執筆していた時、五年にわたって英語だけで議論し考えて書く状況にいた。だが、英語で頭が回転して口から自然に発する思考とは別に、本当に根源的な問題をじっくりと自分で考えなければならない時、ふと私の思考が根底では日本語で動いているのではないかと（英語で）感じることもあった。どこか奥底で、日本語でしか思考できない基底的な部分があるという感覚である。バイリンガルではない以上、哲学でものを考え抜く際の言語が母語に他ならないという点は興味ぶかい。

さらに、そうした各言語によって思考や表現のスタイルやパターンが異なることもよく知られている。すべての論述を論理的につなぎながら正確かつ簡潔に書くか、同じアイデアを多彩な表現で繰り返し展開して書くか、行間に込めた意味や暗黙の飛躍を重視しながら書くか、それは言語文化や時代やジャンルや個人差によるが、どの言語かに依存する部分も大きい。ちなみに、今例にした三つのパターンは、私がざっくりと捉える英語、フランス語、日本語の書き方の特徴である。

自分の母語でしか哲学ができないとすると、それはとても狭い範囲に止まり、かつ、普遍性に広がる余地が限られる。また、母語でも数百年前の言葉は明らかに外国語のような距離を保っていて、日本でも空海や道元の著作を読むには言語的な訓練も必要である。世界哲学は、それぞれの言語での哲学の営為を生かしながら、それを超えて繋いでいく総合的な場の創出である。私たちが多言語を駆使する能力がない以上、翻訳が必須の紐帯となる。

哲学のグローバル化は「英語」での論文・研究発表という一元化を前提としつつあるが、哲学の営為が元来言語と不可分である以上、日本語やベトナム語といった個別言語と無関係に豊かな哲学を生み出すことはできない。世界哲学における各哲学は、その言語と文化の歴史の上で初めて独自性を発揮している。だが、国際学会で多数の言語を同時にやりとりすることは実践的に不可能と思われている。また、国際ジャーナルなどでも英語で投稿しないと読者と評価を得られないという事情もある。哲学を世界化して共通の場で対話する際の「リンガ・フランカ」である英語の利便性と、哲学における言語の基底性のディレンマは、哲学的に考察しなければならない問題である。

異なった文化、異なった思想的伝統の間ではたして哲学的思索は翻訳可能かという問題は、哲学的にはクワイン（一九〇八～二〇〇〇）の「翻訳の不確定性」の議論につながっている。だが、世界哲学の歴史において、哲学の言葉はつねに軽々と他の言語に翻訳され、融通無碍に用いられてきたことを忘れてはならない。今こうして哲学を論じている日本語がその好例である。

自然科学のように一つの言語で統一することができない哲学の遂行には、より大きな困難がまっている。だが、言語の間に横たわる差異は不必要な邪魔者ではなく、私たちを異なる仕方で世界の真理に向かわせる可能性であり、それらの間で摩擦のように生じる違和感が、どこに哲学の問題があり、どのような思索が可能かを示してくれるはずである。翻訳はそうした根源的な次元での哲学可能性であり、たんに技術的に解決されるべき事実上の障害ではない。

3　世界哲学の実践

†生きた哲学の実践

古代ギリシアに遡って西洋哲学の原像を見ると、今日私たちが自明と思っている大学での学問、あるいは専門研究としての「哲学」はその一部に過ぎず、より豊かな営みが広がっていたことがわかる。フランスの古代哲学研究者でプロティノス（二〇五～二七〇）、マルクス・アウレリウス（一二一～一八〇）の研究で有名なピエール・アド（一九二二～二〇一〇）は、古代から中世への「生の技法（ars vivendi）」としての哲学を復元して、ミシェル・フーコーらに大きな影響を与えた。

西洋古代において哲学とは「精神の修養（Exercices spirituels）」であり、過去の哲学者の著作研究もその一環に過ぎなかった。イエズス会の創始者イグナチウス・デ・ロヨラ（一四九一～一五五六）が実践法を示して近代も知られる哲学のあり方である（「霊操」と訳される）。哲学はそれを実践する主体を変容させ、導き手である哲学の教師は聴き手に精神的な進歩や内的な変容をもたらす。導き手によって修練を積んで生き方を学ぶ哲学は、ソクラテスを典型に、プラトン、エピクロス、ストア派から新プラトン主義まで広く共有されていたが、近代の学問制度に入って変質してしまう。だがアドは、そこでもゲーテ（一七四九～一八三二）やウィトゲンシュタイン（一八八九～一九五一）らにこの哲学の流れを見て取っている。

ストア派に典型的に見られる古代の「精神の修養」のプログラムは、四段階をなしていた(P. Hadot, *Philosophy as a way of life*, Blackwell, 1995, pp. 84-87)。

まず第一に、注意を向けることを基本とする精神的態度である。常に精神を集中させて注意を怠らない。人生の原則がいつも手元にあるように心がける。現在の瞬間に集中することで、「私たち次第ではない」、つまり自分で自由にすることができない過去と未来に関わることで生じる情念から解放される。生きる現場では、目の前の出来事に即時に対応することを可能にさせる。

専門哲学者ではなかったが、ストア派の思想に親しんだ哲人皇帝マルクス・アウレリウスは、自らの体験から生々しい言葉を残している。

あらゆる場所で常時、次のことは君次第なのである。現在の事態に敬神的に満足することも、現在の人びとに対して正義に従って応接することも、自己の現在の表象を巧みな技術で取り扱って、明晰に把握されていない何かが［精神の内に］流れ込まないようにすることも。（マル

クス・アウレリウス『自省録』七・五四、水地宗明訳）

それぞれの一瞬への集中は、永遠へ、そして宇宙へと意識を向け、各瞬間の無限の価値に注目させることで、自身の個性を変容させる。

第二段階にくるのが、記憶と訓練である。「メディテーション」とも訳される「訓練（メレテー）」は、想像力を使って目の前に描いてみる、レトリックの手法である。例えば、貧困、災害、死など、通常は悪だと思われている事物をあらかじめ想定することで、それがけっして本当の悪ではないことを認識する。そうした言論を繰り返すことで、恐れや悲しみなどの感情を取り除いていく。「銘記せよ！」と語るマルクス・アウレリウスの『自省録』はそういう語りの実践なのである。一日の始めに、その日のことを思考し、夜には一日の出来事・失敗を反省する。そうして、瞑想をつうじて内的な言論をコントロールし、やがて自身にできることとできないこととを区別し、後者を望まない心のあり方が形成される。それは、世界の見方と現れ方の変容であり、内的心情、外的振舞いの根本からの変身なのである。

第三段階は知的訓練であり、それは記憶の訓練の栄養として必要となる。具体的には、読書、聴講、研究、探究があり、私たちが慣れている哲学文献の講読も含まれる。その中でもとりわけ「格言」を読むことが推奨されるが、それらの読解は教師の指導下で行われる。いわば手ほどきを受けることでそれらの教材の生かし方を学ぶのである。研究はその指導を実践するものであり、ストア派の哲学では「論理学・自然学・倫理学」の三部門がそれにあたる。実践としての哲学はけっして学問を無視するものではなく、それを生かす。最後に、第四段階で自己鍛錬がなされ、実践訓練と習慣化で義務が完了する。その目標は、善悪無記のものへの無関心の達成である。

最高に美しく生き抜け。その力が魂の内にあるのだ。もしも人が、無関心であるべきものに対して無関心であるならば、である。そして人は次のようにすればそれらのものに対して無関心であるだろう。すなわち、それらのそれぞれを分析的に、しかもまた全体的に考察するならば。……（マルクス・アウレリウス『自省録』一一・一六）

こうして日々を意識的に、自由に生きる生き方を追求して実現することが、哲学の訓練である。ストア派が取り組んだこのような訓練は、プラトン主義やエピクロス主義や懐疑主義でも同様に実践された。

哲学という理念を古代ギリシアに遡って考察すると浮かび上がる「生き方の修練」は、古代のインドや中国、そして日本にも共通する。とりわけ、師弟関係において対話をつうじて哲学を教え実践する姿や、そういった相伝の仕方は、孔子をはじめとする諸子百家時代の中国哲学者や、初期仏教で語られたブッダの教えと同じである。その意味で、専門的な学問に特化した現代の西洋哲学からは距離が隔たっているにしても、古代に定位して構築される世界哲学では、哲学の本道と見なされるべきあり方であった。

†哲学の民主化

哲学は専門研究に閉じこもるものではなく、人間の誰もが生き方において学び実践する営為である。ソクラテスが街角で人々に向けた「正義とは何か」や「勇気とは何か」といった問いや、「ただ生きることではなく、善く生きることがより大切だ」という基本命題、さらに「魂を配慮せよ」といった勧告は、けっして社会の上層市民だけに関わるものではない。人間が人間である限り、本当に大切なこと、つまり善や美や正義について、私たちは本当の知をもっておらず、それを自覚しながら探究を怠らずにより善く生きていかなければならない。これは、すべての人に開かれた哲学(フィロソフィア)の原像である。ソクラテスから発展したと言われる西洋哲学は、近代から現代により専門化し厳密な学問となるなかで、もしかしたらその基本精神から遠ざかっているのかもしれない。

アテナイという大きな牛の周りでうるさく覚醒を促すアブに自らを喩えたソクラテス。彼を正面から批判しつつその哲学の精神を受け継いだのが、一九世紀末のニーチェである。箴言や物語で人間の克服を示したニーチェは、古代ギリシアの哲学者に似た面持ちで生き方の哲学を語りかける。私たち一人一人が遂行する生きる場での哲学は、世界哲学史において幾人もの具体的な人生において示され、語り継がれてきた。それは、哲学が文字通り「知を愛し求める」営みとして、万人に課せられていることを思い起こさせる。

一昔前には、特権的で高踏的に見えていた哲学にも、この数十年で大きな変化が見られる。「哲学カフェ」や「哲学対話」や「こどものための哲学」（P4Cと呼ばる）といった市民や生徒の間での対話、まとめて「哲学プラクティス」とも呼ばれる実践が広がっている。「哲学カフェ」はフランス発の哲学実践で、一般の人々を巻き込む、非アカデミックな場での哲学の試みで、日本でも多くの哲学者が各地で実践して、より多くの人々を哲学の議論に巻き込んできた（梶谷真司『考えるとはどういうことか――0歳から100歳までの哲学入門』幻冬舎新書、二〇一八年）。

近年哲学の一分野で盛んになっている「こどものための哲学」という試みは、哲学という高度な抽象理論には参加できないと思われ、排除されてきた子供たちに哲学を経験させる。そこでは、子供が大人に劣らず斬新な発想や根本的な問いを発して考えることが明らかになっている。哲学をつうじて子供の学習能力を伸ばしながら、哲学そのもののあり方を変えていくという教育効果もある。だがそれ以上に、子供の思いがけない問いかけが、大人の常識に囚われた私たちに新鮮な驚きを呼び起こし、自分もかつてそんな風に世界を感じたことがあったと、かすかに思い出させてくれる。

これまで、能力ある大人が交わすものとして、それに当てはまらない人たちを暗黙のうちに排除してきた哲学が、より広い人々との対話によって自らを活性化させている。哲学の議論、あるいは対話には、理性をもつ健全な成人だけが参加できるという前提は、十分に教育を受けていない子供や記憶や判断力が衰えた高齢者だけでなく、障害や怪我や病気で身体や知性の面で高度な議論が行えない人々を無視し、哲学から排除する結果を生んできた。だが、臨床哲学が看護の現場に乗り込んで、そこで患者と看護師の間の言葉のやり取りを考察するといった新たな哲学の実践において、哲学の主体と実践の形態は大きく広がっている（榊原哲也『医療ケアを問いなおす――患者をトータルにみることの現象学』ちくま新書、二〇一八年）。私はこうした哲学の民主化こそ、哲学を世界に開き、哲学そのものを豊かにする方向であると信じている。

†学問としての世界哲学

以上の考察を受けて、大学などの場で学問として遂行される専門哲学の意義を改めて考えてみたい。哲学を職業とする者は、研究であれ教育であれ、日本でも世界でもごく限られた少数の専門家に過ぎない。他方で、哲学は世界で私たち人間の誰もが行う営みであり、大学での哲学とは一見相容れないようにも見える。では、学問としての哲学は本来のあり方を見失った、改革され捨て去られるべき存在であろうか。私自身は、専門哲学は世界哲学の拠点として、その展開に決定的な役割を果たしていくと考えている。だが、そのためには現在の専門哲学研究者が「世界哲学」という意識と視野をもって、哲学の可能性を広げて積極的に追究していく必要がある。

専門哲学が世界哲学においてもつ意義は大きく三点ある。まず第一に、世界の様々な哲学の伝統と思想を、個別局面において徹底的に研究して思考や言説を整理し、様々な解釈や問題点を提示することである。また、哲学者や思想伝統同士の関係や比較を行うことで、個々の考えの特徴や意義を明確に示すこともできる。これらの基礎研究は、世界での古今の多様な哲学を全体として視野に入れる世界哲学・世界哲学史にとって最も大切な基盤である。各領域は専門につうじた研究者でしか理解できないことも多く、ここでは分業と協力は不可欠となる。

第二に、それらの素材を活用して、世界における人間という視野から哲学を遂行するのは、専門哲学者の能力による。哲学の議論や発想の訓練を積んできた者は、より明瞭に問題を整理して新たな方向を見出すことができるはずである。だが、そのためには、自分の専門以外の領域とつねに接して、開かれた視野で哲学を行う必要がある。

第三に、私たち人間が真に哲学する営みを守り、そこで言論と思索の自由を実現するために、大学という学問の場は欠かすことができない。言論や思想は時代の雰囲気や社会や政治や世論によってその都度大きく動かされ、振り回され、極端に先鋭化したり、時に抑圧されたりする。国家間や政治体制や社会集団によって分断が強まり、互いに非難し合って共通の議論の場が保てない状況でも、つねに独立で自立した自由な言論が語られる場として、そこで誰もが哲学を論じる場として大学がある。大学こそ、世界全体の意義を支える、人間の知の砦である。これがまさにプラトンが学園アカデメイアを創設した時の理念であった（本シリーズ第2巻三一頁参照）。言論の自由（パレーシアー）が私たちを生かし、真理を語る勇気を与えてくれる。その言論の自由を守って育てる共生の場が、大学でありそこで遂行される哲学なのである。

哲学は私たちが生きる世界の全体に責任を負っており、その任務を真摯に追求していくことが哲学に携わる者の使命である。また、世界に生きるすべての人が哲学に参画し、共同の生き方において最善の生き方を目指していく。それが知を愛し求めるという人間のあり方の実現なのである。世界哲学はその実践である。

さらに詳しく知るための参考文献

ピエール・アド『イシスのヴェール――自然概念の歴史をめぐるエッセー』（小黒和子訳、法政大学出版局、二〇二〇年）……古代ギリシアの自然探究は、人間が自然という神秘の一部であると自覚する精神の修養である。アドの主要著作はまだ日本語に翻訳されていない。『生き方の技法としての哲学』などの翻訳も待たれる。

納富信留『対話の技法』（笠間書院、二〇二〇年）……対話とは何か、対話の哲学的可能性はどこまで広がるかを、現代社会の文脈で論じた一般向けの哲学書。

G・B・マシューズ『子どもは小さな哲学者』合本版（鈴木晶訳、新思索社、一九九六年）／同『哲学と子ども――子どもとの対話から』（倉光修・梨木香歩訳、新曜社、一九九七年）……アリストテレス研究者でもある著者が、子供と哲学の問題を論じた一連の著作。子供のようなやさしい眼差しの著者に、私も学生時代に接して励ましを受けた。

ミシェル・フーコー『真理の勇気――コレージュ・ド・フランス講義1983-1984年度』（慎改康之訳、筑摩書房、二〇一二年）……フーコーは最晩年の講義で、古代ギリシアの哲学者たち、ソクラテスやシノペのディオゲネスに立ち返りつつ、哲学のパレーシアーを論じる。「真理を語る」という哲学の実現は、今日の私たちの最重要課題であり、世界哲学の目標である。

Ⅱ 世界哲学史のさらなる論点

第1章 デカルト『情念論』の射程

津崎良典

†心身分離から心身合一へ

「私は思う、ゆえに私は存在する（コギト・エルゴ・スム）」——一七世紀フランスを代表する哲学者デカルト（一五九六～一六五〇）の有名な言葉である。

その主著である『方法序説』（一六三七年）や『省察』（一六四一／四二年）のなかで、「私」がこの認識に至ったのは、世界とその中に棲《す》まう他者と交流する社会的存在としての自己のあり方を一旦は括弧に入れ、それらの存在を疑ったうえで、自身の身体を含む物体と精神のあいだに「事象的な」区別、つまり事物《もの》それ自体の象《かたど》りに従った区別を敷くべく、主体の自己に対する自己媒介的かつ自己目的的な働きかけとしての「省察（メディタチオ）」を行うことによってであった（このことは、ヨーロッパの哲学と神学における「精神（霊的）修養」の伝統に位置づけられる。本書第I部第4章参照）。こうして、精神は「思う」ことを本性とし、物体は空間に特定の形状をとって「拡《ひろ》がる」ことを本性とするため、相互に異他なる「実体」として分離される。いわゆる心身二元論である（本シリーズ第6巻第1章参照）。

このように「精神を感覚から引き離す」（『省察』概要）ことを自身の哲学的企図の中心に据えていたデカルトにとって、しかし精神と身体が現実には「実体的に」合一して「全体としての私」（『省察』第六）をなしていることは、哲学的反省以前の日常的事実であり、両者のあいだに自然に成立している相互作用のメカニズムについて解明する必要は、さほど自覚されていなかった。これを「心身問題」として積極的に取り上げたのは、デカルトと同時代の、そして後代の知識人たちであった。

そのうちの一人に、プファルツ選帝侯フリードリヒ五世の長女エリザベートがいる（本シリーズ第5巻第6章参照）。家族から「ギリシア人」と揶揄《やゆ》されるほど勉学に打ち込んだ彼女が、デカルトと高度な哲学的文通を始めてから二年目の一六四五年春のこと、二人は「情念」をめぐって議論を交わす。

情念（パッション）とは、ただの感情ではない。激烈な感情である。人生の様々な出来事を契機に「私」の内部に生じながら、あたかも外部に存在するかのようにして「私」に襲いかかり、意志や理性の統制に服することなく、「私」をして予期しない行動へと駆り立てる。その典型は、愛と嫉妬、怒りと憎しみ、恐れと哀れみである。

折しもヨーロッパは、宗教改革に端を発する三〇年戦争の真っ只中。カトリック陣営との戦いに敗れたフリードリヒ五世の一家は、オランダはハーグで惨めな亡命生活を送っていた。そのため王女はデカルトに、空咳と発熱を伴った鬱症状（メランコリー）を訴え、彼はその原因を「悲しみ」という情念に求めたのだった。

†心身関係という「問い」

ここで少し考えてみよう――なるほど人は日常生活において、デカルトが言う「全体としての私」をごく普通に、自然に生きている。その場合、自分には「身体」というものと、さらにそれとは異なる「精神」というものがあって、さてそれでは、身体とは、精神とは何か、この「私」において両者はどのように結合・関係しているのか、生物的死ののち身体は解体・消滅するが、そのとき自分の「魂」はどうなるのか――ここでは便宜上、身体と結合態にあるものを「魂」、身体と分離態にあるものを「精神」と理解しよう――、魂は身体から分離するのか、身体が解体・消滅したのちの魂の生は考えられるか、もっと言うならそれは不死なのか……、という一連の問いが強く発せられることは、ほとんどない。

人が、これら哲学的な問いに直面せざるを得なくなるのは、かの「私」を当たり前のように生きられなくなったときではないか。エリザベートという一個人の事例に認められるように、そしてその彼女に自分の経験を重ねてみれば分かるように、それは具体的には、病を患ったときである。心に不調をきたせば食欲は失せ、熱が上がれば難しいことを考える気にならない。その一方で人は、たとえば悲しみに浸れば、涙が頬を濡らすのが感じられ、結果、自分の心身が特定のしかたで結合・関係していることに気づかされる。

つまり、病気や情念という、言わば非常態的な事象が、日常生活に埋没した、自分の身体ならびに精神の「存在」と両者の「関係」について哲学的反省を促し、さきに挙げたような一連の問いに誘うのである。これは、古今東西、老若男女を問わず、生きとし生けるものとしての人が、その深度と頻度、また表現に違いはあっても、例外なく経験するプロセスであろう。もし「世界哲学」というものが可能なら、その中心的主題の一つは、心身の結合・関係を「問い」として浮かび上がらせるこれらの事象だと考えられる所以《ゆえん》である。

実際、ヨーロッパに話を限っても、病気と情念は古代よりこのかた、哲学的主題の一角を占めてきた。もちろん、病気が身体に由来し、その影響が身体に限定されるときは、医学や生理学の対象となる。がしかし、身体の変調が魂に影響する場合、あるいは、病気の原因が魂に求められる場合は、古代人がそう呼ぶ「魂の病」を扱う哲学の出番である。

その典型が、エリザベートも苦しんだ「メランコリー」なのである。古代ギリシアの医学者ガレノス（一二九頃〜二〇〇頃）がヒッポクラテス医学をベースに体系化した理論によれば、これは悲しみと恐れを主症状としつつ、「黒胆汁」という体液が身体の不調の原因とされることで、心身関係の病気と見なされてきた（発症せずとも「気〔体〕質」として存在しうるとされ、詩人や学者など、孤独と瞑想を好む人の特徴と見なされてもきた。ドイツ・ルネサンス期に活躍した画家デューラーの銅版画『メランコリアI』に描かれた人物などが想起される）。

†「パトス」という基礎概念

ついで「パッション（passion）」のほうに目をやるなら、この言葉は、ギリシア語のパトス（*pathos*）、ラテン語のパッシオ（*passio*）に由来し、キリスト教においてはキリストの「受難」を意味するなど多義的で、医学、詩学、修辞学など適用範囲も広いことが分かる。だが、フーコーが『自己への配慮』で述べているとおり、第一義的にはやはり心身関係についての、しかも哲学的な考察に欠かせない基礎概念をなす。

〔パトスという概念は、〕情念の苦しみにも身体の病気にも、身体の変調にも心の不本意な動きにも適用される。しかも心の場合にも身体の場合にも、その概念は何らかの受動状態にかかわっていて、その状態は身体の場合には、その体液ないしは性質における均衡を乱す疾患の形式をとるのであり、心の場合には、その意思に反して優勢となりうる動きの形式をとる。

この〔医学と哲学における〕共通概念をもとにして、人々は心身の病気にかんする有効な分析の枠組をつくりあげることができたのであった。（田村俶訳、新潮社、一九八七年、七三〜七四頁、傍点引用者）

こうしてパトスの問題は、古代ギリシア文化圏では、プラトンの後期対話篇『ティマイオス』においておそらく初めて本格的に考察され、プラトンを批判的に継承したアリストテレスが『魂について（デ・アニマ）』や『ニコマコス倫理学』などで論究した。その後、この言葉がラテン語に翻訳されて、古代ローマ文化圏ではストア派の哲学者たちの多大な関心を集め、アウグスティヌスの『神の国』によってキリスト教の伝統に引き継がれ、トマス・アクィナス（一二二五頃〜一二七四）の『神学大全』において一つの体系化を見る（本シリーズ第4巻第5章参照）。

そして、一六世紀後半から一七世紀にかけて現在のオランダやベルギー、フランスにおける哲学の中心的課題の一つをなした。人文主義者ユストゥス・リプシウス（一五四七〜一六〇六）、法律家、政治家として活躍したギヨーム・デュ・ヴェール（一五五六〜一六二一）、ドミニコ会士ニコラ・コエフトー（一五七四〜一六二三）、神学者ジャン＝ピエール・カミュ（一五八四〜一六五二）、医師マラン・キュロー・ド・ラ・シャンブル（一五九四〜一六六九）、オラトリオ会士ジャン＝フランソワ・スノー（一五九九〜一六七二）らがこぞって情念論をものしたのである。一七世紀ヨーロッパが「情念の時代」と呼ばれることもあるのはそのためである。

†『情念論』の執筆背景とその意図

デカルトとエリザベートの一六四五年のやりとりに戻ろう。彼は、王女を苦しめる「悲しみ」を癒す手段として、ときに「緑の森、色づいた花、飛ぶ小鳥」に親しんで気晴らしをしつつ、理性をもって毅然とこの情念に立ち向かうよう勧める。それでも彼女は恢復《かいふく》しない。哲学者も事態をただ傍観することはせず、同年の夏には、「一切の情念から自由な状態（アパテイア）」を説いた古代ストア派（本シリーズ第1巻第9章参照）の哲学者のなかからセネカ（前一頃〜六五）の『幸福な生について』を選んで批判的考察を深め（同第2巻第2章参照）——一六世紀ヨーロッパは、古代ストア派の哲学者たちの諸言説が復興を見せ、とりわけセネカは、エラスムス（一四六六〜一五三六）やカルヴァン（一五〇九〜一五六四）、モンテーニュ（一五三三〜一五九二）など多くの知識人の関心をひくと同時に、この復興が、前述した「情念の時代」を用意した——、また秋には彼女に、「私はこのところ、その本性をもっと詳しく吟味すべく、すべての情念の数と順序を考えています」と告知するなどして、スウェーデンはストックホルムで一六五〇年に客死したがゆえに最後の刊本となった『情念論』（一六四九年）を準備してゆく。

デカルトはその序文のなかで、自分はこの論考を、雄弁家としてでも、倫理学者としてでもなく、「自然学者」として、現代風に言い直せば自然科学者として書いたと述べている。その意図を正確に摑むことが大事だ。

デカルトは、たとえばアリストテレスが『弁論術』で行ったように、説得の一手段として聴衆の心のうちに引き起こすべきものとして情念を分析することをしない。あるいは、ストア派がそうしたように、情念は倫理的に中立か、それとも悪かといった問いや、これに関連して、情念に支配される人間の行いに責任はあるかといった問いを主題的に取り上げて論ずることもしない。デカルトによれば、なるほどそれ自体は悪とは見なされない情念は、その誤用と過度を避けさえすればよい（『情念論』第二一一項）。つまり人は真の認識に導かれるかぎり、「情念に最も多く動かされる」ことで「人生において最も多くの心地よさを味わう」（同第二一二項）ことになる。このような見解は、ヨーロッパの情念論の系譜において最も楽観的なものと言え、それほどに彼の行論は倫理学者然としていない。

†自然学者デカルトの眼差し

デカルトはむしろ、自身が『省察』において樹立した新たな心身二元論から出発する。本章冒頭でも述べたように、この枠組みにおいて「魂」は、なるほど身体と結合態にあるとしても、「思う」ことだけをその本性とする。

この特徴づけは、魂を身体に運動と熱を与える「生命原理」と捉える伝統的思潮から「逸脱」ないし「脱却」することを意味する。つまりデカルトは、プラトンが中期の対話篇『パイドロス』や『国家』のなかで打ち出して以来、ヨーロッパ哲学の一つのカノンをなした、魂の不死的・理性的部分と可死的・非理性的ないし感覚的部分の区別をご破算にするのだ。となれば、後者の下位区分である植物的魂と感覚的魂なども存在しないとされる。また、トマス以来一般化していた、魂の気概的機能と欲望的機能の区別も破棄される（同第六八項）。

その結果、魂の働きのうち「思い」に属するもの以外はすべて、全身を張り巡らす血管を流れる「動物精気」という微細な物質の運動の結果として生理学的に説明される。魂が原因となって生ずるのではない。これは、死後刊行となる初期の論考『人間論』が、当時の生理学や解剖学の知見に依拠しつつ採用した、人体の構造と機能を時計、オルガン、水車といった機械装置に準《なぞら》える説明方式（いわゆる機械論）が、『情念論』でも援用されていることを意味する。先に参照したフーコーの言葉を用いるなら、魂の「受動状態」としての情念の発生原因が、身体の能動（アクション）のほうに求められるのだ。こうして情念は、以下のように定義される。

魂の受動（情念）とは、とくに魂に関係づけられ、かつ動物精気の或る種の運動によって引き起こされ、維持され、強められるような、魂の知覚、感覚、ないし情動である。（同第二七

項）

傍点を付した箇所が重要である。情念とは、一方で、外的対象によって引き起こされる外的感覚とも、身体の内的状態によって引き起こされる内的感覚とも区別された、魂それ自体の状態である。他方で、その発生原因が動物精気の運動に求められることで、魂を原因とする意志とも区別される。情念は、魂の受動であると同時に身体の能動でもあるのだ（同第二九項）。

デカルトは、この心身の相互作用の現場を「松果腺《しょうかせん》」という脳内の部位に定める（同第三一項）。のちにスピノザは『エチカ』第五部序文でこの説を冷淡に批判するが、情念論の系譜に照らせば、これもまた、身体中に魂の座を分散させるプラトン以来の伝統的思潮からの「距離」と評価できる。わけても心臓を情念の座とする見解が退けられ（同第三三項）、躊躇《ためら》いや迷いの説明として従来用いられてきた、魂の不死的・理性的部分と可死的・非理性的ないし感覚的部分の「戦い」という考えが否定される（同第四七項）。

†諸情念の分類――「驚き」に注目して

デカルトはエリザベートに約束したように、情念の分類も行っている。すべての情念は、驚き、愛、憎しみ、欲望、喜び、悲しみという六つの「基本情念」の組み合わせである（同第六九項）。この分類では、情念を引き起こす対象は自分にとって有益か有害か、また、問題となる善悪はすでに自分に生じているか否か、という従来の情念論に由来する基準が踏襲されているが、驚き（アドミラシオン）を第一の「基本情念」とすることは、デカルトの創見である。この情念は、或る対象が「希少かつ異常な」ものとして立ち現れ、それが「私たちに適したものか否か」が判明する以前に私たちの注意をそれに向かわせる（同第五三、七〇項）。

この創見の射程は思いのほか広い。デカルトは驚きの対象の具体例として、たとえば人間に自由意志が備わっていることを挙げる。自由意志に関する明晰かつ判明な認識は「真理」と言ってよいが、魂はこのような真理の探究において、動物精気の運動にではなく、魂それ自体の働きに起因する「内的情動」（同第一四七項）をも感ずる。これは定義上、情念とは異なる魂の受動状態で、「純粋に知的な」感情である（同第九一、九二項）。真理を探究する魂は――ここでは精神と言ったほうが適切か――、その発見を渇望し、上首尾に終わったら、そのことから「このうえない満足感」（『方法序説』第二部）を得る。その反対に、間違いや不毛なアプローチは精神を悲しませ、疑いは精神を苛つかせる。

哲学史を思い切って鳥瞰するなら、驚きという情念へのデカルトの眼差しは、プラトンの中期対話篇『テアイテトス』やアリストテレスの『形而上学』において「哲学」というものの出発点が「タウマゼイン」すなわち驚愕に求められたことに届いているかのようである（『情念論』七六項）。

さらに詳しく知るための参考文献

ドゥニ・カンブシュネル『デカルトはそんなこと言ってない』（津崎良典訳、晶文社、近刊）……デカルトの『情念論』に関するフランス初の国家博士号請求論文をもってその哲学史家としての仕事を開始した第一級の専門家による良質な入門書にして、この哲学者に関する二一個のクリシェを一刀両断にする快著。後半には情念に関する複数の章あり。

津崎良典『デカルト 魂の訓練――感情が鎮まる最善の方法』（扶桑社新書、二〇二〇年）……自著を挙げるのは不遜だが、本書では、とりわけ「デカルトは想像力で「癒す」」、「デカルトは冷静に「驚く」」、「デカルトはしみじみと「感情を味わう」」、「デカルトは検証して「愛する」」などの章で、「悲しみは、或る意味で第一のものであり、喜びよりも不可欠である。そして憎しみは愛よりも不可欠である」や「未練と後悔とを引き起こすのは優柔不断だけである」といった哲学者の文言を紹介するとともに、その独特な情念論のエッセンスを平易な文体でもって剔抉《てっけつ》した。

塩川徹也「17、18世紀までの身心関係論」『新・岩波講座 哲学9 身体 感覚 精神』（大森荘蔵ほか編、岩波書店、一九八六年）……碩学によるプラトン、アリストテレス、ストア派、アウグスティヌス、トマス・アクィナス、そしてデカルトの情念論の系譜学の試み。本章では、心身関係が「問い」として立ち上がってくる契機として「病気」と「情念」に注目し、またフーコーを参照したが、それはこの論考に学んだことである。

第2章　中国哲学情報のヨーロッパへの流入

井川義次

†イエズス会士を仲介とする東方哲学情報のヨーロッパへの流入

　フランシスコ・ザビエル（一五〇六～一五五二）を筆頭とするアジアへのキリスト教宣教に尽力したイエズス会士は布教を円滑化するために、現地の政治、軍事、宗教、文化、哲学、思想他あらゆる情報を収集し、さらにそれらをヨーロッパに送信している。日本と中国の布教を指導したアレッサンドロ・ヴァリニャーノ（一五三九～一六〇六）が提唱した現地文化への適応策もそうした姿勢に基づいていた。

　中国布教の使徒、ミケーレ・ルッジェリ（一五四三～一六〇七）や同僚のマテオ・リッチ（一五五二～一六一〇）は適応策に則り、さらに中国の哲学（儒教）はキリスト教に親和的であるととらえる中国哲学有神論（Theism）の立場に立っていた。彼らは漢文教理書を著すとともに、また中国宗教哲学に関する情報をヨーロッパにも送付している。

†宣教師情報の整理と受容――ライプニッツ

こうした情報のヨーロッパへの伝播は、新たな場面で異文化の思想受容における揺動を引き起こす。その代表例が、ゴットフリート・ヴィルヘルム・ライプニッツ（一六四六～一七一六）の中国哲学解釈である。

彼は最後の著作『中国自然神学論』（一七一六年）において、儒教は神を認めるという解釈を導き出すのみならず、儒教の進化形、宋学（より広くは宋明理学）中の究極原理「理」「太極」等の概念に対してすら、神の本質に類似したものを読み込み、肯定的評価を下した。ライプニッツは、自己の哲学形成の過程で複数回、朱子学の根本文献である「四書」に触れていた。たとえば彼はイエズス会士フィリップ・クプレ（一六二三～一六九三）等編『中国の哲学者孔子』（一六八七年）に目を通し、『論語』「子罕」篇の文章に言及し仏訳してもいた。

またそれに遡ること二〇年前に、プロテスタントの学者であったゴットリープ・シュピツェル（一六三九～一六九一）の『中国学芸論』を通じて中国哲学の概要を得ていた。このようにキリスト教神父らによる情報に敏感に反応したライプニッツは哲学研究の早い段階で中国哲学に触れ、最後には臨終の床で上記『中国自然神学論』を著したのであった。中国に並々ならぬ関心を持っていたことは、彼のハノーファーの蔵書に中国関連書が五〇冊あることからも明らかである。

†シュピツェル編『中国学芸論』

シュピツェルは、は主に上述のイエズス会士らの東方情報に関心をもち、それらをまとめて『中国学芸論』を著した。ヴィジュアル面ではアジア共通の意思疎通の記号たる漢字や、陰陽両要素（binarium）に始まる世界の数理的秩序を象徴する易卦《えきか》（⚋《陰》⚊《陽》⚌《太陽》⚍《少陰》⚎《少陽》⚏《太陰》☰《乾》☱《兌》☲《離》☳《震》☴《巽》☵《坎》☶《艮》☷《坤》）の図説を掲載している。本書の第七節では中国哲学について「中国人は極めて古くから——他所ではほとんど知られないほど——智慧に関する学問を極めて改善していた……それはあらゆる哲学の起源〔揺籃《ようらん》〕と思えるほどだ。……儒教は、ある種の普遍的原理を認識し、星々の運行、世界と人間の自然〔本性〕や、世界の生成消滅を説明した。とくに、道徳習慣の改善を探究し、われわれが社会と呼ぶ一定の人間の集合〔区分〕を設定した。たとえば父子、夫婦、君臣、兄弟、朋友等である」（一〇七〜一〇八頁）と説明している。

シュピツェルはこのような整合的世界観の一例として「四書五経」等儒教古典を取り上げ、『大人の理論』〔『大学』〕に言及し、中国哲学摘要として、「最高の完成〔完全性〕。自然本性的〔生具的〕な光の燃焼〔点火〕。自然本性的に植えつけられた規定〔命令〕の遵守。生得的法の二重の現れ。能動知性の働き〔作用〕」を説くとしてその特徴を示す。

シュピツェルがこうした中国哲学における完全性と自然法、人間の目的に関係する文献として第一に取り上げるのが『大学』〔朱熹『大学章句』経第一章〕の冒頭部分である。『大学』においては中国の究極的理想と、その実現の前提に関して段階的に説かれる。これは『大学』の「八条目」といわれる。

内容はつぎのとおりである。「天下に明徳〔知的能力〕を明らかにしようとした——後の文脈からすれば「天下を平らかにする」ことの実質である——者〔明明徳於天下者〕は、はじめに国を治めた〔治国〕。国を治めようとした者は家をととのえた〔斉家〕。家をととのえようとした者は身を修めた〔修身〕。身を修めようとした者は、心を正した〔正心〕。心を正そうとした者は、意を誠にした〔誠意〕。意を誠にしようとした者は、知を致した〔致知〕。知を致すということは物に格ること〔格物〕にある」ということである。なお心を正すことの前提「致知」を朱熹は「吾の知識を推し極むる」こととし、その前提を「物に格〔至〕る」こと、すなわち「事物の理に窮め至る」ことであるとした。

シュピツェルは、『中国史』を著したマルティノ・マルティニ（一六一四〜一六六一）の『大学』の「正心」「誠意」「致知」「格物」に関する訳文をも引用する。「自然本性の燃焼〔明明徳〕は、諸事物の真の認識と学知なしには成り立たない、したがって哲学を通じてわれわれは為すべきことと避けるべき事柄の知識を得る〔致知〕。この知識によって、われわれは思慮〔思量〕

を導く。これによって、われわれは意志（voluntas）を完成させる〔誠意〕。すなわち理性（ratio）に適合する事柄以外、何ものも（観照において）感知〔判断〕せず、何ものも（実践において）欲することがないように、〔為すべき善と避けるべき悪〕二者〔択一〕の行為を完成させるのである」（一二七、一四三頁）。さらに上述のルッジェリの最初期の訳文をも示す。「致知格物」については「〔中国人は〕全事物の原因と本性の認識に努めた」と朱子学的〔非陽明学的〕な主知主義的訳文となっている。

『中国学芸論』には儒教、とりわけ宋明理学的な整合だった世界観、万物に存在の理由根拠を見ようとする考えや、知識共有の手段、漢字・易のパターン等、後にライプニッツが説く充足理由律（十分な理由の法則：理由なしに存在するものはない）に似た見方や、普遍記号、そして二進論（binaire）の先例と見える情報があったことになる。さらにライプニッツの重要概念「モナド」の語も見られ、中国哲学との関連性についての研究が待たれる。

†クリスチャン・ヴォルフ

ヨーロッパの理性重視の啓蒙主義を導いたクリスチャン・ヴォルフ（一六七九～一七五四）は、一七〇三年、ライプツィヒ大学で、論文『普遍的実践哲学』を提出し、博士の学位を取得した。後にヨーロッパに向けて中国哲学の優秀性を称え、自分の哲学と相似すると説いたヴォルフ学位論文の内容は、おおよそ以下のようである。

「普遍的実践哲学」とは「最も普遍的な規則によって最上の目的をめざす人間の自由な行為を導く実践的な学問〔知識〕である」（第一部、定義一）。つまり人間には最上の「目的」があり、それにたどり着くためには一定の規則を通じての自由な行為が必要であるという。その「目的」をヴォルフは人間的「幸福」の享受であり、「理性的行為者（agens rationalis）」による「結果」であるとする。目的の獲得は、人間的行為主体の精神・理性の発揮が条件となる。人類の目的となる「善」についてはこのように規定する、「善（すなわち自然本性的な善）とは、事物の自然本性と状態を保護し完成〔完全化〕させるものである」（第一部、定義三一）と。

ついでヴォルフは「人間の諸行為には、……互いに必然的結びつきがある。こうした諸行為の結合〔関係〕を学ぶ者は、目的に導く仲介手段を発見するであろうことは疑えない。実に、諸行為の必然的結びつきを完全に学ぶようにせよ。そして知性（intellectus）と意志（voluntas）の間に結合〔関係〕があることと、精神（mens）と身体（corpus）の間に認識すべき合一〔一致〕があることを〔完全に学ぶようにせよ〕」（第四部、定理七、問題五、解決と証明）と述べている。

目的の達成、完成・完全性については、「人間はあるときは精神を、すなわち知性と意志を、あるときは身体を、可能な限り完成〔完全化〕（perficere）しなければならない」（命題一四、定理八）と、人間の完成は、知性・意志からなる精神の完成と、それと相関的な身体の完成を通じて果たされるという。さらに人間は本質的に社会的存在であるがゆえに、より高次の目的として、ともに生きる他者の本性ならびに状態の完成を求めるべきであるとする。

人間本性と、人間の条件の完成には、複数者の協力・共働が必須であり、各人は公共善を促進することを介してでなければ、自己実現は不可能であると見なす。そして人類の目的を実現するためには、知力の高揚が必要であると説く。ヴォルフは任意の対象を、公共善に関連づけるというかたちで、その対象をnosse、すなわち「精査」「探索」「研究」「了解」することが必要となるとする。一見すると『大学』の理念と構造に酷似していると言える。

†『中国実践哲学講演』

学位取得後、指導教授オットー・メンケ(一六四四〜一七〇七)の推薦により、ライプニッツが創刊した当代ヨーロッパ随一の学術雑誌「アクタ・エルディトールム」の編集者の一員となる。これを機にヴォルフとライプニッツは直接面談したり、書簡を交わしあうなどして、その学問的交流はライプニッツの没するまで継続する。一七一一年、イエズス会士フランソワ・ノエル(一六五一〜一七二九)の『インド・中国における数学・物理的観察』を論評し賞賛の言葉を与え、一七一二年には『中華帝国の六古典』の書評を匿名で掲載している。

ヴォルフはその後、ハレ大学の学長にまで昇りつめる。一七二一年にはその学長職引継ぎの際の恒例の講演において、ヴォルフは『中国人の実践哲学に関する講演』〔以下『中国実践哲学講演』とする〕を披露する。そこではノエルの『中華帝国の六古典』をふまえて、ヴォルフは中国哲学が世界で最古の哲学であり、哲人孔子は、イエス・キリストにも比肩できる人物であると主張した。この主張は、理性主義を嫌うプロテスタント敬虔主義の教授たちの怒りを買いプロイセン王フリードリッヒ・ヴィルヘルム一世もヴォルフに絞首刑か、四八時間以内のハレ退去かの選択を迫った。結局、ヴォルフはプロイセンから退去し、マールブルク大学に移った。しかし当時の多くの識者は、むしろヴォルフの理性主義的見解を評価・支持し、ヴォルフに同情した。後に彼の哲学はドイツ哲学の基礎と見做され、フランス百科全書派へも影響を与えた。

一七二六年には、『中国実践哲学講演』を出版するがその際ヴォルフが莫大な量を引用したのはイエズス会士フィリップ・クプレ等編『中国の哲学者孔子』であった。

ヴォルフは『中国実践哲学講演』の随所で、中国実践哲学の基本原理は自分自身の哲学、すなわち『普遍的実践哲学』の原理と一致すると述べている。そして特に『大学』の個人〜世界の完全化について、論及している。「人は万物が有する理由〔根拠〕を洞察し、それを通じて可能な限り知性を完全化することで、理性を高め上げるべきだ」と説く。「それによって意図が改まり、ついで全行為が理性と最高度に合致し欲求が制御されるのだ」と述べている。

そして「中国人は、自分たちのすべての行動を、究極〔最終〕目的としての、自己と他者との最高の完成に結びつけたのです。この指導方針のうちには、あらゆる自然法の要点が、いやむしろその名はなんであれ、われわれの行動において賞賛され得るすべてが含まれると、ずっと以前にわたしは論証したことがあります」（『中国実践哲学講演』「中国の究極〔最終〕目的」）と説いている。

このようにヴォルフが紹介した中国哲学の理想的世界像とは、学位論文『普遍的実践哲学』の世界観と確かに酷似している。

以下ではヴォルフが参照した『大学』の最初の部分に対するノエル訳とクプレ訳の要約を示し、比較考察の便としたい。

†ノエル訳『中華帝国の六古典』

前述のようにヴォルフが最初に触れたと説くノエルの『大学』訳文は以下のとおりである。なおこの訳本は『アクタ・エルディトールム』にヴォルフの書評があり、編者であったライプニッツも概要を知っていた可能性がある。

「それゆえ、古代の君主たちは、全中華帝国とその〔内にある〕個々の国々が、過ちと悪徳によって晦まされた理性能力〔機能〕の原初的輝きを再生することの実現を望んでいたが、彼らは前もって自分の〔帝国の内の〕一つの国を正しく治めようと努めた。……最後に、善悪の完全な観念に到達する方法は、事物の本性と理由〔根拠〕を究明すること、すなわち哲学の探究から成り立っている〔致知在格物〕」（ノエル『中華帝国の六古典』『大学』）。

†クプレ訳『中国の哲学者孔子』

ライプニッツならびにヴォルフが実見したクプレ訳はつぎのようである。

　古代の人々は理性的本性（natura rationalis）を帝国において磨き上げようと欲して〔明明徳於天下〕、すなわち自分たちが、全帝国の人民が理性的本性を向上させたいと思えるような範例にならろうと欲して、前もって正しく彼ら各々の王国を管理した〔治国〕。……自分の王国を正しく管理、すなわち各王国の人民を善く教え導こうと欲して、同じく前もって、自分の家族を教え導いた〔斉家〕。……王国を正しく管理する根元あるいは根源的なものとは、正しく教え導かれた家族だからである。……さらに自分の家族を善く教え導くことができる規範や範例として、自分たちの身体（この名称〔身体〕は人格と理解せよ）を正しく形成した。すなわち整えた。……

　さていま自分の身体（corpus）、すなわち人格のあらゆる外的な習慣を正しく形成しようと欲して、その情動と欲求――それらは心〔精神〕を真の正しさから遠ざけ、なんらかの悪徳に傾かせ、陥れるものだから――を抑制、すなわち正しく制御することで、前もって自分の心〔精神〕を正そうとした〔正心〕。……自分の心〔精神〕を正そうと欲して、前もって自分の意図すなわち意志（voluntas）を真実なものとした。すなわち〔意図を〕真実で、誠実で、あらゆる虚偽や虚構から免れるようにした。……さらに自分の意図を真実なものとしようと欲して、前もって自分の知性（intellectus）、すなわち知性的能力を完成〔完全化〕（perficere）し、そして可能な限り最高の頂点にまで導いた。それはその能力が〔事物を〕洞察できないことがないようにということである〔致知〕。したがって、そのような知性の究極的な洞察は、われわれの意図を真実なものとし、また真理に意志を確立する、根元、ないし根源的なものである。……

こうした理由で、自分の知性認識の能力を完全なものとする、すなわち最高の頂点まで導くことは、あらゆる事物、あるいはあらゆる事物の理由〔根拠〕（ratio）に透入すること、あるいは汲み尽くすことに存する〔格物〕。（クプレ『中国の哲学者孔子』『大学』）

ちなみにノエル、クプレ両者ともに、朱熹によって大成され、元代、明代、ひいては清代にいたるまで熟成された宋学、ないし宋明理学的な天－人－万物をつなぐ合理的・整合的世界観の流れを受けた明代の高名な宰相であり、また文教行政の指導者であった張居正（一五二五

〜一五八二）の注解『大学直解』の依拠したものであったことも付言したい。

ヴォルフはこうした中国哲学の伝統を踏まえたノエル、クプレ両者の大学の世界像を紹介し、高く評価していた。両者のうちではとくにクプレ『中国の哲学者孔子』の『大学』訳文は訳語の語彙のみならず密接な構造連関の面においても類似性がある。ここでは即断は控えることにするが、ヴォルフの学位論文以前の一六八八年の『アクタ・エルディトールム』にはクプレ書の書評があり、またその他にも、内容的に彼が共鳴できる中国哲学の情報が複数実在していたことは確かであり、中国哲学のヴォルフへのより早期の流入の可能性がある。少なくとも講演時においては中国哲学をヨーロッパに向けて大いに称揚したのは事実である。

†結語

従来欧米が得た中国情報と、その哲学に対する具体的な影響関係とを、情報源・中国原典にまでさかのぼっての研究は多く行われてこなかった。

他方でイエズス会士たちによる儒教情報は近代理性重視の哲学者によって取得され、ひいては受容されるところがあった、例えばライプニッツ、ヴォルフによる受容以降も異世界の哲学に対しては、様々な姿勢がみられた。カントに中国の地理情報についての知見があったことは知られているが、哲学的方法について物理学者・中国哲学研究者ビルフィンガー（一六九三〜一七五〇）を通じて間接的に『大学』『中庸』等の儒教的世界観を得ていた可能性がある。ヘルダーは複数の宣教師訳文に依拠して『中庸』をドイツ語抄訳していた。百科全書派の大立者、ヴォルテール（一六九四〜一七七八）、ディドロ（一七一三〜一七八四）等は中国哲学を称揚した。ヘーゲルはクプレ書から中国儒教・道教・仏教の概要を知り、「四書」に目を通し、『論語』について言及している（批判的ではあったが）。

すなわち人間的活動としての哲学の運動というものを公平な形で見るためには、西から東への影響のみならず、如上の文献情報を通じた東洋哲学のヨーロッパ西漸に関する歴史的考察も今後必要になるであろう。

さらに詳しく知るための参考文献

堀池信夫『中国哲学とヨーロッパの哲学者』上・下（明治書院、一九九六年・二〇〇二年）……従来推測されることはあっても実証されることの少なかった歴史の最初期から現代に至るまでの中国哲学がヨーロッパの哲学者に与えた影響を東西の文献を駆使して実証した、当該分野研究において必ずや参考されるべき資料である。

堀池信夫編『知のユーラシア』（明治書院、二〇一一年）……文化の流れは決して一方通行でなく、縦横無尽に展開するものである。ユーラシア大陸においては東西間の交流のみならず四方八方の交流があったことを各界の識者が論証した一書。

堀池信夫編『知のユーラシア　シリーズ全五巻』（明治書院、二〇一三〜一四年）……上掲書の反響を受けて、ユーラシア大陸における全方位型の哲学や思想の知的交渉を東洋、中東、西洋の各分野の第一人者が論じた論文集のシリーズである。各巻の内容は次の通り――1『知は東から』、2『知の継承と展開』、3『激突と調和』、4『宇宙を駆ける知』、5『交響する東方の知』。

石川文康『カントはこう考えた』（筑摩書房、一九九八年）……カント研究の啓蒙書であるが、カントが反発しつつも他方で多大な影響を受けたクリスチャン・ヴォルフの中国研究に関して論究した最初期の研究書。特に『大学』についての論及は裨益を受けた。

井川義次『宋学の西遷――近代啓蒙への道』（人文書院、二〇〇九年）……本稿で取り上げた内容を「四書」に渉って考察した拙著。

新居洋子『イエズス会士と普遍の帝国』（名古屋大学出版会、二〇一七年）……『世界哲学史』第5巻第5章「イエズス会とキリシタン」の著者による東洋における当時の西洋哲学ならびに音楽及び科学思想の受容と展開について、英仏等西洋文献、漢籍、満州語を縦横に駆使して考察した当該分野研究上の不可欠の必読書である。

第3章

シモーヌ・ヴェイユと鈴木大拙

佐藤紀子

二〇世紀の激動の時代を生き、受動性へと思索を深めたふたりがいる。鎌倉の円覚寺で見性を得た禅の求道者である鈴木大拙（一八七〇～一九六六）と、パリで哲学教育を受け、なににも囚われることのない自由を探究しつづけたシモーヌ・ヴェイユ（一九〇九～一九四三）である。日本とフランスで遠く離れた両者に直接的な影響関係はない。しかしながら、同時代を生きたふたりは別の道をたどりつつ、わたしたちが自分のものだと思っている思考能力や分別を手放すこと、すなわち、考えるわたしから身を引き、考えるわたしを空《くう》にする思想に到達した。

†「考えるわたし」の相容れないふたつの側面

西洋思想を概観すると、考えるわたしをめぐって大きくふたつの流れがある。ひとつは、考えるわたしとは事物を対象化し、了解する思考の精神活動にほかならないとみなす流れである。『世界哲学史』全体をみわたしてみても、考えるわたしを軸に主観性の哲学が構築される様が随所にみてとれる。デカルトがどれほど疑っても考えるわたしは残り、カントがコペルニクス的転回を果たしたのちには、考えるわたしは純粋理性においても実践理性においても主《あるじ》となった。現代では、考えるわたしは諸科学と一体となり、世界を説明可能なものにしている。こうした筋道をたどりながら、考えるわたしをとらえるならば、考えるわたしは空《くう》であるどころか、能動的に対象を規定する主観であり、世界を意味づけ、世界を満たす知性の働きである。

しかしその一方で、考えるわたしを空《くう》にすることもまた、古代ギリシア以来、西洋思想のなかで脈々とひきつがれてきた思考の一形態である。ギリシア思想では、生成消滅する有限な事物に関する知と生成消滅することのない真理に関する知が厳密に分けられ、後者こそが真なる知とみなされてきた。ところが、人間は肉体をもつ。肉体は知性をあざむき、思いなしをもたらす牢獄であり、人間の有限性の印とされる。それゆえ、有限な人間が永遠不滅の無限の真理にいたるには、肉体から浄化された魂そのものになる必要があると考えられた。肉体からの離脱、すなわち死こそが真理への道となる。

ソクラテスが『パイドン』において、哲学が死の練習であることを明かし、「できるだけ肉体と交わらず共有もせず、肉体の本性に汚染されずに、肉体から清浄な状態になって、神ご自身がわれわれを解放するときを待つのである」(プラトン『パイドン』岩田靖夫訳、岩波書店、三六頁)というとき、有限な人間のすべてが剝ぎとられた魂の内奥において、無限な存在と人間とのあいだでなんらかの交わりが果たされることが暗示される。こうした有限な存在と無限な存在との交わりは、テオーリアーやコンテンポラチオという観照の議論にひきつがれ、プロティノスやストア派を経由し、スペインのアビラの聖テレジア（一五一五〜一五八二）や十字架の聖ヨハネ（一五四二〜一五九一）をへて神秘思想の水脈となった。

†心なきところに働きが見える

考えるわたしに相容れないふたつの側面があるなかで、鈴木とヴェイユは考えるわたしを空《くう》にする思想に向かう。しかしそれは、考えるわたしの相容れないふたつの側面のどちらかに落ち着くのでもなく、両者を統合するのでもない。両者はひとつではないが、離れておらず、行きつ戻りつ往還する。このことにおいて、鈴木は善悪生死を超越した仏の誓いの心性、すなわち無心を説き、ヴェイユは不幸に心身ともに打ちのめされながらも、その不幸を別のなにかに置き換えることなく、そのまま受けて生きることの意味を問う。

ここでは鈴木の無心をみていこう。鈴木は講演「無心とはなにか」（「無心といふこと」『鈴木大拙全集第七巻』）のなかで、無心とは心がないことだという。空飛ぶ鳥の姿が湖面にうつる。その情景がどれほど胸を打つものであっても、鳥は水面にうつるために飛ぶのではなく、湖は鳥をうつすために水をたたえているのではない。鳥も湖もなにも考えずに、ただそこにある。こうした計らいのないところで出来事が生じることを、鈴木は「心なきところに働きが見える」（同、一二六頁）という。なにもとらわれず、なにもないからこそ、他のものが入り、働きが生まれる。それゆえ、無心とは受動性であり、包摂性とされる。

鈴木はさらにつづけて、この無心こそが、感情、知識、論理など人間のもちうる反省的・意識的なものの一切が排された彼岸と有限な人間とが触れる経験であるという。その経験においては、喜びも悲しみもなく、価値も目的もなく、過去も未来もなく、善悪の別もない。人間の分別により目的を立て、その実現のために行動する論理がある場では、その目的に合わないものは排除されるが、この無心においては、目的もなければ、目的に合う／合わないもなく、そのような判断も働かない。価値に合わないからやめるということもない。無駄だからやめるということもない（同、一四三頁）。ただひたすらに仏の自由な創造が神通遊戯、遊戯三昧として働くのである。ゆえに鈴木は講演のなかでこんなことをのべる。

親しい人、愛する人が死んだとする、それを否定しない、否定しないのみか、自分は慟哭する。が、どこやらに慟哭せぬものがちゃんとそこに居る。而して慟哭するものをみて、それと一緒に慟哭して居ながら、ちゃんと無喜亦無憂という奴がある。これが事実なのです。それが認められぬと話にならない。ここにおいて喜びもなくまた憂もない所において、私は無

心ということを感受して見たいと思うのです。（同、一八四頁。筆者により一部新字体に変更）

木石のように生きる――と、鈴木は無心のことをしばしば言い換える。風が吹けば木がなびき、風によって石が転がるようにわたしたちは必然性をこうむりながら生きている。また同時に、悲しみのなかでどれほど泣き叫んでも、そのさなかに感情をもたない木石のように動かされないものがある。一切の区別が排された無心においては、西洋思想が抱えてきた考えるわたしのふたつの側面の別はもはやない。わたしとあなたの別もなく、わたしと仏の別もなくなる。無心とは、わたしがあなたであり、あなたがわたしであり、わたしが仏であり、仏がわたしであるような、わたしを通じて仏の宇宙創造が働くことといえよう。

†大拙を読むヴェイユ

鈴木は一八七〇年に金沢に生まれ、禅の求道者となる。一八九七年に出版社の編集者としてイリノイ州にわたり、一九〇九年に帰国するまで、諸外国で禅に関する講演や著作の翻訳・通訳・研究に従事した。戦後も、各国の大学や学会から招聘され、講演のために国内外を飛び回り、禅と世界とをつなぐ架け橋となったことは周知のことである。

ヴェイユも世界中にいる鈴木の読者のひとりだった。ヴェイユは一九〇九年にパリに生まれる。アンリ四世校で哲学教授アラン（一八六八〜一九五一）と出会い、プラトン、デカルト、スピノザ、カントらの哲学を吸収し、リセの哲学教員をしながら労働や社会的抑圧の問題を掘り下げ、困難な時代における霊性について数多くの論考を残した。ユダヤ系の出自ゆえに一九四〇年のドイツ軍のパリ占領により亡命生活を余儀なくされ、非占領地帯のマルセイユに滞在した四一年から四二年のあいだに、ヴェイユは鈴木の『禅論文集』（*Essays in Zen Buddhism*）を英語で読み、禅に関する引用を雑記帳にいくつも書きつけている。

当時のオリエンタリズムの後押しもあり、悟りや解脱がなんらかの恍惚をともなう神秘的な体験としてとらえられる傾向がつよいなか、ヴェイユは悟りが一種の知的な覚醒であることを理解していた。雑記帳のある箇所で、「禅仏教の概念。夢想をまじえずに純粋に知覚する（わたしが一七歳のときの考えだ。）」（『カイエ3』冨原眞弓訳、一五頁）と書く。この一七歳のヴェイユの考えがなにかというと、雑記帳のまた別の場所がこう呼応する。「高等師範学校の準備学級《カーニュ》にいたころのわたしの〈超《ウルトラ》スピノザ的瞑想〉。他の対象はいっさい考慮せず、他のなにものとも連関させずに、何時間も「これはなにか」と考えて、対象をひたすら注視する。これは公案だったのだ」（同、八八頁）。

スピノザはヴェイユがしばしばもちいる哲学者のひとりだ。スピノザは認識を三つに分け、第一種を表象や意見、第二種を悟性、第三種を永遠の相に位置づけ、神の至福直観と同定した。

悟性は必然性を理解するために不可欠な推論、論理、概念などの人間の知性全般をつかさどる。その悟性と異なる種類の認識に、スピノザが神や永遠の相を位置づけたこと、すなわち、永遠や神にかかわる事柄と自然法則などの必然性にかかわる事柄が別の認識の仕方だと定義したこと、ヴェイユはこの点においてスピノザと公案をむすびつける。

ヴェイユがこのんで引用する公案のひとつに、「南の方に向かって北方の星を眺めよ」がある。天体の厳密な必然性とは別の仕方で星を見つめること、そこには、鈴木がのべた一切の分別のない、しかし、必然性をも凌駕する木石のごとく無心の世界が広がり、南と北を往還する縦横無尽な神の働きがある。ヴェイユは公案においてスピノザを再発見した。

✝待機する――お差支なし、御注文なし

晩年のヴェイユが世界の神話や民話、諸宗教の聖典などの宗教的文献を熱心に調査し、「超自然的なもの」、「贖い」、「十字架」、「創造」、「脱創造」、「非人格的なもの」など宗教的な語を多用するようになったことはよく知られる。それらと鈴木との関連性は必ずしも明らかではなく、ヴェイユのキリスト教への接近をふまえると、キリスト教との関連を論じるべきなのかもしれない。しかしながら、鈴木が個々人の宗教体験に共通する心性を探究したように、ヴェイユもまた、個々人の魂を通じた超越的な世界との交わりを探究したといえるだろう。

ヴェイユと鈴木のこうした探究は、現代においていかなる意味をもつだろうか。ひとつの答えとして、ヴェイユの「待機する」ということと、鈴木の妙好人研究のなかにしばしば出てくる「お差支《さしつかえ》なし、御注文なし」ということを提示しておきたい。ふたつに共通することは、信じる対象について、わたしたちはわからないということ、そして、わからなくてもかまわないということである。

ヴェイユは雑記帳のなかに、ギリシア神話に出てくる地獄行を命じられたタンタロスを引き合いにだし、こんなことを書く。「食物と飲物に囲まれていながら、どれほど緊張して必死に努力してもそれらを掌中にできないタンタロス。／人間と善についても同じことだ。善は人間を四方八方からとりかこみ、たえずみずから差しだしている。いかに堅固な意志をもってしても、いかに激烈な努力をしても、その一片たりとも掌中にできないのである。／つかもうとしないこと、不動のままでいること、沈黙のうちに嘆願すること」（『カイエ4』四八三頁）。善は四方八方にあるのに、おまけにみずから身まで差しだしているというのに、意志には善がみえない。意志をどれほど行使しても善は手に入らず、みずからの力を放棄したときにようやく願いがはじまる。意志と願いは両立しないのである。

自力の尽き果てたのちに他力が生じるこの構造は、鈴木が長年の研究主題にしてきた妙好人の生き方に通じるのではないだろうか。鈴木は『宗教経験の事実――庄松底を題材として』

（一九四三年）において、妙好人の庄松（一七九九～一八七一）や三河のおその（一七七七～一八五三）の宗教体験を探究した。庄松の信心のはじまりが「弥陀と自分との直談判できまった信仰」であり、いかなる証明も論理も不要であったこと、信心を求めて遠方を歩きまわった結果、なにも成果が得られずとも、庄松がつねに「お差支なし、御注文なし」であったことを論じている。それは仏という永遠においては、過去も未来もないということを示しているわけであるが、庄松自身の体験として、「空手で行って空手で帰る」ということはいつも仏と一つであり、いかなる所有も変化も必要なしということであろう。翻ると、ヴェイユと鈴木のいう宗教体験がなんらかの報いや進歩や変化を謳う宗教体験と徹底的に対置される理由がここにある。

現代における神の臨在や信仰を考えるうえで、ヴェイユと鈴木の思想が豊かな源泉となることとは相違ない。

さらに詳しく知るための参考文献

鈴木大拙『無心ということ』（角川ソフィア文庫、二〇〇七年）……信徒らに向けておこなった無心についての講演録に加筆したものである。平易なことばで書かれているうえ、多彩な論点から無心が取り上げられていることから、鈴木大拙の初学者向きと思われる。ここで取り上げた以外にもヴェイユとの類似点が散見される。なかでも、浄土のような見えないものの直覚的経験を鈴木が類比やたとえ話と関連づけて論じる箇所は、ヴェイユの労働者教育の提案との重なりが多分にみられる。

鈴木大拙著・上田閑照編『新編　東洋的な見方』（岩波文庫、一九九七年）……一九八〇年から八三年にかけて岩波書店から刊行された『鈴木大拙全集』第二〇、二一、三〇、三一巻に収録された鈴木大拙のエッセイを編者が再構成したもの。「〈詩〉の世界を見るべし」（二四〇頁）のなかで、ヴェイユが鈴木の著書を読んでいたことを人づてに聞いたことが触れられ、労働に詩が必要だというヴェイユに賛同する鈴木の姿がみてとれる。

シモーヌ・ヴェーユ『カイエ2』『カイエ3』『カイエ4』（田辺保・川口光治・冨原眞弓訳、みすず書房、一九九二〜九五年）……ヴェイユが亡命中のマルセイユ、ニューヨーク、ロンドンで雑記帳（カイエ）に記した断片を年代順に並べて刊行されたもの。当時のヴェイユの思索の軌跡を知ることのできる貴重な資料となっている。主に『カイエ2』に鈴木大拙の『禅論文集』に関する書き込みがある。

第4章　インドの論理学

志田泰盛

†はじめに

インドの古典語に「論理」ないし「論理学」に相当する原語は複数あるが、本稿では原語にかかわらず、ある文や命題から別の文や命題を導く操作一般、さらに、その前提となる事物や概念の間の関係の分析を含めて広く「論理」とし、論理にかんする批判的分析一般を「論理学」と呼ぶことにする。

†思弁や対話の基盤としての推論

古典インドの思想家は、自然言語であれ厳密な術語であれ「ことば」により世界を切り分け、必要に応じて新概念を創出しながら世界を分析し、各学統の究極目標――しばしば「解脱」や「悟り」と呼ばれる宗教体験――に資する科学的な方法論を提示し、超党派的に議論を蓄積してきた。

人生の究極目標は何か、そして、その実現手段として知識と行為（修行や儀礼）のいずれが重要か、という問いにたいする回答は学統・思想家ごとに多様だが、「知識による解脱」を標榜する学説は少なくない。一九世紀初頭に西洋圏に翻訳されたウパニシャッドや仏典を賞賛したショーペンハウアーが古典インド思想を評価した点の一つは、個人的存在の迷妄の自覚による救済論にあったが、それはインドの原典では「知識による解脱」に括られる学説に相当するだろう。

バラモン教諸派の教義体系が整備されるグプタ朝期以降、バラモン教・仏教・ジャイナ教などに属する学統間の思想交流がより活発化したことが現存資料から窺える。とりわけ、議論の前提にふさわしい信頼可能な情報源としての知識根拠（プラマーナ）や、情報提示の方法論にかんする各種テーマは盛んに論じられた。大半の学統は、知覚や証言と並び推論（アヌマーナ）を独立の知識根拠の一種に数え、また、妥当な推論と疑似推論のタイプ列挙に努めた。この推論の形式は古来の伝統的な討論術に根ざしており、この作法に準拠した対話型の議論の応酬が哲学的作品の主要部を占めている。

知識根拠として何種類を認めるか、また、妥当な推論の形式はいかなるものか、という点についての学説も多様である。たとえば、仏教諸派が想定する世界は、構成要素の物理的・心理的な因果連鎖（縁起）により生滅流転する現象の連続であり、世界内の存在である我々のいかなる体験も唯一無二とされる。そのため、真理追究のためには、概念的判断の介在しない感覚知や直観が重視される。瞬間ごとにユニークな「一点物」の世界にかんして、名指しや記述による切り分けや情報伝達といった言語運用、あるいは、世界から抽象した普遍やタイプにかんする論理的操作は、たとえ日常生活や学術的営為に有用だとしても、感覚知や直観に比べて、世界のありのままの把握という点ではせいぜい二次的であり、悟りなどの究極的な段階においては無用とされる。以上のような世界観に立つ仏教徒も、しかしながら認識論分野において、知識根拠を中核とする枠組みをむしろ率先して整備し、推論を基調とした学術的対話に積極的に取り組んできた。

また、古典インドの文化は他のアジア諸地域に広く伝播したが、漢訳仏典中で「因明《いんみょう》」と称されるインド起源の論理学は、本邦でも近世まで多くの学僧が研鑽を積んだ。今世紀に入ってからも、日本各地の寺院で保管されている古写本が、因明の祖本形態を保持するケースも発見され、インド思想史の再構築の資料として脚光を浴びている。

†推論の基本形式

古典インドにおける推論の一つの標準形は、主張・論証因・実例の三項目を提示するものであり、推論式の具体例は「あの山に火がある。煙があるから。カマドの如し」「音声は作り出されたものである。無常だから。壺の如し」「音声は永遠である。再認の対象として、個数でなく回数を単位とするから。食事の如し」などである。「『帰納推理』こそインド論理学を特徴づける最善のキーワードである」（桂紹隆『インド人の論理学――問答法から帰納法へ』中公新書、一九九八年、二五一頁）と評されるように、周知の実例による裏付けが強く意識されている。

妥当な推論の基準として、とりわけ論証因に焦点が当てられる。①主張の主題、②同類例（論証対象を持つ実例）、③異類例（論証対象を持たない実例）における論証因の有無という観点から、以下の特質を規定する説が有名である。すなわち、煙の昇る山に存在する火の推論の場合であれば、論証因としての煙は①主張の主題である特定の山に存在し（主題所属性）、②カマドなどのいずれかの同類例に存在し（肯定的随伴）、③湖などのいかなる異類例にも存在しない（否定的随伴）、という三つの特質である。

論証因と論証対象との間の法則的関係、すなわち、煙から火への推論であれば「煙のあるところに火がある」という方向性を持った関係は、遍充（ヴャープティ）ないし不可離関係（アヴィナーバーヴァ）と称され重視された。この法則性の発見や正当化に必要ないし十分な観察や論理とは何か、また、この法則性は経験的に獲得可能か、という問いは大きな議論を巻き起こし、論証因の第二の特質（肯定的随伴）の解釈も、観察言明（連接）から理論言明（包含）へと傾斜していく。この法則性を、因果性ないし同一性へと還元したダルマキールティ（七世紀頃）の学統では、この法則性と、論証因の第一の特質（主題所属性）という二項目が推論式の要件と見なされる。

†疑似推論の判定法と討論の審判規則

疑似推論には様々なタイプがあるが、同類例と異類例における論証因の分布という観点からの判定法は有名である。代表的なものとして、論証因が同類例の①全個体に遍在、②一部のみに分布、③いずれにもない、という三分類と、異類例についての同様の三分類の組み合わせによる、九句因と呼ばれる判定法はディグナーガ（五〜六世紀頃）に帰される。

主張の主題における論証因の有無も妥当性の基準となる。たとえば「音声は無常である。作られる前に存在しないから。壺の如し」という推論式では、同類例・異類例への論証因の分布は妥当だが、音声を永遠と見なす学統にとっては、主張の主題である音声は作られるものとは認められず、推論式全体としては否認される。つまり、推論の妥当性は対論者が立脚する学説にも左右される。

立論者と対論者の勝敗判定の基準としては、推論の妥当性という論理的な問題のみならず、討論上の言動の様式も広く考慮された。たとえば、推論式の各項目の提示順序、あるいは、論争当事者の発言の速度や明瞭性や間《ま》に至るまで、問答の規則が詳細に規定されている点は、古来の討論術の痕跡といえる。

†知識根拠というパラダイム

前節までの論点は、おおよそ推論にかんする論理学の枠内に含まれる。そして、推論は知識根拠の一種であるため、情報の獲得手段にかんする一般論、あるいは、認識や文の真理基準にかんする各学説が反映されている。真理基準として古今東西有名な、対応・整合・実用性の三種については、学統ごとに多少の重心のずれはあるものの概ね採用されている。その他の基準として、情報への特権性、ソースの独立性、情報の新規性、情報の非曖昧性などが、知識根拠の条件として明示的に付加されることもある。

一方で、真理の程度にスペクトラムを設定する学説は、仏教諸派をはじめ、バラモン教のバルトリハリ(五世紀頃)らに散見されるが、多重真理説の究極の段階では、言説や概念による表現や分析が不可能と見なされることがある。その意味で、概念・判断・述定を超越していること、という基準が提唱されたり、その極致を体現するために瞑想の修養が重視されることもある。

また、実在し現存する対象への志向を意味する直接経験(アヌバヴァ/アヌブーティ)を知識根拠の特質とする見解が仏教・バラモン教諸派に散見される。その場合、理論よりも観察や現象、過去や未来よりも現在、反事実よりも現実が、それぞれ重視される。たとえ整合や実用性などの基準を満たしていても、直接経験ではない認識や論理、たとえば、背理法のような反実仮想を伴う論理、あるいは、過去の想起や未来の予測などを、知識根拠から排除する傾向も確認できる。

†知識根拠の周縁の論理

推論とは別に、帰謬的推論（タルカ／プラサンガ）や分析的導出（アルターパッティ）と呼ばれる論理を独立した知識根拠の一種とする見解もあるが、その具体的内容は時代・学統により一様ではなく、上記の訳語も一面的なものである。

帰謬的推論に何らかの機能を認める場合、その代表的な役割は、火と煙などの二項間の法則性や因果性の確定に寄与する仮言的な論理である。その他にも、命題群が孕む矛盾の導出や残余法など、概して帰謬論法として括られる論理一般を指すことも多く、その有用性は複数の学統が認めるものの、独立の知識根拠と見なすのはジャイナ教の一部の学統のみに限られる。その一方で、論点先取・循環・無限後退・想定過多などの論理的な誤謬自体を、タルカの語で括る学統もある。

分析的導出という論理も幅広い用例が確認される。具体例として「チャイトラは生きているのに自宅に見あたらない。したがって、彼は外出している」「肥満のデーヴァダッタが日中に食事をとっていない。したがって、彼は夜に食事をとっている」などが有名である。意味論の分野でもこの術語が確認でき、隠喩や換喩等の間接表示、あるいは多義語を含む文など、婉曲的な言説の真意を聞き手が特定する際に機能する論理が、この術語で呼ばれている。分析的導出を独立の知識根拠として立てる学統は、その排他的特質を「別様には説明がつかないこと」と規定し、推論には還元できないとする。また、推論が法則性にかんする経験と知見とを前提にするのにたいして、分析的導出の本質は純粋に論理的で背景知識や文脈に依存しない、と見なすヴェーダーンタ派の思想家が「最強の知識根拠」と評することもある。

　現代の研究者による評価も証拠文献への焦点の絞り方により一様ではなく、特にその本質が演繹かアブダクションかという点で異論がある（*Controversial Reasoning in Indian Philosophy: Major Texts and Arguments on Arthāpatti*, ed. Malcolm Keating, Bloomsbury Academic, 2020 を参照）。たとえばチャイトラの外出の例を純粋な演繹と見なす解釈では、前提（生存かつ非在宅）と結論（外出）との間の恒真の必然性の導出が、この論理に特有の機能と分析される。一方、意味論分野におけるこの論理について、文法的・統語的・意味的に不完全な文の真意を特定するための機序はアブダクションとも評価される。

　これに関連して、現代ではアブダクションに二種の解釈があり、既設の仮説群の中から最尤の仮説を選び取る「最善の説明への推論」の他に、仮説群の前提なしに観察事実を説明づける仮説を生成する「仮説の発見」という解釈もある。古典インドに確認できる発見型アブダクションの典型例として、ニヤーヤ派のウダヤナ（一一世紀頃）の主著『論理の一掬の花』が挙げられる。神の存在論証を主題とし、無神論からの反論を各篇で排斥するという構成の中、第二篇では「全知者の想定は不要」という反論を想定する。この反論にたいして、ウダヤナは様々な歴史的・認識論的事実を根拠に「全知なる神の存在」という仮説の生成を結論とし、その仮説が第三篇以下で批判的に検証されていくが、ここに発見型アブダクションに相当する論理を読み取ることができる。

†おわりに

古典インドにおいて、古来の討論術の伝統を色濃く残す推論という形式の論理が、学術的営為の基盤を形成した。知識根拠という認識論的パラダイムの中でも、推論は経験主義的な真理追究手段の一翼を担っている。

推論の前提となる法則性については、一つの例外も許容しない態度が広く共有され、この傾向はパースペクティヴィズムに立つジャイナ教でも同様である。たとえば「イルカは卵生でない。哺乳類だから。犬の如し」および「イルカは哺乳類である。卵生でないから。犬の如し」

という二つの推論式を想定し、古典インドの判定法で評価してみるならば、カモノハシ（卵生の哺乳類）とサソリ（卵生でない節足動物）という例外的な実例を考慮に入れる限り、どちらの推論も、哺乳類性ないし非卵生性という論証因が同類例の一部と異類例の一部に分布するため、いずれも決定不全（不定）という疑似推論に分類される。つまり、論証因と論証対象という二項の連接について、経験的に確認された頻度がたとえ九九パーセントであれ一パーセントであれ、等しく決定不全との烙印を押されるのみであり、古典インドには定量的・統計的な視点が希薄だったとの評価も可能だろう。この点にかんして、真偽の定義や検証法を主題とする真理論において、認識の真偽の二値原理を維持しつつ、真偽の検証確度のスペクトラムに言及するウダヤナの議論は、「頻度」と「確信の度合い」との峻別の萌芽とも見なしうる。

また、たとえば「一億は二つの素数の和で表せる。四以上の偶数だから。六の如し」のように、未解決の数学的予想にかんする推論式を想定するならば、論証因を持つ異類例（二つの素数の和で表せない四以上の偶数）が発見されない限り、数学的に証明されていなくても、妥当な推論と判定されることになる。この点に関連して、推論が前提とする法則性、あるいは因果性や必然性といった知見の根拠として、知識根拠の周縁にある帰謬的論理や分析的導出や直観的洞察などに訴える学説があるが、そのリスクとして経験主義的な枠組みからの逸脱が意識されていたと考えられる。

そして、推論が観察と類推に基づいているとはいえ、暗黙の前提として、元素・原子・普遍・自我・神・輪廻などの実在性、そして、それらを分類するカテゴリー論、あるいは、徳福一致の原則などが含まれることもあり、各学統とも教条的な諸命題に立脚していることもたしかである。この点について、ハルプファスらが説くメタ宗教ないし包括的宗教としての「ヒンドゥイズム」の概念は示唆的である（Wilhelm Halbfass, *Tradition and Reflection: Explorations in Indian Thought*, State University of New York Press, 1991, pp. 51-55）。すなわち、ヒンドゥイズムとは、キリスト教やイスラーム教などに対置される一宗教ではなく、バラモン教・仏教・ジャイナ教など、そしてその諸々の分派の間の交流を包摂する総体として位置付ける視点である。多正面に論陣を張り合った思想家たちの対話においては、議論の前提となった諸概念も別の論敵に批判されるのが常であり、この重層的な交流が教条主義という側面をある程度は補完し、宗教理論の「インド的な健全性」を醸成したという見方も不可能ではないだろう。

さらに詳しく知るための参考文献

桂紹隆『インド人の論理学——問答法から帰納法へ』（中公新書、一九九八年）……本稿で「推論」という訳語を付したアヌマーナ（anumāna）と呼ばれる論理（この本での訳語は「推理」）の起源と発展過程の解説を軸に、比較思想的な視点も交えながらインド思想史の全容が解説されている。新版は法蔵館より二〇二一年に刊行予定。

御牧克己編 梶山雄一著作集 第五巻『中観と空Ⅱ』（春秋社、二〇一〇年）……「中観哲学と帰謬論証」と題された第六章において、プラサンガ（prasaṅga）と呼ばれる論理が解説される。また、本稿で「帰謬的論理」という訳語を付したタルカ（tarka）と呼ばれる論理については、一〇世紀以降の思想家の見解を中心に詳説する以下の文献を参照した。Sitansusekhar Bagchi, *Inductive Reasoning: A Study of Tarka and Its Role in Indian Logic*, Munishchandra Sinha, 1953; Esther A. Solomon, *Indian Dialectics: Methods of Philosophical Discussion*, 2 vols. Gujarat Vidya Sabha, 1976, 1978.

桂紹隆・五島清隆『龍樹『根本中頌』を読む』（春秋社、二〇一六年）……本稿では扱わなかった中観仏教に特有の「四句分別」などの論理と、その創始とされる龍樹についての解説書で、龍樹の主著『根本中頌』の全訳を含む。また、四句分別の他、やはり本稿では取り上げなかった否定や非存在をめぐる諸学説について、分析哲学的な手法を用いて広くアジアの古典にアプローチする論稿集として、以下がある。*Nothingness in Asian Philosophy*, ed. JeeLoo Liu and Douglas L. Berger, Routledge, 2014.

北川秀則『インド古典論理学の研究――陳那（Dignāga）の体系』（鈴木学術財団、一九六五年）……古典インド論理学の一大到達点である陳那の主著『集量論』は、サンスクリット原典が散逸しているが、現存するチベット語訳から原典を復元しつつ、その功績に迫る記念碑的研究書。

赤松明彦『インド哲学10講』（岩波新書、二〇一八年）……多様な現象世界を成立させる根源をインド哲学諸派がいかに探求してきたのか。古典インドを特徴づける形而上学的議論が、原典に即して、そして多角的・大局的な観点から解説される。巻末の参考文献も詳しい。

第5章 イスラームの言語哲学

野元 晋

†文法学の始まり

「神がコトバを話し、イスラームが始まる」。このように喝破した、日本が生んだ国際的なイスラームの「碩学」にして哲学者、井筒俊彦（一九一四～一九九三）はイスラームにおける啓示という宗教現象を神と人との間のコミュニケーションと捉えた（井筒俊彦「言語現象としての「啓示」」、『井筒俊彦全集 第十巻 意識の形而上学』慶應義塾大学出版会、二〇一五年）。このような井筒によるイスラーム理解を換言すれば、啓示は神と人間の間に成立する言葉であると考えられる。その啓示の理解とは、つまり言葉の理解となる。神がどのように何を語るのか、またそれを記した聖典クルアーン（コーラン）とはどのような書物であるのかを理解する必要が出てくる。その問いに答えようとして、後で見るがイスラーム本来の学問と言われ伝承にもとづくクルアーン解釈学や神学、法学、そしてアラビア文法学が様々な議論を展開することになる。

やがて文法学の分野では、八世紀の後半にはイラクのクーファとバスラを中心に音韻論・形態論・統語論などの体系が整えられ、シーバワイフ（?〜七九六頃）によって、その著書『書物』にまとめられ、学問の基礎が据えられた。アッバース朝（七四九〜一二五八年）が新都バグダードを建設すると（七六六年に完成）、政治と経済の中心が移り、他の学問とともに言語の研究も新首都で盛んに行われるようになった。

†言語の起源をめぐる思索

また言語の起源に関しても議論がなされた。古代ギリシアではプラトンの『クラテュロス』に見られるように、語とそれが示すものの関係は慣習にもとづくとする慣習起源説、語は自然にそくして成立したとする自然起源説があり論争がなされたが、その両説はムスリム（イスラーム教徒）の言語思想にも見られた。加えて神がその関係を定めたとする啓示起源説も提唱された。

この言語起源論争であるが、現在までの研究は、九世紀以降、神学者たちを含むムスリム知識人たちはそれぞれ、上の三つの学説のいずれかを唱えたり、または学説を様々に組み合わせたりして、論争していたことを指摘している。そこにムスリムの言語思想の独自の展開を見ることもできよう（この議論とそれについての研究は野元晋「イスマーイール派思想家ラーズィーの言語思想——ラーズィー『飾りの書』より「アラビア語優越論」部分訳」、飯田隆編『西洋精神史における言語と言語観——継承と創造』慶應義塾大学言語文化研究所、二〇〇六年、参照)。

さらに語とそれが示すものの関係を研究する文法学者たちは、次第に人間の心理的内面へと関心を寄せ、やがて発話となった言葉と心的な内面の思考内容の関係について研究し、思索するようになっていく。つまり発話された言葉という表層とそれを生み出した心の深層にあるものである。その際に考察の対象となったのは、唯一の神が預言者ムハンマドに語りかけ、聖典クルアーンの言語となったアラビア語であった。そこでアラビア語は宗教的な神聖化を背景に理論的に特別視される言語となる。

†法学と言語

アラビア語の神聖化の例をあげれば、法源論(ウスール・フィクフ)を創始したと言われる法学者シャーフィイー(七六七~八二〇)は、アラビア語は「制限を受けぬ言語が実際には特定のものとなり、明快な言語が非明快となるように」創られ、相異なるものを包括する言葉であり、諸言語のうち、その表現する範囲が最も広い言語であるとする。また彼は、新しい学説によれば、有限な言語の構造から無限の意味の創出が可能であるように、有限なテクスト(聖典など)から無限の解釈が可能であることを示唆したという。これが正しければ、法解釈学について前述の言語における発話された言葉と心的深層の関係に引きつけて考えていたことになる（以上、シャーフィイーについてはJ. Lowry, *Early Islamic Legal Theory: The Risāla of Muḥammad ibn Idrīs al-Shāfi'ī*, Brill, 2007参照）。

そもそもイスラーム法学における、クルアーンから（または預言者ムハンマドの言行の伝承〔ハディース〕とともに）、「〜せよ」という特定の命令を取り上げ、それが誰に対して、どのようなものを命ずる命令なのかと確定する作業は、語義と語源の探究や意味論的な探究にも通ずると考えられる。法学は古典的イスラーム社会の知的文脈において、必然的に言語の問題に深い関心を寄せてきたと言える。シャーフィイーの例はその一つに他ならない。

†神学・言語・政治──「審問制」とその結末

さて、言語が神学的なテーマとともに議論されると、それは純粋に学問的な議論に留まらず、時にイスラーム共同体全体に関わる、政治的問題となったことがある。一例をあげれば、神の持つ性質、「属性」に関わるもので、クルアーンは神の言葉として永遠か、あるいは神の被造物なのかという議論がある。アッバース朝第八代カリフ・マアムーン（在位八一三〜八三三）は、後者の「クルアーン被造物説」──合理主義的なムウタズィラ派が唱えた──を採用し、八三三年、これを信ぜぬ者を迫害する「審問制」（ミフナ）を行った。これは理性に対し預言者の言行・伝承を重視し、より字義的なクルアーン解釈に傾く伝承主義者を標的とし、カリフの宗教面での指導性を確立しようとした試みであったと考えられる。

その後、審問制は伝承主義者たちがムスリム民衆の支持を集めたため不評になり、やがて八四九年、もしくは八五一／二年に廃止された。この一連の出来事により、宗教的指導権の問題ではカリフの威信は大きく傷つけられたと言える。イスラームを宗教生活の指針とし、イスラームによる統治を掲げる政体を有する社会では、神学的な議論も政治的に大きな問題となる可能性が出てくる。そのためもあり、神学者たちは九世紀前半のアッバース朝社会でクルアーンに関わる形で神の言葉を論じたが、それは民衆の耳目を集める問題となったのである。

このクルアーンの創造問題には、スンナ派の主要な思弁神学派の一つアシュアリー学派の神学者たちが一一世紀から一二世紀にかけて構築した、神の内的な言語は永遠であるが、その物理化された外的な表出（書物化されたクルアーン）は創られた存在とする説が一つの解答となったとも言えよう。この説は先に見た発声化された言葉と内面の思考内容という言語活動に外と内なる深層を分ける思考法に基づくと考えられるであろう。

†ギリシアの学問から

前の部分はいわば、イスラーム本来の、または固有の学問、あるいはアラブ固有の学問における言語をめぐる思索を中心に記したものだが、ここでは、外来の学問のうちの論理学（とそれを含む哲学）と本来の学問であるアラビア文法学との間に交わされた論争を中心に言語の問題を論じたい。

まずイスラーム本来の学問と外来の学問という分類であるが、これはアブー・アブドゥッラー・ムハンマド・イブン・アフマド・フワーラズミー（?〜九九八頃）によるもので、外来の学問とは主にギリシア起源のものであり、またこれは預言者ムハンマドに遡る啓示による学問（イスラーム本来・固有の学問）と対比して理性による学問とも言われる。これらは哲学、論理学、医学、数学、幾何学、天体の学、音楽、機械と装置の学、錬金術からなる（鎌田繁「イスラームにおける学の理念」『古典学の再構築』第五号、神戸学院大学人文学部「古典学の再構築」総括班事務局、二〇〇〇年）。八世紀から一〇世紀の間に主にギリシア語からアラビア語への大規模な翻訳運動によって、ムスリムたちに紹介された諸学問はざっとこのようなジャンルに整理される（グタス『ギリシア思想とアラビア文化――初期アッバース朝の翻訳運動』山本啓二訳、勁草書房、二〇〇二年）。

さてこのような主にギリシア起源の学問が到来し、一通り翻訳活動が終わるまでに、イスラーム本来の、個々のジャンルの古典的学派と一番基礎的な古典的テクストが成立し、それらの学問は確立していたのである。これらの学問の従事者には、新しく紹介された学問は理性の働きを啓示に対し強調する傾向が目につき、批判すべきものと映ったようである（なお日本の著名なイスラーム研究者、鎌田繁氏によればイスラームの学問観においては、啓示と理性は必ずしも対立し合うものではないが、理性を強調するあまり啓示を無視する傾向は非難されることがあったという）。

†アラビア文法学対論理学――一つの論争

そのような文化的状況の中、言語に関わる一つの興味深い論争がアッバース朝カリフのお膝元のバグダードで九三二年に、当時著名なキリスト教徒の老論理学者アブー・ビシュル・マッターと、やはり著名な比較的少壮のムスリムのアラビア文法学者アブー・サイード・シーラーフィー（?～九七九）の間で交わされた（この論争については以下を参照。竹下政孝「論理学は普遍的か――アッバース朝期における論理学者と文法学者の論争と文法学者の論争」、竹下政孝・山内志朗編『イスラーム哲学とキリスト教中世Ⅱ　実践哲学』岩波書店、二〇一二年。なお本章での言語思想の術語はこの論文のそれを踏襲したものもある）。

この論争はアッバース朝の宰相イブヌル・フラートが主宰し彼の館で開催された。まず論理学者マッター（?～九四〇）は、論理学（マンティク）は正しい発話を間違いの発話から区別し、根拠薄弱な心中の思考とその意味（マアナー）を正しい思考と意味から区別する道具であり、秤のようなものだという。これに対してシーラーフィーは、人がそれらの区別をつけるのは個々人に備わった「理性」であり、論理ではない。秤の比喩も間違いで、それでは重さのみしか知ることはできないと述べる。

結果としては論争はシーラーフィーがマッターのアラビア語の知識の不足を指摘して圧倒し、聴衆を味方につけて勝利したと伝えられる。エピソードの推移から離れてこの論争の骨子をまとめれば普遍文法（論理学）と個別言語（アラビア語）の文法の間の論争ということになる。マッターの主張は心中の思考・意味が論理学の範囲であるとし、それに対し文法は発話形式の言葉――実際に発せられた言葉――のみを扱う。そして心の中の思考・意味は例えば4＋4＝8のように、諸言語集団を超越して人間に普遍的であると。論理学はこの普遍的な思考・意味を扱ういわばメタ言語なのである。

シーラーフィーはこれに対して、まとめれば人間はそのような心の深層にある思考とその意味の把握も、それぞれの民族の言語によって行なっているのではないかと主張する。思考など個別言語を離れてできるのか。あなたが依拠する、その論理学もギリシア語という個別言語によるものでギリシア語による理解が必要である。この論争は、普遍文法と個別言語という二つのメソードのうち、心中の思考とその意味を把握し、正しい言説を作り上げるにはいずれが有効かという難問を突きつけているのである。

†ファーラービー

さてこの論争の一方の側のアブー・ビシュル・マッターであるが、その弟子にあたるアブー・ナスル・ファーラービー（八七〇頃〜九五〇）はイスラーム思想界ではアリストテレスに次ぐ「第二の師」と呼ばれ、哲学的論理学の普遍文法化をさらに推し進めたとされる。

またファーラービーは、古代末期のアレクサンドリアで確立した「プラトンとアリストテレスの一致」という思想を核とし、アリストテレスの論理学諸著作（「オルガノン」）を基礎に据えた、哲学カリキュラムのイスラーム世界への移植に力があった。しかし最近の研究では彼が論理学の普遍文法主義を推し進めたかどうかについては慎重であり、むしろファーラービーは論理学を当時のアラビア語の日常語で語ることにより力を注いでいたという指摘がある（D. Reisman, "Al-Fārābī and the Philosophical Curriculum," in P. Adamson and R. C. Taylor (eds.), *The Cambridge Companion to Arabic Philosophy*, Cambridge University Press, 2005）。

†イブン・シーナー、ガザーリー、そしてその後

さらにイブン・シーナー（九八〇〜一〇三七）が現れ、彼までのイスラーム的中東世界における哲学を大成していくが、彼は言語における、発話の言葉（表層）と内的な心中の思考・意味は、画然と分かれるものではなく、相互に影響しあうものであることを示唆した。またナシールッディーン・トゥーシー（一二〇一〜一二七四）などが代表するイブン・シーナー学派におい

てもこの学説は発展していった（P. Adamson and A. Key, "Philosophy of Language in the Medieval Arabic Tradition," in M. Cameron and R. Stainton (eds.), *Linguistic Content: New Essays on the History of Philosophy of Language*, Oxford University Press, 2015）。

さて神学者アブー・ハーミド・ガザーリー（一〇五八〜一一一一）は、イブン・シーナーの哲学を、その宇宙永遠説・復活の否定・神の個物認識の否定という三つの教説については不信仰と断じた。ここに至って、哲学と神学の対立は決定的とも見られるかもしれないが、彼は哲学的論理学は知識獲得に有用として受容した。ガザーリー以降、論理学とそれ以外の分野（自然学・形而上学）でも哲学は部分的に神学のうちに受容され、一方、論理学のイスラーム高等教育機関（マドラサ）のカリキュラムでの科目としての定着も次第に進んでいった。このようにして論理学と文法学の対立は次第に解消し、論理学はムスリムの知識社会の中に定着していった（竹下前掲論文）。

†神秘の知と言語

今後は哲学における言語の問題の展開を中世から近世、さらにはイランなどに残る現代の伝統哲学における発展を見ていく必要がある。また本稿では論じ得なかったが、イスラーム世界には、言葉や音声、文字に神秘的な意味を読み込み、それらを宇宙論や救済史の解釈に用いる言語神秘主義、象徴文字論の思想が一定の影響力を持っていた。例えばシーア派の一派のイスマーイール派は一〇世紀から一三世紀において盛んな宣教運動を展開し、ファーティマ朝（九〇九～一一七一年）を立て、メシア思想と救済史観、新プラトン主義を合わせた思想を説いたが、そこには象徴文字から宇宙生成の原理や、救済史における預言者の役割などを解釈した。

さらに文字象徴論は一四世紀から一五世紀にかけて、現在の北西イランから東部アナトリアに影響力を持ったフルーフィー教団や、一四世紀から一六世紀にかけてイランで活動したヌクタヴィー教団で教義の中心とされた。これらの言語象徴論をも視野に入れねば、前近代のイスラーム思想における言語論の全体像は見えてこないであろう。

さらに詳しく知るための参考文献

竹下政孝・山内志朗編『イスラーム哲学とキリスト教中世』Ⅰ～Ⅲ（岩波書店、二〇一一～二〇一二年）……「中世」という時代における、地中海の北岸と南岸と周辺地域における哲学の展開を総合的に捉えようとする野心的試み。現代日本における両地域の思想史の代表的研究者が多数執筆。従来の哲学史ではあまり取り上げられなかった哲学の中の神秘思想について一巻が割かれているのもありがたい。

『井筒俊彦全集』全一二巻および別巻（慶應義塾大学出版会、二〇一三～二〇一六年）……「哲学的意味論」を自らの方法論の基礎と考えた、国際的に著名なイスラーム学者の日本語による業績とその他の著作物の全て。今日の資料的状況や晩年の独自の哲学的解釈から問題も指摘できようが、イスラーム思想を言語の視点で考察する際には参照すべきであろう。

上智大学中世思想研究所・竹下政孝編訳／監修『中世思想原典集成11 イスラーム哲学』（平凡社、二〇〇〇年）……一三世紀までであるが、ともかくイスラーム世界の哲学の営みが網羅され、ファーラービーやイブン・シーナーやイブン・ルシュドの原典に日本語で触れられる。イスマーイール派の翻訳も二点含まれ、画期的な仕事である。

松山洋平編訳『イスラーム神学古典選集』（作品社、二〇一九年）……スンナ派、シーア派、そして最初の分派と言われるハワーリジュ派を起源とするイバード派の神学著作からの選集。シーア派は十二イマーム派だけでなくファーティマ朝系のイスマーイール派の作品まで含み網羅的である。

第6章　道元の哲学

頼住光子

†「世界哲学」という視座——なぜ道元なのか

世界哲学という視座から、鎌倉時代の仏教者である道元（一二〇〇〜一二五三）の哲学を考えることが、本稿の目的である。この目的を果たすためには、まず、世界哲学とは何かということを私なりに確認しておく必要があるだろう。

昨今、「世界哲学」という言葉が、哲学・思想研究の分野でしばしば語られるようになった。これは、まず第一に、従来の哲学が、あまりにも西洋中心であり、哲学史というとギリシア以来のヨーロッパの哲学史となってしまっている現状を見直し、世界の他の地域でこれまで積み上げられて来た知的営為をも「哲学」と捉えて、そこに目を向けていこうという動きである。

このような動きの背景となっているのは、現在進行中のグローバル化であり、さらに言うならば、西洋哲学、とりわけ理性中心主義、人間中心主義と規定することのできる近代西洋哲学が、非理性的な分断と人間疎外を生み出したのではないかという反省であろう。つまり、文明が野蛮を生み出してしまったという反省に立った上で、オルターナティヴを模索しようという時代の大きなうねりが、西欧以外の世界のさまざまな地域で営まれてきた思索へのコミットメントを促しているのだ。

そしてこのような中で、これまで、理性中心主義、人間中心主義によって周縁に追いやられていた非理性、非人間、さらには、理性を超えたもの、人間を超えたものに対する関心が、必然的に高まっている。それは、具体的にいえば、身体、感性、超越、動植物、環境、全体世界などへの眼差しということになるだろう。

西洋の理性中心主義、人間中心主義の一つの極端な形は、理性を持ち独立した主体が世界の中心に立ち、理性に基づいて世界や他者を支配するという人間像として表わされる。このような主客二元論に基づく理性の支配という西洋近代の陥りがちな構図に対して、非西洋、非近代(プレモダン・ポストモダン)が対置され、世界の様々な地域で展開してきた、一元論哲学に新たな光が当てられて、東洋思想、日本思想に注目が集まって来たのである。道元に対する世界的な関心の高まりもこの文脈から考えることができるだろう。

ただし、ここで注意しておかなければならないのは、このような一元論への関心を、戦前の「近代の超克」派のように、「一元論・主客未分論の東洋」対「二元論・主客二元論の西洋」という対立図式を作り、前者の後者に対する優越を誇り、主体の無力化、主体の一元的全体への従属というような議論へとつなげ、問題を矮小化するべきではないということである。

むしろ重要なのは、主体と客体との分離を前提とする立場からは非合理的、非論理的としか見えない議論の中に、新たな論理の筋道と主体の在り方を模索し、それによって硬直化した道具的理性を鍛え直して対話的理性への道筋を見出すことであろう。他者と自然とを支配するのではなくて、それらと共生しようとする対話的理性をどう立ち上げるのか、という問題は、主客二元対立論を超えた新たな主体をどう立ち上げるのかという問題であり、また、部分が全体を支配するのでも、また全体が部分を支配するのでもない、部分と全体との相互浸透的かつ有機的でダイナミックな連関をどのように実現するのかという問題であろう。

このような問題を考える手立てとして注目されているのが、道元なのである。道元については、現在、国際的にも関心が高まっている。たとえば、「世界の道元研究の現在」と銘打たれた国際シンポジウム（二〇一八年七月、東洋大学）では、フランス、イタリア、スイス、アメリカ、中国、韓国それに日本の道元研究者が集まり活発な議論が交わされた。近年、とみに顕著になった道元研究の世界的な広がりは、曹洞宗の宗祖としての無謬性を弁証する教義学や、道元の主張を顕密仏教体制への異議申し立てと見做す思想史学の枠を超えて（もちろん教義学も思想史学も重要であることは言うまでもないが）、道元の思想研究が、さらに「世界哲学」としての普遍性や示唆を持つことの証左とも言えよう。道元研究が目指すものが、まさに「世界哲学」が目指すものと重なり得るとも言えるのである。

†自己と世界を問う――「自己をわするるといふは、万法に証せらるるなり」

「日本の生んだ最も偉大な哲学者のひとり」「一個の偉大なる形而上学的思索者」「日本哲学の先駆者」とも言われる道元の思索は、修行と悟りを軸として、自己とは何か、世界とはどのように成り立つのかを根源的に問う試みであった。ここでは、まず、道元の主著『正法眼蔵《しょうぼうげんぞう》』「現成公案《げんじょうこうあん》」巻の次のような一節を取り上げて、道元の自己や世界に対する思惟の基底をなす考え方について検討したい。

> 仏道をならふといふは、自己をならふ也。自己をならふといふは、自己をわするるなり。自己をわするるといふは、万法に証《しょう》せらるるなり。万法に証せらるるといふは、自己の身心および他己《たこ》の身心をして脱落せしむるなり。

右の引用では、まず、仏道修行とは、自己の真相を見極めることであり、さらにそれは、「自己を忘れる」ことだと言われる。仏教では「無我」を主張し、あらゆるものは固定的な本質など持たないと説く。それに対して、日常の生活は、「自己」という何か固定的なものがあるという漠然とした思い込みの下で営まれる。しかし、仏教からすれば、固定的な単位としての自我とは、あくまでも世俗世界を構成するために仮構されたものに過ぎず、本来、そのような固定的な自我もないし、さらに存在するものはすべて固定的な本質などないのである。

以上のように、「自己を忘れる」ということは、固定的な我（アートマン）があるという捉われから脱すること、すなわち、「無我」に目覚めることを意味する。つまり、自己を追究して、自己とは実は固定的なものとしては存在しないということが分かる。自分だと思っていたものは、実は、自分ではないのだ。

そして、この「自己を忘れる」ということは、「すべての存在」（万法）によって、「証される」（確かなものとしてあらしめられる）ことであると道元は言う。この「すべての存在によって確かなものとしてあらしめられる」ということは、まさに「空―縁起」に基づく事態である。「空」とは、その字面からしばしば誤解されるように「空っぽ」などではなく、永遠不滅の実体としては何ものも存在しないということ、すなわちあらゆるものは移り変わる「無常」のものであり、固定的な不変の本質を持たない「無我」なるものだということである。では、「無常」で「無我」なるものがどのように一つの存在として成立するのかというと、それは「縁起」（他とのつながり合い）によると考えられている。「縁起」とは、すべての存在（＝「万法」）との関係の中で、自己がこのように成立しているということである。つまり、相互相依《そうごそうえ》関係の中で、このようにあらしめられているということが、「証される」ということなのだ。

心身の脱落と悟り

そして、道元は、「証される」とは、自己と「他己《たこ》」の心身を「脱落」させることであるという。この「他己」とは、道元が多用する言葉である。他の存在について言い表す際に、他の存在と自己とが切り離され対立したものではなく、つながり合って密接な相関関係にあることを示すために、「他」に「己」という字をつけて「他己」とするのである。この場合の「他己」とは、人間に限らず山川草木をふくめすべての存在者をさす。

自己が悟ること（身心の脱落）により、「他己」すなわち全存在が悟る、すなわち、自己と「他己」の「悟り」とが連動すると、道元は言う。「身心の脱落」とは、「悟り」の瞬間に、身も心も捉われ——その捉われの背景にあるのは、自己や他の存在を固定的な要素として対立的に捉える見方なのであるが——から解放されるということを意味している。「悟り」において、人は、自己と世界の真相である「空—縁起」を体得する。「空—縁起」の体得とは、ありとあらゆるものが関係し合って成立し、本来、固定的な「我」などないと、文字通り「体得」することなのである。

この「空―縁起」なる相互相依関係の総体を道元は、「遍《へん》（法《ほっ》）界《かい》」（真実なる全世界）や「尽《じん》（十方《じっぽう》）界《かい》」（全方位を含む世界）などと言い表す。道元が『正法眼蔵』でしばしば引き合いに出す言葉に「尽十方界是一顆明珠《じんじっぽうかいこれいっかめいじゅ》」がある。「一顆明珠」とは一つの明るく輝く珠玉ということで、世界全体を一つの透明な玉と見立てて「空―縁起」を表現している。自己と「他己」との「悟り」が連動するのは、全存在が一つの全体として結び合い、連関をなしているからである。世界全体の全存在が結び付き合っているからこそ、一人の悟りが全世界へと波及することができるのだ。

このことを道元は、『正法眼蔵』の他の箇所では「花開世界起」（花開いて世界起こる）という言葉を手がかりに追究する。「花開世界起」とは、道元によれば、一人の「悟り」の花が開くことによって、全時空の全存在も悟り、それと同時に、全時空の全存在に支えられて、今、ここ、この私の「悟り」があるという、世界と自己とのダイナミックな相互相依関係を意味している。「悟り」とは、自己と世界の真相である「空―縁起」の自覚である。修行によって、自己も、そして自己と相互相依関係にある全時空の諸存在も「空―縁起」であると自覚し、そのことによってみずから「空―縁起」の次元を、この瞬間、瞬間に顕現させ続ける。その営為によってこそ、自己は真の意味での主体となり続け得るのである。

†道元と西洋哲学――ハイデガーのエアアイグニスを手がかりとして

包括性、一貫性、透徹性、綿密性に富んだ道元の思想は、田辺元『正法眼蔵の哲学私観』(一九三九年)を先駆として、さかんに西洋哲学と比較されてきた。比較対象とされた哲学者は、アリストテレス、プラトン、アウグスティヌス、スピノザ、カント、ヘーゲル、シェリング(一七七五〜一八五四)、ニーチェ、フッサール(一八五九〜一九三八)、サルトル(一九〇五〜一九八〇)、メルロ=ポンティ(一九〇八〜一九六一)、デリダ(一九三〇〜二〇〇四)その他、西洋哲学者の主だった人々を網羅していると言っても過言ではないほど広範囲にわたっている。

中でも特に興味深いのは、哲学の主題が認識論から存在論へと転換する分岐点をなすものとしてのハイデガー(一八八九〜一九七六)との比較である。従来は時間論について両者を比較することが多かったが、小稿においては、『存在と時間』の問いをさらに尖鋭化して問うたとも言われる後期ハイデガーに着目して、「世界哲学」の視座から、根源的な思想の対話の場の設定を端緒なりとも試みたい。

「どうあるのか」ではなくて「ある」ということそのものを問題にした後期ハイデガーの思想を考える上で最も重要な概念に、エアアイグニス(Ereignis)がある。エアアイグニスは一般的には「事件」「出来事」という意味であるが、ハイデガーはこの語に対して独特の解釈を行う。

ハイデガーによれば、さまざまな事物が「ある」ということの根源は、日常的には覆い隠されている「奥深い存在（das Seyn）」に遡ることができ、この存在の「本質活動」こそがエアアイグニスである。ハイデガーは、このエアアイグニスは「見えざるものの内で最も見えざるもの」ではあるが、人間は「その中に死すべき者として生涯滞在する」と指摘する（『フライブルク講演』）。つまり、エアアイグニスとは、隠されてありつつ人間を人間たらしめる根源的はたらきなのだ。

日本の代表的ハイデガー研究者として知られる渡邊二郎氏は、これを、「生き続けるはたらき」「呼び求める促し」であるとする（『ハイデッガーの「第二の主著」『哲学への寄与試論集』研究覚え書き』）。つまり、本来、人間は、その隠された存在を呼び求めるようにと促され、つねに呼びかけられているというのである。とするならば、人間のなすべきことは、根源的思索によって、その隠された存在からの呼びかけに応え、その存在へと「跳躍」し、その存在に耳を傾け、その声を聞き取り、みずからもその存在を言述し、帰属することとなる。しかしながら、ハイデガーによれば、西洋哲学の歴史はこのような存在を忘却し、個々の存在者を成り立たせるものとして何らかのスタティックな本質を対象として措定してきた「実体論的形而上学」の歴史であるという。この意味で、ハイデッガーはプラトン以来の西洋哲学の歴史を批判し、歴史の「別の原初」への移行を主張するのである。

†「性起」を「起」と言い換えた道元

さて、エアアイグニスという言葉についてハイデガー自身は、ギリシアのロゴスや中国のタオと同様に翻訳不可能だと述べているが、これを日本語訳するときに、あえて「性起《しょうき》」という言葉を使うことがある（創文社版『ハイデッガー全集』第六五巻等）。この言葉は、華厳教学の用語である。華厳教学では、「性」を「不改」にして「本具」の本質、真理と捉え、それが「起」として一切諸法において顕現すると説く。つまり、あらゆるものは、真理を表現するものとしてあるというのである。

そして、そのような真理世界の究極の姿を観じることが華厳教学における目指すべき境地とされる。これを「海印三昧」という。これは、法身毘盧遮那《びるしゃな》仏の禅定体験でもあり、大海に一切の色像が映し出されるように、一切を包摂して顕現させる永遠、無限の境地である。

さて、中国における華厳教学は、天台教学と並んで大乗教学の最高峰として大きな影響力をもった。とりわけ、中国禅宗は華厳教学を摂取しつつ思想的展開を遂げており、この意味で、中国に留学して禅を学んだ道元もまた華厳教学の影響下にあったと言える。このことは主著『正法眼蔵』の中に、「海印三昧」と題する一巻があることからも知られる。

「海印三昧」巻において道元は、「性起」を「起」と言い換え、以下のように述べる。

起はかならず時節到来なり、時は起なるがゆゑに。(中略)起すなはち合成の起なるがゆゑに、起の「此身」なる、起の「我起」なる、「但以衆法」なり。(中略)しかあれば、起滅は我々起、我々滅なるに不停なり。この不停の道取、かれに一任して辦肯《はんけん》すべし。この起滅不停時を仏祖の命脈として断続せしむ。

ここで道元は、華厳教学の説く深い禅定である「海印三昧」における、真理の顕現(「起」)を、時の顕現(「時節到来」)として捉える。そして、それは、世界における諸事物事象が相互相依しつつ縁起するものであるから(「合成の起なるがゆゑに」)、そこにおいて自己も真なるものとして顕現すると言う(「我起」)。ここで言う「時節」「時」とは、道元がその時間論である「有時」論で展開する「永遠の今」である。そして、道元はこの「起」を単に「顕現する」というだけではなくて、「起滅」と展開していく。つまり、ただ真理が顕現してそれで終わりということではなくて、真理は、常に、新たに時として自らを刻み出しつつ顕現され続けるというのだ。新たなものとして顕現され続けることを、道元は、「仏祖の命脈として断続せしむ」ることであるとする。「仏祖の命脈」とは、「仏のいのち」すなわち、無始無終に受け継がれていく仏道の真理、すなわち「空—縁起」そのものを意味し、さらにそれは「断続せしむる」とあるように、修行者が日々新たなものとして顕現させ続けるべきものとされる。

ここで注目されることは、まず、道元が「性起」を「起」として「性」を削って表現していることである。これは、「性」が不変を意味し、スタティックな真理というニュアンスを帯びやすいことに起因するだろう。さらに、「起」が単なる「起」ではなくて「起滅」すなわち「起―滅―起―滅……」という永遠の生起として捉えられていることも、このことに関連している。前述のハイデガーのエアアイグニスが、隠されたものとして常に人間に呼びかけ続けているものであり、それに応える人間によって露わにされ続けるというダイナミズムとして捉えられるならば、それは、まさに「性起」の「性」を削って「起」と捉えた道元の目指す方向と軌を一にすると言えよう。

もとより、華厳教学の「性起」がスタティックな実体的真理を宣揚したということでもなく、ましてや、エアアイグニスに対して「性起」という含蓄に富んだ訳語が当てられていることを否定するわけではない。しかし、その「性」という言葉の生みがちな誤解を避け、はたらきとしての真理の力動を強調したのが道元であるとするならば、その営為はまさに、スタティックな真理を立てる「実体論的形而上学」を批判し、「生き続けるはたらき」を宣揚したハイデガーの営為に通じている。スタティックな普遍を超えた力動的根源にまで遡るこの地点こそ、両者の思想の対話のみならず、「神々の争い」に満ちた現代における対話の起点、「世界哲学」の起点として示唆的であろう。

さらに詳しく知るための参考文献

水野弥穂子校注『正法眼蔵』一〜四（岩波文庫、一九九〇〜一九九三年）……道元の主著。「日本の哲学書の最高峰」とも呼ばれ、同一律、矛盾律に基づく世界（日常世界＝世俗世界）の論理を否定し、それを超えた「空―縁起」のダイナミズムそのものを直接に表現する。道元の思想と文体は不離不可分であり、ぜひ道元の文体そのものを味わっていただきたい。

田中晃『正法眼蔵の哲学』（法蔵館、一九八二年）……ギリシア哲学の研究者が、『正法眼蔵』の主要巻を注釈、現代語訳し、思想構造を明らかにした労作。数多い『正法眼蔵』の現代語訳や注釈の中でも論理的一貫性をもって解釈しようとしている点で際立つ。他の現代語訳としては、玉城康四郎『道元』（日本の名著7、中央公論社、一九七四年、中公バックス版、一九八三年）も、著者独自の宗教哲学の立場から統一的解釈を行っており興味深い。

辻口雄一郎『正法眼蔵の思想的研究』（北樹出版、二〇一二年）……著者による哲学・比較思想の視座からの道元研究の集大成。道元のテクストに「宗派的教説という枠を超えた普遍的な力」を読み取り、論理的に説明する。また、井上克人の『露現と覆蔵』（関西大学出版部、二〇〇三年）、『〈時〉と〈鏡〉超越的覆蔵性の哲学』（関西大学出版部、二〇一五年）も、哲学・比較思想の視座からの道元研究を一つの柱とし、ハイデガーのエアアイグニスとの比較の観点には私も学ばせて頂いた。こうした哲学・比較思想的立場からの道元研究の先駆的業績に和辻哲郎「沙門道元」（『和辻哲郎全集』第四巻、岩波書店、一九六二年）がある。

角田泰隆『道元禅師の思想的研究』（春秋社、二〇一五年）……道元の思想研究で重要な役割を担う宗学の立場からの、包括的で体系的な道元思想研究の代表的労作。氏と並び宗学の最前線を担う石井清純氏の『構築された仏教思想 道元――仏であるがゆえに坐す』(佼成出版社、二〇一六年)も、道元の思想の深さを損なわずにわかりやすく現代的視点から解説している。

頼住光子『『正法眼蔵』入門』(角川ソフィア文庫、二〇一四年)……『正法眼蔵』諸巻の道元の言葉を取り上げ、理路を辿りつつ、道元の自己、世界、時間、言語、行為などに対する考え方を明らかにする。『道元の思想　大乗仏教の真髄を読み解く』(NHK出版、二〇一一年)では、道元の善悪、因果、無常に対する考え方を検討し、親鸞との比較などにも取り組んだ。

第7章　ロシアの現代哲学

乗松亨平

†「近代の超克」とその挫折

　地理的にも歴史的にも、ロシアは西洋と東洋の狭間に位置する国である。中世に東方キリスト教を受け入れたが、長くモンゴル帝国の支配下に入った。その支配を覆すと、今度はみずから東方へと領土を拡張し、一九世紀には中央アジアやコーカサスを併合して、多数のイスラーム教徒を抱えた多民族国家となる。

　近代化に乗り出した一七世紀末以降、「自分たちは西洋なのか」という問いが、ロシアの知識人を悩ませつづけた。同じキリスト教を文化的基盤としながらも、西洋からの疎外感にたえず苦しんだのである。これは、近代化の過程でほかの非西洋地域が味わった劣等感と、似ているが同じものではない。一九世紀前半の思想家ピョートル・チャーダーエフ（一七九四～一八五六）は、「われわれは人類という大家族のいずれにも属していません。われわれは西洋でも東洋でもないのです」と述べている（「哲学書簡」）。なまじ西洋に近いがゆえに、たとえば日本や中国のように、西洋とは異なる文化的伝統を自国に見出すことは、ロシア人にとって容易ではなかった。チャーダーエフは、ロシアは端的に何もない国なのだ、と断罪する。

チャーダーエフを契機に、ロシアでは「西欧派」と「スラヴ派」の論戦が始まった。前者はロシアが西洋となることを望み、後者はロシアに西洋とは異なる独自性を見出そうとする。ただし、この対立はそう単純ではない。西欧派はロシアの専制君主体制をその非西洋性の元凶とみなし、彼らの一部は社会主義革命を目指すようになる。そして西洋に先駆けて、一九一七年にそれを達成した。マルクス主義の唯物史観にしたがえば、社会主義は近代的資本主義のあとに来るはずの時代だから、革命によってロシアは一気に西洋を追い抜いたのである。

一方、スラヴ派は、ロシアの独自性を東方キリスト教に見出した。カトリックもプロテスタントも、キリスト教本来の教えを逸脱しており、ロシアこそが最も純粋にキリスト教を体現している。西洋の文化的基盤がキリスト教であるとすれば、こうしたスラヴ派の主張は、ロシアは西洋以上に西洋的なのだ、といいかえられるだろう。

このように、西欧派もスラヴ派も、「自分たちは西洋なのか」という問いに対し、自分たちは西洋以上に西洋の理想を体現するのだ、という主張や実践によって応えた。彼らの論争が、一九世紀後半という時期に繰り広げられたことに注意しよう。この時期には、西洋内部でも、西洋の歴史の帰結としての近代性が問題視され、「近代の超克」が論じられるようになる。二〇世紀に世界中に広がったこの動きを、ロシアは共産圏の盟主ソ連としてリードしたのである。一九九一年のソ連崩壊は、西洋近代を超克しようとする最大の実験の挫折であった。

†自由な集団性――ナショナリストの側から

この挫折のあと、ロシアはふたたび「何もない」国となった。そして西欧派とスラヴ派の論争が再演される。もはや両派がその名で呼ばれることはないが、自由主義や資本主義の導入によりロシアが西洋となることを望むリベラルと、ロシアの独自性を主張するナショナリストとが対立したのだ。政治的には、一九九〇年代のエリツィン政権時代はリベラルが主導権を握り、二〇〇〇年のプーチン大統領就任後はナショナリストが優位を占める。ただし、かつての西欧派とスラヴ派の対立と同様、現代のリベラルとナショナリストの対立も、そう単純なものではない。

まず、ナショナリストの思想からみていこう。そのなかで最も目立つのは、ロシア革命後に国外へ亡命した知識人たちが二〇世紀前半に唱えた、「ユーラシア主義」を復興しようとする動きである。ロシアの基盤は西洋ではなく、かつてロシアを支配したモンゴル帝国と同じ内陸ユーラシアにあるのだ、というその主張は、ソ連末期に中世史家のレフ・グミリョフ（一九一二～一九九二）によって再発見された。グミリョフはソ連崩壊の翌年に死去するが、「新ユーラシア主義」と呼ばれる運動は、ロシアだけでなく旧ソ連のイスラーム地域やさらにトルコなどでも受容され、とりわけ中央アジアのカザフスタンでは、グミリョフの名を冠した大学が設立されたほどである。政治的にも、プーチンはアメリカの一極支配に対抗するうえで、ユーラシアの結束をしばしば訴えている。

現代の新ユーラシア主義をリードするのが、アレクサンドル・ドゥーギン（一九六二～）である。ドゥーギンは、ユーラシア主義にもとづく地政学によって、ロシア政界に影響を与えてきたといわれ、欧米諸国で台頭する新右翼運動ともつながるなど、もっぱら政治的側面から注目されているが、何冊ものハイデガー論を著し、二三巻にも及ぶ『知の戦争』シリーズでは、アフリカやオセアニアも含む世界の思想史を類型論的に網羅してみせた哲学者である。

その政治哲学の綱領とみなせる「第四の政治理論の構築にむけて」でドゥーギンは、西洋近代のリベラリズムを超克するために、共産主義ともファシズムとも異なる、新たな政治理論が必要だと唱える。ただし、リベラリズムから引き継ぐべきものもある――奇妙にも、それは自由の概念だという。ドゥーギンによれば、近代リベラリズムの本質は、自由主義ではなく個人主義にある。ばらばらの無力な個人にのみ自由を認めるリベラリズムに対し、新たな政治理論はあらゆる主体に自由を認める。ドゥーギンがその主体の例として挙げるのは、民族（「エトノス」）である。個人性という牢獄から解放され、おのれにとって本来的な集団的主体に同一化することで、人間は真に力ある自由を発揮しうるだろう。

これは、ナショナリズムを正当化するための詭弁のようにも響くが、集団的主体を民族以外のもの――たとえば女性や黒人といった被抑圧集団――にあてはめれば、それほど奇矯な主張ではない。また、個人主義の乗り越えは、かつての「近代の超克」でも主要な課題であった。一九世紀のスラヴ派は、個人が自由に、みずからの意志で教会に集まり祈るとき、その体験をとおして、自由な集団性が愛として実現されると考えた。ドゥーギンの主張はその延長線上にあるともいえる。個人ではなく集団により実現される自由という着想は、次にみる現代ロシアのリベラルにも、かたちを変えて共有されている。

†言語と身体

ソ連では西側の現代思想は規制されていたが、ソ連末期にはハーバーマス（一九二九〜）やデリダ（一九三〇〜二〇〇四）らが次々と訪ソし、現代思想の翻訳ブームが起こった。そのブームを牽引したのが、ソ連科学アカデミー哲学研究所内に一九八七年に設置された、「ポスト古典哲学研究室」である。その中心となった、ヴァレリー・ポドロガ（一九四六〜二〇二〇）やミハイル・ルイクリン（一九四八〜）らは、現象学からドゥルーズ（一九二五〜一九九五）／ガタリ

（一九三〇～一九九二）までを参照しつつ、身体性というテーマにとりわけ注目した。背景には、マルクス・レーニン主義による統制下で、ソ連では硬直した言語的イデオロギーが文化を支配し、身体や感覚の多様性が抑圧された、という批判意識がある。芸術でいえば、ソ連ではイデオロギーを最も直接的に反映できる文学が中心ジャンルとなり、その他の芸術も、映画であればシナリオ、音楽であれば歌詞といった、文学的側面が重視された。ポドロガらはそれを「文学中心主義」と呼んで批判する。

ルイクリンによれば、ソ連の映画は「言語的視覚」の産物であり、そこに映し出される身体も「言語的身体」にすぎない。ただし、興味深いのは、この事態をルイクリンが、言語によって身体がたんに排除されたとは捉えていないことだ。身体が言語化されるとき、言語の側もまたいわば身体化される。ソ連においてイデオロギー言語がもった暴力性は、それを端的に表しているだろう。次々と批判対象を変えて粛清をくりかえしたスターリンを筆頭に、政治的目的のためならば、イデオロギー言語はどんな不合理も厭わなかった。

一九九〇年に訪ソしたデリダとの座談会には、ルイクリンの問題意識がよく窺える。デリダの唱えた脱構築を、西洋の理性的・論理的な形而上学に潜む、矛盾や非合理性を明るみに出すものと捉えたうえで、ルイクリンは次のようにいう。「わが国の文化では非論理的な矛盾があまりにあからさまで」、「形而上学は消滅の危機にさらされた種のようなものですから、それを破壊するのではなく、むしろ庇護してやらねばなりません」（『ジャック・デリダのモスクワ』）。

ソ連のイデオロギー言語は身体を抑圧すると同時に、みずからもまた合理性をもたない、いわば「身体的言語」となった。ルイクリンが批判するのは、言語がこのように身体を包摂し、両者が未分化になった状態である。言語と身体を分離して、理性的・合理的な言語の領域と、それに回収されない多様な身体の領域とをそれぞれ確立すること――いいかえれば、西洋近代的な心身二元論の文化を確立することから、ロシアは再出発せねばならない。本シリーズ第3巻第2章でも論じられているように、精神と身体の不可分は東方キリスト教の神学が説くところでもあり、ルイクリンの批判はスラヴ派が受け継いだこの伝統にも及ぶだろう。

言語と身体の分離はまた、個人主義の確立を意味する。画一化された「言語的身体」は、身体の個別性を消去して集団化した。ソ連の公式美術では、人間の顔から個人的感情が拭い去られ、滑らかなものにされたとルイクリンは指摘する。身体性の名のもとに個性と多様性を擁護する彼は、典型的なリベラルであったといえる。

†自由な集団性――リベラルの側から

しかし、一九九〇年代に急激に導入された資本主義によりロシア社会が荒廃すると、哲学上でもリベラリズムの限界が感じられるようになる。ナショナリズムが勢いを増し、ソ連へのノスタルジーが社会現象となるなかで、リベラルは共産主義の見直しを進めた。

ソ連時代に西ドイツに亡命し、世界的に知られる美術批評家となったボリス・グロイス（一九四七〜）は、『共産主義の追伸』で、ルイクリンが批判したソ連の「身体的言語」を再評価する。ソ連のイデオロギー言語は、たんに矛盾や非合理性を厭わなかったにとどまらず、より激しい矛盾を求めてやまないものであった。対立や矛盾を避け、差異の戯れと化した西洋の言語からは失われた革命的力を、ソ連の言語はもっていたのだとグロイスはいう。

ポドロガ、ルイクリンの弟子筋にあたるエレーナ・ペトロフスカヤ（一九六二〜）やオレグ・アロンソン（一九六四〜）は、身体性のテーマを引き継ぎつつ、それを個人主義ではなく、新たな集団性の構想と結びつける。合理的な言語によっては説明できない、ぼんやりとした身体的情動――たとえばソ連時代の日常を撮ったスナップ写真を見たときに、当時を知らない現代のロシア人もが覚える懐かしさ。それは個人的なものではなく、人々のあいだで共有され、人々を連帯させうるものだという。その連帯は、ソ連のイデオロギー言語が課したような、強制的・暴力的な集団性とは違う。ぼんやりとしたものであるがゆえに、個人を抑圧することなく連帯させうるこうした情動の概念は、じつは政治的立場は正反対のドゥーギンと同じ、自由な集団性をめぐる構想の一種といえるだろう。それだけに、その情動はナショナリスティックで排他的なものになる危険性もある。

自由な集団性について、リベラルの立場からユニークな着想を示したのが、政治哲学者のアルテミー・マグーン（一九七四〜）の論文「共産主義における否定性」である。個人の自由を確保したうえで、ばらばらな諸個人がいかに集団へと連帯しうるか、という通常のリベラルの思考回路とは逆に、マグーンは、集団の課す不自由が強まることで、個人が形成されうると考える。その際にマグーンが注目するのは、ソ連における公共スペースのありかたである。ソ連では不動産の私有が認められず、すべての土地や建物は国有で、住居も割り当て制だった。そのぶんソ連には、広場や公園からマンションの階段や公衆トイレにいたる、誰のものでもない公共スペースがいたるところに生まれる。それらのスペースは、表向きは「みなのもの」として集団管理することになっていたが、実際には荒れ果てて、個人が好きなように使っていた。ここで個人の自由は、集団性の強制のうちから生まれ、そのうちでのみ維持される。こうした自由を孕んだ集団性に、マグーンは新たな共産主義の可能性をみてとった。

このように、ロシアにあらためて西洋近代を導入することを説いたポドロガやルイクリンとは違って、リベラルはかつての西欧派と同じく、ふたたび共産主義による「近代の超克」を目指しだしたようにみえる。そして、自由な集団性という彼らの関心は、やはりかつての西欧派と同じく、対立するナショナリストによる「近代の超克」の構想と似てもいるのである。ソ連の共産主義という自国の歴史をリベラルが再評価することにも、ナショナリストとの共通性は表れている。

左派と右派のこのような相似は、本章冒頭で触れた、西洋と近接しながら疎外されてきたロシアの微妙な位置に関わるものだろう。しかし、経済的にはほとんど世界中が西洋の資本主義システムに組み込まれた現在、西洋と近接しながら疎外されているという位置は、ロシアだけの問題ではない。日本であろうと中国であろうと、あるいは資本主義システムの中心をアメリカに奪われた西欧諸国や、文化的には西欧への劣等感を味わってきたアメリカにすら、共有されうる問題かもしれない。ロシアの哲学の「世界性」がそこにある。

さらに詳しく知るための参考文献

『ミハイル・バフチンの時空』(せりか書房、一九九七年)……同年の『現代思想』四月号(特集＝ロシアはどこへ行く)とともに、ソ連崩壊前後のリベラル派哲学の成果が収められている。

東浩紀編『ゲンロン6』『ゲンロン7』(ゲンロン、二〇一七年)……二号にわたる「ロシア現代思想」特集で、ソ連崩壊後のロシア哲学の流れを概観する。本章で言及したドゥーギン、マグーンの論文も訳出されている。

ミハイル・ヤンポリスキー『デーモンと迷宮――ダイアグラム・デフォルメ・ミメーシス』(乗松亨平・平松潤奈訳、水声社、二〇〇五年)……ポドロガ、ルイクリンと並ぶリベラル派の身体論を代表する著書。ドストエフスキーやユゴーら古典作家から現代ロシアの映画監督ソクーロフまで、身体の多様な歪みが読みとられてゆく。

貝澤哉『引き裂かれた祝祭――バフチン・ナボコフ・ロシア文化』（論創社、二〇〇八年）……本章でも扱った、ロシアの微妙なアイデンティティの問題が、ソ連期を代表する文芸学者バフチンから現代思想までを対象に論じられている。

桑野隆『20世紀ロシア思想史――宗教・革命・言語』（岩波現代全書、二〇一七年）……ロシアの現代思想の紹介に長年尽くしてきた著者が、一九世紀末から現代にわたるロシアの哲学史を一望してみせる。

第8章 イタリアの現代哲学

岡田温司

†「イタリアン・セオリー」、あるいはイタリアの特異性

　ファッションや料理だけではない。世界の思想界でも、イタリアは今ちょっとしたブームである。著作のほとんどが、世界の主要な言語に翻訳されているジョルジョ・アガンベン（一九四二〜）とアントニオ・ネグリ（一九三三〜）は、その代表である。英語圏では、「フレンチ・セオリー」に代わって「イタリアン・セオリー」が台頭してきた、という言い方がされることもある。

　なぜか。そもそもイタリアの思想は伝統的に、国民国家という枠組みに縛られてこなかった。これは、イギリスやフランスやドイツなどとの顕著な違いである。これらの国では、ロック（一六三二〜一七〇四）にせよ、デカルトにせよ、ヘーゲルにせよ、多かれ少なかれ、国民国家の形成や成長と歩調を合わせるようにして、哲学や美学が発展を遂げてきた。

しかし、イタリアの場合にはもともと統一国家なるものが存在しなかった。一九世紀も後半のリソルジメント（イタリア国家統一運動）に至るまでは、多くの都市国家が林立し、さらにこれにヴァチカン勢力が加わるとともに、くりかえしヨーロッパ列強の介入を経験してきた。イタリアの思想は、政治的で宗教的な葛藤にたえずさらされてきた、といっても過言ではないのだ。それゆえ、ジョルダーノ・ブルーノ（一五四八〜一六〇〇）、ニッコロ・マキアヴェッリ（一四六九〜一五二七）、ジャンバッティスタ・ヴィーコ（一六六八〜一七四四）という系譜を見れば明らかなように、生と政治と歴史は、つねにイタリア哲学の中心的なテーマでありつづけてきた。「主体」や「真理」などといった観念的で抽象的な問題よりも、生や歴史の現実的で具体的な問題に関心が向けられてきたのだ。

それゆえ今日、政治や経済などのあらゆる局面で国民国家の枠組みが事実上、弱体化するか崩壊する状況下にあって、イタリアの思想がにわかにアクチュアリティを帯びてきたとしたら、それもある意味では必然であるとすらいえるかもしれない。以下では、イタリア的思考がもっとも典型的なかたちであらわれる、「生政治」と宗教（キリスト教）と芸術をめぐるテーマに絞って、近年の動向を素描してみよう。

†「アガンベン効果」

なかでも、アガンベンへの関心の高まりは特別で、「アガンベン効果」と呼ばれることもある。そのきっかけとなったのが、一九九五年に出版された『ホモ・サケル』である。フーコー由来の「生政治」の思考を極限にまで推し進めたこの本は、数年のあいだに多くの言語に翻訳され、世界的な成功をおさめたのだった。では、その理由はどこにあるのか。

何よりもまず挙げられるのは、この本があたかも黙示録的な予言の書のごときものとして受け止められた、という点である。恒常化する例外状態、「剝き出しの生」、近代政治のノモスとしての収容所など、『ホモ・サケル』のなかで系譜学的に検証されたテーゼが、とりわけ九・一一以後の世界情勢のなかで、にわかに現実味を帯びてきたのだった。『ホモ・サケル』から三年後に上梓された『アウシュヴィッツの残りのもの』もまた、賛否両論あわせて、世界的な反響を呼ぶことになる。ここでアガンベンは、フーコーが未決のままに残した問題、つまり「生政治は何ゆえに死の政治へと転倒するのか」に挑戦する。

アガンベンによれば、この転倒はある意味で必然である。なぜなら、本来ひとつのものであるはずの「生」を、医学的で生物学的、政治的で法学的な装置によって線引きしようとするかぎり、生の序列化や選別がおこなわれるのは避けがたいからだ。ナチズムにおいてそれはもっとも極端なかたちをとったが、民主主義の社会においても、この選別はより表面化しにくいかたちで進行している。

二〇〇〇年の『残りの時――パウロ講義』以来、彼の思考はさらに、「神学的転回」とでも呼びうる新たな展開を遂げている。二〇〇七年の『王国と栄光』や二〇〇九年の『裸性』において暴き出されるのは、政治や経済、法や美意識など、さまざまな局面において現代もなお、神学がいかに「世俗化」された装置として機能しているか、という点である。

しかもアガンベンの思考は、「世俗化」を確認するだけにとどまらない。もう一歩先、つまり「瀆聖《とくせい》」が求められる。なぜなら、たとえば主権のパラダイムが神の超越性の「世俗化」にほかならないという認識にとどまるかぎり、その権力自体は手つかずのまま残されるからである。「宗教としての資本主義」（ベンヤミン）と社会全般の「スペクタクル化」（ギー・ドゥボール）がますます進行する現代、つまり「世俗化」と「神聖化」とのあいだの区別がほとんどつかなくなっている現代において、「瀆聖」は喫緊の課題であると、アガンベンはいう。そのための有効な戦略として彼がかねてより唱えているのが、「〜しないでおく」という積極的選択としての「無為」であり、潜勢力を潜勢力のままにとどめおくという勇気である。

聖フランチェスコ（一一八二〜一二二六）とその修道会の理念について論じた近著『いと高き貧しさ』（みすず書房、二〇一四年）において、アガンベンは、かねてより彼に取り憑いていたアイデア、すなわち「所有」から「使用」へ、「豊かさ」から「貧しさ」への発想の転換をいっそう推し進めている。近代の政治と経済を支えてきた繁栄や利益の追求、所有や私有の思想が、徹底的に相対化され「瀆聖」されていくのである。

†共同体と免疫——エスポジトの射程

「生政治」に関連して、もうひとり忘れてはならない存在がある。ナポリの政治哲学者ロベルト・エスポジトである。その思想の特徴をひとことで要約するなら、「生政治」を「共同体」や「免疫」の問題系へと接続させた、という点に求めることができよう。その成果は、濃厚な三部作、『共同《コムニタス》　その起源と運命』（一九九八年）、『免疫《イムニタス》　生の保護と否定』（二〇〇二年）、『ビオス　生政治と哲学』（二〇〇四年）のうちに結実している。

まずエスポジトは、語源にさかのぼってみようと提案する。たとえば「共同体」はこれまで、帰属意識や仲間意識、同一性や類似性といった観点から思考されてきたのだが、語源的にはむしろ逆の意味である、という。ラテン語の「コムニタス」は、「～とともに」という意味の「クム」と、「贈与や捧げもの」あるいは「義務や負担」を意味する「ムヌス」からなる語で、それゆえ本来は、帰属や所有を意味するというよりも、わたしがあなたに負うべき何らかの義務を、つまりは潜在的な不在や欠如を表わしている。

それにもかかわらず、共同体の概念は、伝統的に、自己同一的な主体のカテゴリーに基礎を求め、それによって守られ練り上げられてきた。エスポジトが批判するのは、まさしくこの点である。集団の形式へと拡張された個として共同体をとらえるかぎり、この共同体は、あくまでも自己の固有性や所有権（領土、民族、言語、文化、宗教など）に閉ざされた個を志向することになる。民主主義、自由、主権などといった、西洋の政治的伝統の主たる概念もまた、ほとんどの場合この観点から論じられてきた。

一方、「免疫」の語源となった「イムニタス」は、同じく「ムヌス」に、否定の接頭辞「イン」がついている。つまり、「コムニタス」とは逆に「イムニタス」は、そのような義務や負担から構成員たちを免除するものとなる。こうして「イムニタス」は、危害を加える恐れのあるあらゆる外的要素にたいする防衛と攻撃というかたちで、政治的・医学的に発動される。もちろん、免疫システムは必要不可欠なのだが、過度の免疫化が自己破壊を招くこともまた事実である。とりわけ九・一一以後、より大きな安心と自由を確保するという名目のもと、セキュリティの戦略が過度に作動し、より大きなコントロールが介入している。

相反する力としての「コムニタス」と「イムニタス」、それらにはさまれるようにして展開されるのが、エスポジトにおける「生政治」の思考である。生政治はもちろん、一方で生を保護し、保障し、増強させるという役割をもつが、他方では反対に、フーコーが暗示していたように、死の政治へと裏返る可能性を秘めている。先述したようにアガンベンは、この裏返りを、歴史的でかつ論理的な必然とみなした。これにたいして、ネグリが生政治の新たな可能性を積極的に評価したことはよく知られている。

アガンベン的な悲観論とネグリ的な多幸症、エスポジトが克服しようともくろむのが、この二律背反である。生政治を、生にたいする主権の過剰な行使とみなすアガンベンと、逆に、主権にたいする生の豊かな潜勢力とみなすネグリにたいして、エスポジトが提起するのは、生と政治とはすぐれて内在的な関係にあるという視点であり、そのための重要な鍵概念となるのが、生物学的でかつ政治的な「免疫」というわけである。

†キリスト教をめぐる問い

とりわけ一九九〇年代に入って議論が再燃しているのが、宗教（とりわけキリスト教）をめぐる問題系である。一方で、同じ根を持つはずの一神教間の対立、他方で、キリスト教原理主義の台頭という状況を前にして、教条的でも宗派的でもなければ、月並みの普遍主義や世界教会主義（エキュメニズム）でもない、新たな宗教哲学が求められているのだ。

この文脈でまず名前が挙げられるのは、「弱い思想」で一九八〇年代にさっそうと登場したジャンニ・ヴァッティモ（一九三六〜）であろう。ニーチェとハイデガーの研究から出発したヴァッティモは、近年の宗教回帰の現象において、必然性と危険性の両面が抱き合わせになっている点に注意を促す。たとえば、科学とテクノロジーの著しい発達によって、とりわけ生命倫理の分野で、合理的な思考や論理だけではとうてい解決のつかない深刻な問題——生と死、自己決定と運命とのあいだのヘラクレスの柱——にわたしたちは直面しているが、このことは、ある意味では必然的に、（それを神と呼ぶかどうかは別にして）超越的なものの存在と向き合わせることになる。だが、そこにはまた、神秘主義やドグマ的な信仰が忍び込むという危険性が潜んでいる。宗教をめぐるこうした状況を、哲学は自覚的に受け止めて批判的に思考しなければならない、宗教を回避してはならない、とヴァッティモは考えるのである。

さらに、ここでぜひとも取り上げておきたい思想家がもうひとりいる。セルジョ・クインツィオ（一九二七〜一九九六）である。ヴァッティモやマッシモ・カッチャーリ（一九四四〜）らに大きな影響を与えた「異端の改宗者」である。その思想は、「神の敗北」を真正面から受け止めることから出発する。強制収容所のホロコーストに行きついてしまったキリスト教の歴史とは、まさしく失敗の歴史、神の沈黙の歴史以外の何ものでもない、というわけだ。この事実を認めないかぎり、キリスト教はふたたび現実逃避と自己正当化の暴力へと陥ってしまう、その深刻な危機意識が、クインツィオの強靭にして真摯な思考を支えている。

この現代の予言者によれば、信仰と不信仰、信じることと信じないこととのあいだには、絶対的な境界線など存在しない。ほかでもなくキリストその人が、十字架上で神への不信——「どうしてわたしをお見捨てになったのですか」——を思わず漏らしたように、信仰の核心には不信があるのであり、信仰とは、信じることと信じないこととの葛藤にほかならない。もしそうでないとしたら、信仰はみずからに安住し充足してしまい、何の疑いも持ちえなくなってしまうだろう。信仰の暴力なるものは、まさしくそこに起因するのである。今日、クインツィオの思考が新たなアクチュアリティをもって響くとするなら、それはまさしく、宗教的な原理主義と不寛容が政治や外交のいたるところで幅を利かせているからにほかならない。

†芸術と美の思想

最後に、イタリアの美学思想についても触れないわけにはいかない。この国は何をおいてもまず、芸術の国である。美学、あるいは「アイステーシス」というギリシア語の語源にさかのぼると「感性の学」は、まさしくイタリアの思想の存在証明そのものであるとすらいっても過言ではない。二〇世紀以降に話をかぎるとしても、詩学から政治学まで、あらゆる知を横断するベネデット・クローチェ(一八六六〜一九五二)の思想の出発点は、ほかでもなく美学にある。現代では、文学から哲学まで、多彩な分野でその才能を発揮しているウンベルト・エーコ(一九三二〜二〇一六)が、このイタリア的伝統の良き継承者である。

ここで取り上げておきたいのは、マリオ・ペルニオーラ(一九四一〜二〇一六)である。その思想をひとことで要約するとするなら、「通過」ということになる。イタリア語で「トランジト」、英語の「トランジット」に相当する。飛行機の乗り継ぎのことがすぐに連想されるかもしれないが、この語にはまた「あの世への旅立ち」、つまり「死」の意味もある。日常的にも使われる語をあえて呼び出すことで、この美学者が模索するのは、ヘーゲルによる弁証法的総合とも、ハイデガーによる形而上学の超克とも異なる第三の道である。問題は、総合でも超克でもなくて、あくまでも「同一物から同一物への移動、通過」なのだ。

「通過」は、けっして垂直軸の方向――たとえば神や「（大文字の）他者」のような――になされるのでも、対立物の総合という形式をとるのでもなく、どこまでも水平の方向にスライドしていくようになされる。もちろん、その方向性は一定のものではないし、引き返しや軌道修正も可能である。「通過」の究極にある死もまた、上方（天国）や下方（地獄）でわたしたちを待ち受けているのではない。それは、あくまでも「通過」と同じ平面上で起こる。それゆえ「通過」とは、日々のささやかな死の準備のことである、といいかえることもできるだろう。このように、「通過」は一挙に他のものへと向かうわけではないが、わたしたちのうちに変化と非同一性への扉をいつも開いてくれている。感性と想像力――それゆえ芸術――の豊かな可能性は、超越性や過激性のうちにではなくて、ささやかな「通過」のうちに求められる。

さて、そろそろ筆を擱くときがきたようだ。ことによるとイタリア人は、わたしたちとはまた別の時間を生きているのではないか。彼らと付き合っていて、しばしばそう思えてくることがある。これは何も、総じて彼らが時間にルーズだから、という理由だけによるわけではない。彼らは、たとえば多くのアメリカ人や、そして今や私たち日本人もまたほとんどがそうであるように、もっぱら現在と未来だけに目を向けて生きているのではない。過去は彼らにとって、現在という時間と切り離して考えることはできない。

ヴァールブルク的な言い方をするなら、おそらく太古以来の記憶の痕跡が、さまざまなかたちでそれと気づかれないまま、彼らの身体そのもののうちに深く刻み込まれているのだ。それはちょうど、ローマという町が、バフチンのいうクロノトポスさながらに、複数の時空をポリフォニックに響き合わせているのにも比することができるだろう。アナクロニー（時代錯誤）とエテロトピー（混在郷）、それこそイタリアの思想の特徴でありつづけている。アクチュアリティは、アナクロニーゆえに発揮されるのだ。革新的な詩人にして映像作家ピエル・パオロ・パゾリーニ（一九二二～一九七五）がいみじくも、「わたしは過去の力である」と宣言していたように。その不思議なパラドクスにこそ、おそらく、イタリア的ダイモンとその申し子たるこの国の現代思想の最大の特徴と魅力が隠れている。

さらに詳しく知るための参考文献

ジョルジョ・アガンベン『ホモ・サケル――主権権力と剝き出しの生』（高桑和巳訳、以文社、二〇〇三年）……アガンベンの名を一躍世界に知らしめた主著。全九書からなる「ホモ・サケル」シリーズの根幹をなす書でもある。

ロベルト・エスポジト『近代政治の脱構築――共同体・免疫・生政治』（岡田温司訳、講談社選書メチエ、二〇〇九年）……「共同体」と「免疫」をキータームとして、民主主義と全体主義という相反する政治形態を徹底分析する。

マリオ・ペルニオーラ『無機的なもののセックス・アピール』（岡田温司・鯖江秀樹・蘆田裕史訳、平凡社、二〇一二年）……感覚と感性、想像力とエロスをめぐって展開される哲学・美学のセクシュアル化の痛快な試み。

岡田温司『イタリア現代思想への招待』（講談社選書メチエ、二〇〇八年）……イタリア現代思想の全体的な見取り図を示すとともに、代表的な哲学者について解説する。

岡田温司『イタリアン・セオリー』（中公叢書、二〇一四年）……アガンベン、エスポジト、カッチャーリを中心に、イタリア現代思想におけるアクチュアリティの所在を明らかにする。

第9章
現代のユダヤ哲学

永井 晋

「ユダヤ」は、民族概念でもあれば宗教概念でもあり、あるいは文化概念でもあるように、明確な定義を持たない。一義的に規定できないことこそユダヤの本質なのだとさえ言える。しかしこれらの多様な規定はいずれも歴史的なものである。これに対して、ここでは超歴史的な「ユダヤ性」をもっぱら問題とする。これは、歴史的な多様性に関わりなくユダヤ的なものの本質を指す概念であって、それは律法と生命からなる。

歴史的なものと超歴史的なものとのこの区別から、「ユダヤ人哲学者」と「ユダヤ哲学者」が区別される。「ユダヤ人哲学者」とは、歴史的な意味でユダヤ民族に属する哲学者であり、その哲学の内容が必ずしも「ユダヤ的」でなくともよい。この意味でのユダヤ人哲学者として、例えばフッサール、ウィトゲンシュタイン、アドルノ（一九〇三～一九六九）、ホルクハイマー（一八九五～一九七三）、レヴィ＝ストロース（一九〇八～二〇〇九）などを挙げることができる。これに対して、ここで「ユダヤ哲学者」というのは、意図的であるか否かを問わず、その思想が

「ユダヤ性」からなっている哲学者を指す。具体的にはローゼンツヴァイク、ベンヤミン、ショーレム、レヴィナス、デリダ、ベルクソンなどであり、範囲を哲学外にまで広げるなら、そこにフロイトやカフカを加えることもできる。

ここでは、これらの哲学者たちの思想を逐一説明するのではなく、それらを代表するものとしてエマニュエル・レヴィナス（一九〇六〜一九九五）を例に取り、律法と生命からなるユダヤ性がどのように現代哲学の地平に導入されて現代の「ユダヤ哲学」が形成されているかを明らかにする。

†同化と回帰

ユダヤ哲学者たちを生み出すきっかけとなったのは、一方で近代におけるユダヤ人の西洋世界への同化の失敗、他方で二度の世界大戦による西洋的価値の崩壊という二重の危機である。いわゆる「同化ユダヤ人」は、モーゼス・メンデルスゾーン（一七二九〜一七八六）によるユダヤ人啓蒙運動（ハスカラー）に始まり、フランス革命によるユダヤ人解放を経て、伝統的なユダヤ人共同体から脱出して西洋近代の国民国家の一員になることを目指した人々である。しかし、一九世紀になっても伝統的ユダヤ教は形骸化しつつも消滅することはなく、かといって、彼らが西洋近代社会においてあらゆる分野でめざましい成果を挙げても、同化が本当に実現したわけではなかった。このような、ユダヤ教によるアイデンティティを失いながら西洋人にもなり切れないという曖昧な状態がこの世代のユダヤ知識人たちを基本的に特徴づけている。

他方で、一九一四年と一九三九年にそれぞれ勃発した二つの世界大戦は、同化ユダヤ人たちの目標として揺るぎないものと思われていた西洋世界とその価値を決定的に瓦解させた。哲学的には、ギリシアとキリスト教を二つの軸とする西洋の理念を最終的に完成させたと見られたヘーゲルの体系はすでに綻び始めており、体系に決して入らない実存の探究がキルケゴール（一八一三〜一八五五）やニーチェによって行われ、それは『存在と時間』のハイデガーやサルトルの実存主義によって受け継がれてゆく。

存在と歴史の体系をはみ出す実存というこの時代の問いに、ヘーゲル研究から出発した同化ユダヤ人フランツ・ローゼンツヴァイク（一八八六〜一九二九）は「ユダヤ」によって答えようとした。彼にとって、体系をはみ出すものは一方でハイデガーと同じく「死に面した実存」だが、それは同時にキリスト教に対する「ユダヤ教」でもある。そして、このユダヤ的実存を西洋的実存から区別する特性は、他者関係の根源性にある。人間は他者に面し、他者と対話することで初めて体系から抜け出し、本来の実存になるというこのユダヤ教に基づく考えは、ローゼンツヴァイクとともにトーラー（旧約聖書）のドイツ語訳に携わったマルティン・ブーバー（一八七八〜一九六五）にも共有され、それは次世代のレヴィナスの他者の哲学に受け継がれていく。

ローゼンツヴァイクは、ユダヤの伝統を知らない同化ユダヤ人としてドイツに生まれ育ち、ヘーゲル研究者を自認していたが、このような時代の危機的状況の中で、キリスト教への改宗をいったんは決断しつつも、その直前になってユダヤ教に目覚め、それに回帰する。同様に、レヴィナスも西洋哲学の研究から出発しながら、その後タルムードの優越性を発見し、それを西洋哲学を根底から批判するものとして自らの哲学に導入する。

この、同化の失敗と西洋的価値の崩壊という二重の危機的な時代状況に対する回答としてのユダヤ回帰は、他の同化ユダヤ人の哲学者たちにも共通して見られるものである。例えばゲルショム・ショーレム（一八九七〜一九八二）はその画期的なカバラー研究とそれに基づく反歴史理論によって、またヴァルター・ベンヤミン（一八九二〜一九四〇）はカバラーをモデルとした言語論や天使論、メシア論などによって、失われたユダヤ性を現代哲学の地平の中に取り戻すのである。そして、ゲットーから解放され、西洋に同化したはずのユダヤ人に対する西洋の仕打ちが激化してゆく中で、彼らは「ユダヤ対西洋」という対立図式を鮮明にしてゆく。こうして、現代の「ユダヤ哲学」は、西洋哲学を全面的に批判するものとなるのである。

では、歴史的ユダヤ教を通して伝承されてきた「ユダヤ性」とはどのようなものか。ユダヤ的な神の経験は律法と生命という相反する二つの側面からなる。一方で、神はユダヤの民をエジプトから脱出させ、カナンの地に帰還する途上、預言者モーゼにシナイ山頂で十戒の石板を授けた。唯一神の宣明、偶像崇拝の禁止に始まり、殺人の禁止に代表される倫理的戒律に至るこの一〇の基本的な律法を核として成文律法トーラー（旧約聖書の最初の五書）が形成され、これがユダヤ教の基礎となる。

他方で、この掟の贈与に先立って、神は初めにモーセを召命したさい、モーゼの問いに対して「わたしはあるであろうものであるであろう」（エヒエー・アシェル・エヒエー）という未完了形の、未来に向かうものとしての名を明かしていた。それは、モーゼが最初に目にした神の象徴、「燃えても燃えても燃え尽きない木」とともに、未来永劫にわたって子孫を生ませ、ユダヤ民族を存続させる神の生命の動性を表している。神のこのダイナミックな側面は、永遠に変化することのないトーラーの律法を口頭で常に新たに解釈し直す口伝律法タルムードによって実現される。

このように、永遠に同一に留まる成文律法トーラーと、そこに常に新たな意味を探り出す口伝律法タルムードの二重の律法のいわば創造的弁証法こそがユダヤ民族による神の経験であり、それがユダヤ性の本質をなすのである。

律法と生命の矛盾を介して経験されるこのユダヤ的な神の経験の特殊性は、ミドラシュ（隠れた意味を探ること）といわれるタルムード解釈学の手法に具体的に見ることができる。それは律法を理解するために読むのではなく、むしろある地平（文脈）内での理解（意味）を解体し、テクストをいったんその潜在性に戻して、そこに新たな意味を発見するために読むものである。そこで目指されるのは正しい理解ではなく、もっぱら新しい解釈、あるいは解釈の新しさなのである。そのためにミドラシュ解釈学は三つの独自の技法を使用する。ある文や語を、それらの文字に対応する数値に変換し、それと同じ数値を持った別の語や文に送り返す「ゲマトリア」、一つの文を複数の断片に分解して、それらの断片を順序を変えて新たに組み合わせる「ノタリコン」、語の文字を入れ替える「テムラー」の三つである。

これらはいずれも、ある地平内でテクストの意味が理解されるや否や、その意味が一義的に固まらないように瞬時にしてその地平を解体し（例えばそのテクストを数値に変換し）、すぐさま別の地平を形成する（例えば同じ数値のテクストに置き換える）ための手段である。しかしこの新たな地平とそこで生じる意味は、それが出来する瞬間に、これもまたすぐさま解体されて別の新たな地平が形成されねばならず、これが無限に反復される。地平が一時的に解体され、炸裂させられるこの瞬間において律法と生命が交差し、それによって解釈者は新たな意味を解き放ち、一瞬時間と歴史の外に出る。厳密な意味でユダヤ性をなすのは、地平が垂直に断ち切られて連続的な時間と歴史が破れ、そこに神が律法の新たな意味の出来として、あるいは意味の絶対的な新しさとして顕現するまさにこの瞬間なのである。

†全体性と無限

では、このユダヤ性は現代の哲学にどのようにして取り込まれるのか。「現代のユダヤ哲学」はいかにして可能なのか。その典型的な例がレヴィナスの哲学である。リトアニア出身のユダヤ人であるレヴィナスはフランスとドイツで西洋哲学、とりわけ現象学を学ぶ一方、タルムードの師に出会い、それ以来、生涯ユダヤ教を実践し続けた。彼の哲学は、このように西洋哲学とユダヤの伝統という二つの相異なる源泉を明らかにし、後者による前者の批判もしくは補完という自らの思考の構成をはっきりと示している点で現代のユダヤ哲学の範例となるものである。

現代ユダヤ哲学の基本的な特徴をなす「ユダヤ」と「西洋」の対立は、レヴィナスの最初の主著である『全体性と無限』のタイトルに端的に表れている。全体性とは、西洋を構成する二つの伝統、ギリシア哲学における同一的な存在と、キリスト教における連続的な歴史を指す。これに対して無限はそこから外れる、あるいはそこに律法を媒介として現れつつ隠れるユダヤ教の神を指す。全体性が、その地平的構造によって多様性や他者性を自らの内に同化し、非連続の瞬間を連続させて全体化するのに対し、無限はこの全体性を瞬間において断ち切り、非連続の瞬間をその特異性、すなわちその絶対的な新しさにおいて救い出す。このように、全体性の地平的なメカニズムを解体し、ユダヤ的無限によって西洋の全体性を乗り越えること、言い換えれば無限によって全体性を審問すること、それがこの著作でレヴィナスが試みたことである。

では、無限は全体性の地平をかわしていかにして現れるのか。無限が律法を介して隠れつつ現れるこの瞬間はいかに構造化されているか。この瞬間は、形式的には過去・現在・未来の三次元の時間化によって差異化されるが、それは、神の外部の世界を現象させる地平的、連続的で全体化的な世俗的時間化ではなく、それをいわば脱臼させ続ける垂直の時間化である。

この極めて特殊でユダヤ的な、連続を解体して無限を顕現させる時間性を現象学的に記述するにあたり、レヴィナスは、ローゼンツヴァイクの『救済の星』の叙述を通して、一六世紀のカバリスト、イサク・ルリア（一五三四〜一五七二）の教説を参照する。この教説は、ショーレムも彼のカバラー的反歴史理論の中枢に据えている、現代のユダヤ哲学にとって極めて重要な参照項である。それによれば、神はその外部への天地創造（地平的時間化）に先立って、神の内部で次のような時間化によって顕現した。

①過去＝創造＝「神の収縮」（ツィムツム）
②現在＝啓示＝「器の炸裂」（シェビラー・ハ・ケリーム）
③未来＝救済＝「修復」（ティクーン）

①自己の外部に無から天地（地平的世界）を創造するに先立って、太古の過去において、神は自己の内部に収縮し、そこに原空間を開いた。そこに神の光が流入して一〇の器（セフィロートで表現される）を形成するが、これらはその象徴的多義性により、神の一〇の律法をも意味する。これが原初の創造である。②そこにさらに神の光が流入してきて、これらの器のうち下位の七つは神の光を受け止めきれずに炸裂し、破片となって飛び散る。これが現在における成文律法トーラーの啓示とその断片化を表す。③この器の破片を集めて修復することがタルムードによる律法の解釈であるが、その実践はメシアの到来、すなわち未来の救済を早めるメシアニックな行為である。

このように、ルリアのカバラーの教説は、成文と口伝の二重の律法を神の生命の全体の中に位置付け、ユダヤ教を神秘主義的に基礎付けるものである。

カバラーにおいて神話的物語として語られるこの神の時間化の三次元を、レヴィナスは現象学の方法によって主観的な体験に還元し、それぞれ①「分離された自己」、②「他者の顔」、③

「顔の彼方（恋人とのエロス的経験）」として記述し、現代哲学の文脈の中で他者論として新たに語り直す。

①「分離された自己」の原型は、ローゼンツヴァイクが第一次世界大戦の体験において、全体性に決して回収されないものとして発見した「死に面した自己」である。この観念は当然ハイデガーの言う「死への存在」を連想させるが、それはハイデガーの現存在のような「世界内存在」ではなく、世界の外もしくは手前にあり、存在や他者や神も含むすべてから分離された、徹底して孤立した自己である。レヴィナスはこれを「エゴイズム」や「無神論」として記述している。この自己の成立が、歴史に先立つ過去における創造である。

②そのような、世界からラディカルに分離された自己にして初めて、世界地平の境界線上で、他者としての他者に、その「顔」において出会うことができる。これが現在における神の啓示、つまり律法（「汝殺すなかれ」）であるが、その現在は、連続的地平時間の一契機ではなく、その地平時間の連続を垂直に断ち切って無限が顕現する瞬間である。

③倫理的命令としての他者の顔は、タルムード解釈学においてと同じく、瞬間において垂直に現れるや否や全体性の地平の中に回収され、他者（神）の顕現ではなくなる。そのため、顔は他者の顔、もしくは無限の自己啓示である限り、地平をかわして垂直に隠れねばならない。この垂直の隠れが未来の「顔の彼方」である。

この隠れの経験を、レヴィナスはミドラシュの伝統に従って、恋人とのエロス的関係、具体的には「愛撫」として記述する。愛撫することによって、恋人は所有されるどころか、逆にさらに深く隠れて欲望を釣り上げる。そしてこのエロス的経験の結果として、恋人は第二の他者である子を生むのである。タルムード解釈学がトーラーのミドラシュ的解釈を恋人を愛撫することになぞらえ、そこで発見される新たな意味を子の誕生になぞらえるのに対し、レヴィナスの現象学では、顔の彼方のエロス的経験は文字通り子を生むこととして記述されている。そしてこの、絶対に新たなものとしての子を生むことが未来の救済であり、メシア的経験なのである。

†生命そのもの

レヴィナスの哲学が依拠するユダヤ教は基本的にタルムードであり、律法を元にした倫理学であるが、上に見たように、『全体性と無限』ではカバラーが導入されることで、タルムード的倫理が、神の生命全体の中に組み込まれて初めて神の経験として機能することが明らかにされている。そこでは生命（エロス・神）は律法（顔）の方からそのエロス的な「彼方」としてのみ経験されているが、これをカバラーによって逆転させて律法を生命の方から見るなら、律法は生命の自己限定となる。顔、倫理的律法とは神が歴史の中でユダヤ民族に向けた顔であり、彼らに明かされた神名の一つに過ぎないのであって、決して神（生命）そのものではない。カバラーとは、この相対的な律法の彼方の神そのものを経験しようとする試みである。

この生命そのものを、律法に媒介されることなくその内側から経験し、それを哲学化した現代のユダヤ哲学者がアンリ・ベルクソン（一八五九～一九四一）である。瞬間ごとに自らを絶えず新たに創造する生命を、それを停止させる空間化された時間から解放する「純粋持続」論から、生命がいかなる地平にも制限されることなくアナーキーに炸裂する「生命の跳躍」に至るまで、彼の生命論は「燃えても燃えても燃え尽きない」ユダヤ的生命をその内側から語ったものであり、真に新たなものの創出としての生命を、その外部から停止したものの動きに偽装する西洋哲学の地平的思考から取り戻すものである。

さらに詳しく知るための参考文献

エマニュエル・レヴィナス『全体性と無限』上・下（岩波文庫、二〇〇五・二〇〇六年）……現代の他者論を代表するレヴィナスの最初の主著。同一性に解消されない他者を、「汝殺すなかれ」という倫理的律法を他者の「顔」として現象学的に記述することによって示している。

フランツ・ローゼンツヴァイク『救済の星』（みすず書房、二〇〇九年）……ローゼンツヴァイクがユダヤ教を基にして、他者との対話における実存をヘーゲルの全体性をはみ出すものとして論じた主著。その視点からユダヤ教とキリスト教の差異と関係についても論じられている。

ゲルショム・ショーレム『ユダヤ神秘主義』（法政大学出版局、一九八五年）……カバラー学を創始したショーレムの代表的著作。古代から近代までのカバラーの歴史が扱われており、カバラー研究の最も重要な基本文献だが、ショーレム自身の反歴史理論の基礎にもなっている。

ヴァルター・ベンヤミン『ベンヤミン・コレクション1 近代の意味』（ちくま学芸文庫、一九九五年）……ベンヤミンが「創世記」を参照して言語の神的起源を探った言語論「言語一般および人間の言語について」が収められている。

アンリ・ベルクソン『思考と動き』（平凡社ライブラリー、二〇一五年）……ベルクソンの、新たなものへの創造的生成変化としての生命論が分かりやすく論じられている講演集。

第10章　ナチスの農業思想

藤原辰史

†ダレーとバッケの農本主義思想

　農業をめぐるナチスの思想は、一枚岩ではない。大きく分けて、人種主義的かつロマン主義的な一派とテクノクラート的な一派に分かれている。ナチスの農本主義的な思想として言及されるのはもっぱら、ナチ期の食糧・農業大臣のリヒャルト・ヴァルター・ダレー（一八九五〜一九五三）に代表される前者のグループだが、後者のグループを見逃してはならないのは事実だ。その代表格はヘルベルト・バッケ（一八九六〜一九四七）である。

　一八九六年にグルジアのバトゥミで生まれた在外ドイツ人のバッケは、第一次世界大戦時に祖国ドイツにわたって従軍したあと、ソ連計画経済下の農業の研究を行ない、ナチ党に入ってからは、ダレーが大臣を務める食糧・農業省の次官を務めた。しかし彼は、ダレーのロマン主義的な農本主義的を毛嫌いし、ダレーの背後で実質的な農政の権限を握っていく。一九三六年に始まる第二次四カ年計画の責任者であったヘルマン・ゲーリングの信頼を得て、バッケは、戦争遂行に必要な食糧の生産、消費、配分の徹底的な管理を目指した。第二次世界大戦開戦後は、占領地の食糧計画に従事し、現地住民への食糧供給を計画的に減少させる悪名たかき「飢餓計画（Hungerplan）」は彼の立案である。

だが、選挙でナチ党が農民票を獲得し、没落する中間層の反近代的な気分をナチ党支持へと向かわせたナチスの思想のうち、その根幹となったのは、民族と自然の結合を謳う「血と土（Blut und Boden）」であった。もともとはシュペングラー（一八八〇～一九三六）が用いたこの概念を、ナチ党の根幹的概念に変えたのはダレーであった。ここでは、上記のような農政の多頭状態を念頭に置いたうえで、ダレーの思想に触れていきたい。

一八九五年にアルゼンチンで生まれた在外ドイツ人であるダレーは、第一次世界大戦とともにドイツに戻り、志願兵として従軍、戦後ハレ大学で家畜、特にブタの育種を学び、そこでハンス・F・K・ギュンターなどの人種主義の著作にのめり込む。ナチ党に入党した彼は、ヒトラーの信頼を経て、ナチスの農村進出の先頭に立った。もともと都市での得票を目指していたナチ党は、一九二八年に、金融不況で負債が焦げ付く農村票獲得へと舵を切る。そして世界恐慌で農村が壊滅的な打撃を受ける中で、ダレーは、独自の農本主義を展開していく。ダレーが最も精力的だったのはこの時期であり、政権獲得後は穀物徴発や価格政策の失敗などで失点を重ね（古内博行『ナチス期の農業政策研究1934‐36――穀物調達措置の導入と食糧危機の発生』東京大学出版会、二〇〇三年）、次第に政治的影響力を失っていく。一九四二年五月には食糧・農業大臣を健康の理由で辞任することになる。

それゆえ、本稿では、精力的だった時代の彼の書籍や演説を読みながら、ダレーの思想の論点を整理したい。

†人種主義と農業思想

第一に、ダレーの人種主義と農業・畜産をめぐる思想との交点を説明したい。

ダレーは、「血と土」というナチスのスローガンの聖典とも言われた『血と土から生まれる新貴族（Neuadel aus Blut und Boden）』（一九三〇年）の中で、第一次世界大戦の兵営や戦場は、「とても異なった教育を受けてきた若い人間たちが集う」ことで、「民族共同体」の意識が芽生える、と述べる。ここでは、「上下差別なし」「食べるのも寝るのも共同の生活」であったと振り返っている。しかし、ドイツは敗北する。その理由のひとつとしてダレーが挙げるのが、第一次世界大戦中の一九一五年に起こった「豚殺し（Schweinemord）」で、食糧不足の中では豚が人間の食料と競合するという理由で、学者が豚の屠殺を指示し全土でパニック的な豚の「殺戮」が繰り広げられた、という事件である。

「北方人種とセム人種を分ける試金石としての豚（Das Schwein als Kriterium für nordische Völker und Semiten）」『民族と人種（Volk und Rasse）』（一九二七年）という論文の中で、ダレーはこれらの学者の多くがユダヤ人だったと決めつける。ダレーによると、それゆえに飢餓が蔓延し、七六万人の餓死者が生じて敗戦したが、その理由をユダヤ人による裏切りだとする「背後からの匕首伝説」を、農業の視点から裏付けようとする。ドイツ人は「豚への愛着」が強い。よって豚を放つ場所であり、餌の供給源である「森への愛着」が生まれている。だから、ユダヤ人のような「遊牧民」であり「根無し草の感覚」を持つ人種とは異なる、という論法だ。

第二に、このような第一次世界大戦の敗戦原因を人種主義的に説明する論調に加え、ダレーは「北方人種」の血を持つ「農民」の純粋さと健全さを讃える。「北方」とは、ギリシアのような「南方」の古典文化への対抗を意味する。アルプス以北にもギリシアに匹敵する「北方」の古典文化があったことを、いくぶん歴史を捏造しながら強調する。

ダレーは、二冊目の著作である『北方人種の生命の源泉としての農民層』（一九二九年）で、北方人種の祖先をインド・アーリア人とし、アーリア人が森から平野に出てきた農耕民族であることを主張。「私」より「公」を優先させる「三圃式農法」はゲルマン文化の象徴だ、とする。また、ハレ大学で育種を学んでいた自分を「動物飼育における厳密なメンデル主義派出身」と誇る。あくまで自分は科学的観点に立っていると主張するのだ。そして、メンデリズムを崇拝するダレーは、「遺伝」こそが「貨幣」にかわる新しい価値基準だと述べる。

ダレーは、基本的に多くのナチ党幹部と同様に資本主義、とくに金融資本主義の批判者であった。ユダヤ人が金融を支配し、ドイツ農民たちの借金をどんどん増やすという図式を無理やり作り、他方で農民たちを価値づけるものとして「遺伝」を持ち出す。さらに、農民（Bauer）は、戦士（Krieger）であり、貴族（Adel）である、と称揚する。主著のタイトルに「新貴族」という聴き慣れない言葉があるのはそのためである。「血と土」よりも有名ではないが、「すき（Pflug）とつるぎ（Schwert）」というスローガンには、農民は仕事で身体を用いるので、都市の人間とは異なり健康で兵士としても優秀だというメッセージが込められている。

念のために付け加えれば「血と土」の「土」は、単なる農地として捉えられていない。作物だけではなく「北方人種」も「育つ」場所とダレーは考えている。現に、農民たちが育つ農場をダレーは「苗場（Hegehof）」とさえ呼んでいるからだ。

†反資本主義と遺伝学

第三に、一九三三年一〇月一日に公布された「世襲農場法（Erbhofgesetz）」に見られるような、資本主義から自然を切り離そうとする運動である。ここでは主著『血と土から生まれる新貴族』を読んでみよう。

ダレーは、こう述べている。「自然の「荒廃」は、こうした損得勘定の思想によって完全に公然となるのだ。これに反して、自然との結びつきを感じている営農家は、森の生命法則的なるものに従い、己の節度を保つことと、損得計算狂いの魂の抜けた影響力に己の節度を失う必要などないことを知っているので、その慈しみにあふれた手によって、なんとどれほどの生命の充溢を魔法のように呼び起こすことができるだろうか！」

反資本主義的なエコロジーとも接合するダレーの考えは、では、いったい何がその根拠となっているのか。やはり、繰り返すが遺伝学である。ダレーは、同書でこう述べている。「遺伝学が科学的に確立して以来、外見だけで判断し血の遺伝的価値にもとづいて決められていない身分の境界は、それと関連した身分に関する先入観とともに自壊した。〔……〕新時代的で進歩しつつある学問の一分野、すなわち自然科学が、ある一定の条件のもとでわがゲルマン民族の祖先の倫理観へと再び回帰する道を拓いてくれた。というのは、この倫理観というものは、遺伝的に是認された人類の不平等のうえに建設されるものであり、この認識に、今日の自然科学が回帰したからである」。

以上の観点から、ダレーは、食糧・農業大臣に任命されたあと、「世襲農場法」を成立させる。「農民」を「ドイツ民族およびそれと同種族の血を有するドイツ国民であり、尊敬に値するものに限る」と定義し、七・五から一二五ヘクタールまでの農場の分割、売買、譲渡を原則的に禁止して、農民を市場から部分的に切り離し、しかし、農民の経営への自主性は尊重し、人種的にピュアな農民を育てる農場として価値を高めることを目指した法律である。

ダレーは述べる。農場の中心には「火」がある。つまり台所だ。「かまど（Herd）が家族の中心であり、聖壇であるというこの太古の習俗は、部分的には今日まで保たれている。すなわち、古いドイツの農民の屋敷では、主婦の安楽椅子がつねにかまどの後ろにおかれていた」という回顧的文章からは、ダレーが、ある意味の有機体的な農場イメージを持っていることがわかる。

†「血と土」の思想と有機農法

以上のことから、ダレーならびに「血と土」の思想とは、何よりもまずドイツの優秀な人種をドイツの地で育てることを肯定する世界観であることが分かるだろう。資本主義の世界でもなく、かといって社会主義のような集団化の世界でもなく、その折衷の農業を目指す。

反都市、反金融資本、反ユダヤ人の混合であるダレーの農本主義は、「工業界の経済指導者は、根底において、農業利益および、農業経営上の経営目的じみたものを判断するには、もっとも不適格な人間である」という単純極まる反工業主義にまで結びつくもので、ある意味のラディカルさを孕んでいた。

このようなダレーのラディカルさは、党内の反対を押し切って、バイオダイナミック農法というシュタイナー（一八六一～一九二五）の有機農法を支持したことにもつながっている。彼は、一九四一年六月七日の党の同志にあてた手紙で、パリが陥落し、農業国フランスから小麦が輸入されるようになればドイツは安泰となる、よって、今後はドイツの土壌の劣化を防ぐために、化学肥料を使わない農法についても検討すべきではないか、と呼びかけている。ここでは、ヨーロッパを代表する化学者で、のちに化学肥料が普及する土台となる植物栄養理論を築いたリービッヒを批判し、化学を玉座から追い払い、それはヒトラーが首相になって「リベラリズムの経済思想の支配を打ち破ったこと」と密接につながっている、と息巻いている（ベルリン・リヒターフェルデ連邦文書館　請求番号 NS19/3122）。

ただし、この有機農業のプロジェクトは戦争遂行のために実現しなかったし、そもそも、現在のエコロジーとは質が異なる。それは、アーリア人種については上下のない平等な社会をイメージしつつ、それ以外の他者の存在を差別化することで一貫していたからである。ダレーは、資本主義による土壌の破壊について、一九二〇年代から三〇年代のあいだに警鐘を鳴らしつつも、それを経済問題ではなく、人種問題として論点をずらして考えていた。このポピュリスト的なアプローチは初期の段階ではある程度の力を持ちえたが、他方で、現実からの遊離の象徴とさえなった。

「血と土」がナチスの根幹思想だからといって現在の私たちが土について論じることができないのはおかしい、とドイツの環境史家のフランク・ユケッターは述べた。ダレーの思考の紆余曲折を丹念に掘り起こせば、おそらく、ナチズムに陥らないエコロジーの道筋を辿るヒントを得ることができるだろう。

さらに詳しく知るための参考文献

豊永泰子『ドイツ農村におけるナチズムへの道』（ミネルヴァ書房、一九九四年）……日本のナチス農業研究の第一人者のアンソロジー。

フランク・ユケッター『ナチスと自然保護――景観美・アウトバーン・森林と狩猟』（築地書館、二〇一五年）……ドイツ環境史の第一人者が執筆したナチスの自然保護をめぐる研究書。

藤原辰史『カブラの冬――第一次世界大戦期ドイツの飢饉と民衆』（人文書院、二〇一一年）……第一次世界大戦期のドイツの飢えの原因とその結果を歴史学的に研究する。

藤原辰史『新装版 ナチス・ドイツの有機農業――「自然との共生」が生んだ「民族の絶滅」』（柏書房、二〇一二年）……バイオダイナミック農業の支持者たちとナチス農政との微妙な関係を追う。

第11章

ポスト世俗化の哲学

伊達聖伸

†「ポスト世俗化」状況のなかのチャールズ・テイラー

二〇世紀後半のある時期までの西洋社会では、近代化・産業化・都市化にともなう宗教の衰退という単線的な世俗化論が有力だった。だが、一九七〇年代頃から世界的に宗教復興や宗教への回帰と呼ぶことができる現象が見られるようになり、従来のパラダイムは変更を迫られた。「公共宗教論」で知られる宗教社会学者ホセ・カサノヴァ（一九五一〜）は、西洋近代がもたらしたのは世俗と宗教の領域分化であって、それは必ずしも宗教の衰退と私事化をもたらさないと論じて世俗化論に重要な修正を施した。一方、世俗の人類学者タラル・アサド（一九三二〜）は、ポスト植民地主義の観点から、宗教と世俗の二分法に基づく西洋近代の世俗主義の見方を批判的に問い返した。また、「ポスト形而上学の思想」を掲げ理性に基づく社会構成を論じてきたユルゲン・ハーバーマス（一九二九〜）が宗教への関心を示すなど、社会哲学・政治哲学の領域でもパラダイム・シフトが起きている。

こうしたなかで「ポスト世俗（セキュラー）」が語られるようになり、この言葉を冠する論文や書籍が多く刊行されている。多文化主義（マルチカルチュラリズム）を論じたコミュニタリアンとして知られるチャールズ・テイラー（一九三一〜）も、一九九〇年代に「宗教的転回」（テイラー研究者ルース・アビィの言葉）を遂げてカトリックについて明示的に論じるようになったと指摘され、「ポスト世俗化」の哲学者の一人と目されている。

たしかに、「近代は宗教から人びとを解放した世俗の時代であり、現代はそれが問い直されているポスト世俗化の時代である」といった図式はわかりやすい。だが、「ポスト世俗」とは、字義通りには世俗のあとということである。世俗の時代は本当に過ぎ去ってしまったのだろうか。イギリスの宗教社会学者ジェームズ・ベックフォード（一九四二〜）は、（少なくともイギリスでは）近年の公共空間における宗教の可視性の高まりは国家の宗教政策と連動するものであって、「ポスト世俗」の時代への突入を示すものではないと論じ、この語を用いる議論に懐疑的な姿勢を示している。

実は、カサノヴァも、アサドも、ハーバーマスも、テイラーも、「ポスト世俗化」の代表的論者と思われている印象に反し、この語を積極的に用いるわけではない（四人のなかでその思想の展開を「世俗からポスト世俗」へとまとめる違和感が一番少ないのはハーバーマスで、ポスト形而上学的思考の地平を切り開いた彼は、ある時期より哲学は宗教的伝統に学ぶ必要があるとの主張を強めるようになった）。それでも、四人が西洋近代ひいては近現代世界において覇権を握った「世俗」――それはしばしば現在の通念でもある――のいくつかの側面に批判的な考察を展開している点は共通している。

こうした点に留意し、本稿では、世俗と宗教をめぐる議論がなされている現代の状況にチャールズ・テイラーの哲学を位置づけ、その特徴を少しずつ浮き彫りにしていく。テイラーの思想にはどのような一貫性または変化が見られるのだろうか。彼自身は「ポスト世俗化」という用語を積極的に用いていないのだとしたら、どのような言葉で何を論じているのだろうか。それと多文化主義との関係はどのようになっているのだろうか。そこから世界哲学の意義として何を引き出すことができるのだろうか。

†ケベックのナショナリズムとテイラーの多文化主義

チャールズ・テイラーの活動拠点が、カナダのフランス語圏であるケベック州であることはよく知られている。イギリス系の父とフランス系の母を持つバイリンガルだが、ケベックでは彼を英語話者《アングロフォン》の哲学者と見る向きが強い。ケベックでは一九六〇年に「静かな革命」がはじまり、カナダからの独立を目指すナショナリズムも高まった。テイラーの思想はそのような時代と社会のなかで練りあげられてきた。

もともとカトリックの影響が強いケベックで起きた「静かな革命」は、必ずしも反宗教的な世俗主義に彩られていない。むしろ近代的なカトリック左派が主導したもので、代表的な知識人にフェルナン・デュモン（一九二七～一九九七）がいる。彼はラヴァル大学の社会学教授であると同時に神学者でもあり、「静かな革命」後も宗教的な著作を書き続けた。一九六八年に設立され七六年に政権を獲得したケベック党のブレーンとして、七七年に採択されたフランス語憲章の作成にも関わった。ケベック党はもともと左派ナショナリスト政党で、八〇年と九五年の二度にわたりカナダからの主権獲得を目指して州民投票を実施した。

テイラーは一九六〇年にカトリックの雑誌『ダウンサイド・レヴュー』に「教権主義」と題する論考を寄せている。そこにはエマニュエル・ムーニエ（一九〇五～一九五〇）、イヴ・コンガール（一九〇四～一九九五）、アンリ・ド・リュバック（一八九六～一九九一）らカトリック左派の名前が見える。主張内容もカトリックの社会活動の必要を唱えるもので、その点ではデュモンらフランス語話者（フランコフォン）のカトリック左派が当時述べていたことと近い。だが、これ以降テイラーは長いあいだ自分がカトリック信者であることを著作のなかでは必ずしも明示的に示さなくなる。

一九五〇年代にオックスフォード大学に留学したテイラーは、イギリスのニューレフト運動に感化され、六一年にカナダに帰国すると同年に誕生した「新民主党」（NDP）の政治活動に携わった（連邦議会総選挙に四回立候補しすべて落選したが副党首も務めた）。英系カナダ左派に位置するテイラーは、経済面ではカナダの対米自立を唱え、政治面では個人と集団の平等を志向するなど、脱中央集権的で再配分をする連邦主義を支持した。

一九七一年にカナダ連邦政府首相ピエール・エリオット・トルドー（一九一九〜二〇〇〇）は二言語・多文化主義の政策を打ち出した。ところが、これはケベック州にしてみれば、「建国の二つの民」であるはずのフランス系カナダ人の独自の文化が、他のさまざまな文化と横並びにされ、またケベック社会内部を断片化するものと受け止められ、あまり評判がよくない。

一九七一年はジョン・ロールズ（一九二一〜二〇〇二）の『正義論』が公刊された年でもある。マイケル・サンデル（一九五三〜）は、ロールズのいう自己とは「負荷なき自己」だと批判し、「位置づけられた自己」を提唱したが、この「リベラル・コミュニタリアン論争」におけるテイラーの位置はサンデルに近い。言語と文化が人間を形成すると考えるテイラーは、抽象的個人を前提とする手続き的なリベラリズム（procedural liberalism）を批判し、個人を文脈に位置づける見方を示した。

テイラーの考える「承認の政治」とは、言語と文化の権利については連邦政府に対して集合的権利とケベックの大義を擁護するが、ケベックの政治的自己決定への権利については個人の権利に依拠して拒否するというものである。テイラーの多文化主義は、カナダ連邦政府の手続き的なリベラリズムにも、ケベック州の主権獲得を目指すナショナリズムにも距離を設けていると言える。一九九五年の州民投票の際には、独立を主張しているのは「生粋のケベック人」による排外的なナショナリズムであるという趣旨の発言をし、デュモンを憤慨させている。

†間文化主義的なライシテとテイラーの位置

政治学者のベルナール・ガニョンは、テイラーの立場は一九九〇年代半ばを境として、民主主義国家は公共善を目指すことができるという主張から、国家の中立性というリベラルな原理を受け入れる方向に変化したと論じている（*Politique et Sociétés*, 31-1, 2012)。これはコミュニタリアニズムからリベラリズムへの「転向」にも見えるが、ケベック社会が変化するなかで彼が一貫した姿勢を保っているがゆえの変化とも言えよう。興味深いのは、この変化が、ルース・アビィの言うテイラーの「宗教的転回」の時期と重なることである。

フランスでは、共和主義的な社会統合を志向するライシテが有力で、政治家ベルナール・スタジ（一九三〇～二〇一二）が二〇〇三年に主宰した委員会の提言に基づき、公立校における宗教的標章の着用を禁じる法律が翌年採択された。ケベックでは、フランス語系の歴史学者ジェラール・ブシャール（一九四三～）と英語系の哲学者チャールズ・テイラーを共同委員長とする委員会が二〇〇七年に発足し、翌年まとめられた報告書では、社会統合と多様性の承認を両立させる間文化主義（インターカルチュラリズム）と「開かれたライシテ」が提唱されている。

ケベックから見ると、多文化主義は連邦政府の政策で、社会を文化集団によってモザイク化する傾向を持つと映る。一方、間文化主義は文化集団間の相互交流を促しつつ、社会統合を可能にするものとされる（多文化主義と間文化主義の違いが質的なものか、程度問題か、実質的には同じと見ることができるかをめぐっては、さまざまな見解と論争がある）。

ブシャール＝テイラー委員会報告書は、ライシテの目的は個々人の精神的な平等と良心および信教の自由にあるとし、そのための手段として教会と国家の分離、そして宗教および世俗の価値観に対する国家の中立性があるとしている。この観点からは、フランスのライシテは厳格な分離が自己目的化したものと映る。

あえて言えば、二人の共同委員長のうち、ブシャールは社会統合の側面にも力点を置くのに対し、テイラーは統合の強調に警戒心を抱く。二人とも、二〇一〇年代にケベック州政府がライシテの名の下にイスラームのヴェールを規制する方向に傾いたのに批判的だが、ブシャールは裁判官など高度に中立性を体現すべき人物の着用規制を提言する委員会報告書の立場を維持している。一方、テイラーは、二〇一七年にケベックのモスクが襲撃された事件のあと、報告書の立場を逸脱する形で宗教的標章の規制全般に反対の態度を示した。

†宗教の時代から世俗の時代へ、そして……

テイラーは、二〇〇七年の主著『世俗の時代』において、世俗性《セキュラリティ》を「公共生活における宗教の衰退」、「宗教的信条と実践の衰退」、「信仰の条件の変容」の三つに区別し、特に三番目の位相に注目して西洋における人間のあり方の変化を分析する。近代以前の「魔術的な世界」における行為主体は「多孔的な自己」(porous self)で、外部の霊的諸力との境界は不明瞭であったが、「脱魔術化」された近代においては、外部の諸力から自分自身を分離する「緩衝材に覆われた自己」(buffered self)が、人間のうちに道徳的秩序を生み出す力を見出す。テイラーが世俗の時代にあって宗教の意義を強調するのは、支配的潮流である排他的人間主義に抗い、多孔的な人間観を回復する試みとも言えよう。

他方でテイラーは、正統とされる宗教が支配的な「旧デュルケーム型」の体制においては、人びとは自己の宗教的本能と外的な掟の差異を感じても、後者にしたがう必要を容易に感じることができたという。これに対し、「新デュルケーム型」の世界においては、人びとは神の摂理の機能を担うようになった国家につなぎとめられつつ、宗教を選択することが認められる。さらに一九六〇年代以降、各人が自分にとっての「ほんもの」を精神的生活の中心に据える傾向が支配的になる「ポスト・デュルケーム型」の時代に突入すると、個人化と多様化が進む。

ポスト・デュルケーム型の時代の世俗は、多元主義の承認を課題とすることになるだろう。

テイラーは、マックス・ウェーバー（一八六四〜一九二〇）やマルセル・ゴーシェ（一九四六〜）の「脱魔術化」の議論を踏まえているが、ウェーバーが言う近代の「鉄の檻」からは抜け出そうとしている。また、人間は意味を切望し、宗教は無意味への回答であるという考えにテイラーは必ずしも賛同していない。ウィリアム・ジェイムズ（一八四二〜一九一〇）を評価するテイラーは、真理とはそれに向かって実際にある程度歩んでいかないかぎり隠されたままで、信じることによって開ける道があると考えている。

テイラーにとっては、宗教を世俗や無神論の観点に対立するものと見なす理由はないのであって、人の生き方を支える価値としての宗教と世俗には優劣の差はない。現代の世俗の社会における公的な議論において、ハーバーマスは宗教の（特別な）言語を世俗の（理性的な）言語に「翻訳」することを求めるが、テイラーにしてみれば、宗教の言語を特別扱いする世俗には一種の偏りがあるということになるだろう。

国家の中立性とは基本的には多様性への応答であるという考え方は、西洋の「世俗的」な人々のあいだにまだまだ浸透していません。宗教は訳のわからないもので、脅威になることすらあるという見方におかしなほどのこだわりがあるせいです。（「なぜ世俗主義を根本的に再定義すべきなのか」『公共圏に挑戦する宗教』）

テイラーは、宗教を問題視する世俗主義（ライシテ＝セキュラリズム）の態度とその精神の貧困さに批判的で、あるべき世俗（ライシテ＝セキュラー）の体制とは宗教を含むさまざまな信条の自由と平等を最大限実現するための枠組みであると考えている。テイラーを「ポスト世俗化の哲学者」と呼ぶことができるとすれば、それは彼が合理主義や理性支配や排他的人間主義の世俗の限界を批判し乗り越えようとする点においてである。

†非西洋の世俗と宗教を考える

世界哲学の観点からテイラーを考えると、まずは彼がケベックの英語系の哲学者として、フランスやドイツの大陸哲学と英米系の分析哲学の流れを汲みスケールの大きな思考を展開してきた点が挙げられる。その幅は広いと言えるが、論述の軸足はあくまで西洋にあり、「世界」の観点からは狭いと見えるかもしれない。ただし、彼は西洋近代の世俗を自明視せず、批判的にとらえ返して地域的特性を自覚し、宗教と世俗の理念を救い出そうとしており、その議論の地平は世界哲学の名にふさわしいと言うべきだろう。

ロバート・ベラー（一九二七～二〇一三）は、論集『世俗の時代における世俗主義の諸相』（二〇一〇年）のなかでテイラーとハーバーマスと丸山眞男（一九一四〜一九九六）を比較し、三人とも近代についての規範的な理解を持ち、公共空間の批判精神が経済と国家を監視すべきであると考えていたと述べている。丸山もベラーも日本の思想は超越的な契機を欠くと見ており、丸山の懸念は日本人が普遍的な射程を備えた外来の思想を崇めて特殊主義に陥ることだったとベラーは言う。丸山の前近代に対する評価は低いが、テイラーはカトリックという前近代の文化を廃棄すべきではないと考える。だが、過去を批判的に取り戻すことは近代の倫理的プロジェクトを達成するための本質的条件と見なすテイラーの考えには、丸山も同意したはずとベラーは主張する。

論集『世俗主義再考』（二〇一一年）に論文「アジアにおける世俗主義、宗教変動、社会的葛藤」を寄稿したリチャード・マドセン（一九四一〜）は、テイラーが設けた世俗性の三つの区分を政治的・社会学的・文化的と整理し、アジアへの適用可能性を探っている。マドセンは中国、インドネシア、台湾を事例として、アジア諸国は形式的には西洋に対して世俗的な政治体制の外観を整えているが、その内側にはしばしば宗教的な精神が隠れていると論じる。社会の世俗化について言えば、アジアは宗教的にダイナミックで西欧よりも米国に近い。西洋では宗教を私的な信仰と見なす向きが強いが、アジアでは儀礼や神話が重視される。文化的には、アジアの宗教には個人の信仰よりも共同体の実践という特徴が見られるが、都市化などにともない集合的実践の意味は変化し、個人の感覚に合致する信仰と実践の体系を選択する傾向が増えている。

たしかに、テイラーの議論の背後にある宗教と世俗の二分法は西洋キリスト教的なものである。しかし、彼の思想はその二分法に基づく西洋近現代の世俗と宗教の内実や序列を前提とするものではなく、問い直すものである。それゆえ、非西洋における世俗と宗教の関係を考察する際にも、必ずしも全面的にテイラーに逆らう必要はなくて、ある程度まではテイラーとともに考えることができる。

さらに詳しく知るための参考文献

チャールズ・テイラー『世俗の時代』上・下（千葉眞監訳、名古屋大学出版会、二〇二〇年）……テイラーの「第三の主著」待望の邦訳。分厚いが、かじり読みでも勉強になる。部分的エッセンスは『今日の宗教の諸相』（伊藤邦武・佐々木崇・三宅岳史訳、岩波書店、二〇〇九年）でも読める。なお、第一の主著『ヘーゲル』（一九七五年）は未邦訳で、別の形でまとめたのが『ヘーゲルと近代社会』（渡辺義雄訳、岩波書店、一九八一年）、第二の主著は『自我の源泉』（下川潔・桜井徹・田中智彦訳、名古屋大学出版会、二〇一〇年）。

ルース・アビィ『チャールズ・テイラーの思想』（梅川佳子訳、名古屋大学出版会、二〇一九年）……広範なテイラーの思想の全体像を体系的かつ簡潔に示そうとした入門書として定評がある。

ユルゲン・ハーバーマス、チャールズ・テイラー、ジュディス・バトラー、コーネル・ウェスト、クレイグ・カルフーン『公共圏に挑戦する宗教――ポスト世俗化時代における共棲のために』（箱田徹・金城美幸訳、岩波書店、二〇一四年）……現代の民主主義における宗教の位置づけをめぐる討論を収録。ハーバーマスとテイラーの違いを知るには、二人の「対談」の部分を読むとよい。

ジェラール・ブシャール、チャールズ・テイラー『多文化社会ケベックの挑戦』（竹中豊・飯笹佐代子・矢頭典枝訳、明石書店、二〇一一年）……ブシャール＝テイラー委員会報告書の簡略版。テイラーの思想を理解する鍵のひとつは、フランス語圏であるカナダ・ケベック州の文脈である。テイラーとほぼ同世代のカトリック左派でフランス語系のナショナリズムを主導した知識人フェルナン・デュモンの『記憶の未来』（拙訳、白水社、二〇一六年）も参考にしてほしい。

高田宏史『世俗と宗教のあいだ――チャールズ・テイラーの政治理論』（風行社、二〇一一年）……日本のテイラー研究には蓄積があるが、世俗と宗教の問題を正面から扱ったものは少ない。本書は、政治学の観点から『世俗の時代』その他の著作を読み込み、マイケル・サンデル、タラル・アサド、ウィリアム・コノリーなどとの比較を通じて、テイラーのカトリック的多元主義の特徴を明らかにする。

第12章

モンゴルの仏教とシャーマニズム

島村一平

†ポスト世俗化とポスト社会主義

科学技術が発達し社会が近代化すると宗教のような「迷信」はやがて消え失せる――こうした世俗化論が今や過去のものとなってしまったことはよく知られている。アメリカで台頭する福音派・キリスト教原理主義。イスラーム国やタリバンに代表されるイスラーム原理主義。むしろ近代による世俗化を経て、宗教は再活性化している。現代社会は、まさにハーバーマスが唱えた「ポスト世俗化社会」(二〇一五年)であるといっていい。

ソ連に代表される旧社会主義国は、社会主義的無神論の下、国家によって上から「世俗化」が行われたことで知られる。その一方で、社会主義を生き抜いた一般の市民にとって世俗化とは何だったのか。あるいはソ連崩壊後(一九九一年)の「ポスト世俗化」とは、どのようなものだったのか、といった問いに対して十分な答えは出ていないように思われる。

多くのポスト社会主義の宗教現象に関する研究では、社会主義時代を通じて宗教実践が「抑圧」されてきたことを自明の事実として扱い、ポスト社会主義となり宗教は劇的に「復興（リバイバル）」したものとして捉えてきた。社会主義期の宗教実践に関しても、宗教は公的空間から追放された結果、私的空間に隠棲した――家庭内でのみ宗教行事を行った――という議論が一般であった。

なるほど社会主義崩壊以降、ロシアではロシア正教が、カザフスタンやウズベキスタンといった中央アジア諸国ではイスラームが「復興」を遂げている。しかしそこに欠けているのは、上からの無神論（世俗化）政策とは異なる次元で生じる、連続的な人々の宗教実践への視点である。

そもそも「ポスト社会主義」の「ポスト」という語は、必ずしも終わってしまった連続性のない現象をさすわけではない。例えば、コロニアルとポストコロニアルの関係を考えてみよう。ポストコロニアルといえば、植民地時代に始まった支配―被支配の関係が終わって旧植民地がまったく自由になったことを意味するわけではない。むしろアフリカや南米諸国といった「コロニアル」を経験した国々は、欧米から政治的に独立したものの、いまだ経済的に旧宗主国の支配下にある。それが「ポストコロニアル」である。しかし「ポスト社会主義」といったとき、社会主義の遺産がどれだけ考察されてきたのか。とりわけ宗教に関しては、社会主義期の遺産は等閑視されてきたといってよい。

実はロシアや東欧、モンゴルなどの旧社会主義圏では、驚くほどオカルトや呪術が興隆している国が多い。それに対して従来の宗教の「抑圧―復興」論は説明する術をもたない。これに対してここで提示するのは、実は社会主義とは宗教や近代システムの呪術化だったのではないか、という仮説である（島村二〇一八）。社会主義の呪術化は大きく二つに分かれる。第一に宗教の制度的部分（教会や寺院といった宗教組織、神父や僧侶といった聖職者、聖書や経典といった聖典など）が社会から隔離された結果、むしろ宗教の持つ非制度的側面、つまり呪術的側面が強化されたという「宗教そのものの呪術化」である。第二に社会主義が築いた近代諸制度が現地の人々に超自然的な「呪術」として理解されたのだとする「社会主義的近代の呪術化」である。この社会主義＝呪術化論は、社会主義時代とポスト社会主義時代の宗教実践の連続性を説明できるだけでなく、ポスト世俗化の議論を考える上で新たな素材を提供できるのではないだろうか。

そこでこの小稿では、世界で二番目に社会主義国となったモンゴル国（旧モンゴル人民共和国）を事例に、彼らの伝統宗教であったチベット・モンゴル仏教とシャーマニズムを事例に旧社会主義圏の世俗化とポスト世俗化を考えてみたい。モンゴル人はそもそもシャーマニズムを信仰してきたが、清朝の支配下に入った一七世紀後半以降、チベット仏教が急速に広まった結果、人々は二〇世紀初頭には男性人口の三分の一が僧侶になるくらい、仏教に心酔した。社会主義を経た現在も人口の六割程度が仏教徒だと言われている。その一方で、仏教に押されシャーマニズムはマイノリティの宗教として残ったが、二〇一〇年頃には、モンゴル国民の人口の一％近くがシャーマンになるほど、流行した（島村二〇一六）。

†社会主義の中で生き残るシャーマニズム

二〇世紀初頭、ロシアやモンゴルにおいて「科学的無神論」を標榜する社会主義政権が樹立すると、宗教は社会主義の無神論的立場から弾圧されていく。そもそもマルクスは社会主義社会へ移行すれば、宗教は自然に消えていくとする「宗教の自然死」を想定していた。しかしソ連の指導者レーニンはそれを信じておらず「近代化のために宗教を無くさなければならない」と読み替えていった。したがって一九三〇年代、教会や寺院は破壊され、聖職者は還俗させられていった。モンゴルでは多くの僧侶が社会主義建設の的である「黄色い貴族」とされ粛清されていった。黄色い貴族とは、チベット仏教ゲルク派（黄帽派）からつけられた呼び名である。こうして寺院の持っていた家畜群は国家に没収され、化身ラマ（転生活仏）の多くは銃殺されていった。一方、シャーマニズムも「迷信」「偽医学」「前近代の残滓」であるとされ、その活動は禁じられた。

ただし社会主義時代を通して宗教は均質的に弾圧されていたわけではない。一九三〇年代に吹き荒れた宗教弾圧は第二次大戦中から緩和されるようになる。確かにキリスト教や仏教、イスラームといった制度宗教は、その活動に厳しい制限がかけられたが、宗教組織、聖職者、聖典といった宗教の制度的部分を社会から隔離しようとした結果、むしろ宗教の制度的側面から漏れる部分は強化されていったのである。

イギリスの社会人類学者キャロライン・ハンフリーによると、ソ連（現ロシア）の南シベリアに住むモンゴル系の民族ブリヤートにおいて、制度宗教である仏教がその制度性ゆえに破壊された一方で、非制度的なシャーマニズムが相対的に社会主義に依存しながら補完的に生き残ったのだという。チベット・モンゴル仏教は、イデオロギーがあり官僚的な僧侶の組織や生産組織（家畜群や畑）をもっていたのでソビエト共産党と競合する関係にあった。そこで共産党によって仏教教団は徹底的に弾圧・破壊され仏教寺院の財産や生産手段も没収された。ところが寺院や聖職者の組織や生産組織を持たないシャーマニズムは、イデオロギーや制度性という点で共産党と競合しない。むしろソビエト・イデオロギーが労働の価値や生産性といった肯定的な価値に固執したせいで、災厄の説明など否定的な価値をシャーマニズムが補完的に担当し得たのである。わかりやすく言えば、ソビエト共産党は五カ年計画に代表される「未来」を語ることができても、日常生活における病気や災害、人の死の理由を説明することができない。これに対してシャーマンたちは「森の精霊が怒っている」といった「理由」を説明することで人々の精神的な支えとなり、生き残りに成功したのである。

同様にモンゴル国においても社会主義時代、シャーマニズムは滅んだのではなく、シャーマニズムを支える思考法が、人々の心の中で生き続けた。モンゴルの東部地域に住まうモンゴル・ブリヤート人の例でいうならば、何か病気や災厄が身に降りかかると「ルーツ（先祖霊）に（シャーマンになって彼らを祭祀するように）ねだられている」と決まったかのように考えた。このパターン化された思考法が、社会主義時期を通して人々の間で共有されていたからこそ、シャーマニズムは命脈を保ったのである（島村二〇一一、二九六〜三〇五頁）。

†化身ラマと呪術としての社会主義

一方、ロシアと異なりモンゴルでは、人民革命党と競合関係にあるはずの制度宗教が呪術として生き残ることとなった。社会主義時代に編纂された国史『モンゴル人民共和国史』の第二版（一九六九年）にも「僧侶であった児童・青年たちの中から党や国家の活動家・さらに偉大な指導的人物さえもが輩出した」とある。つまり、多くの還俗僧が国家の中核を担ってきたのである。というのも社会主義革命直前のモンゴルでは男性人口の三分の一が僧侶であった。読み書き能力がある彼らを排除して新国家の建設は不可能だったのである。

こうして社会主義時代、還俗したラマたちの多くは、学校教師や地方の役人などへと姿を変えていった。そして人々はといえば、密かに呪術儀礼を還俗したラマたちに施してもらっていた。モンゴルでは、今も社会主義期も仏教は日常生活の中で呪術実践という形で広く浸透している。わかりやすく言えば、彼らにとって仏教との一番の関わりは、厄除けのためにラマに経を読んでもらうことにある。この読経のことをモンゴル語では「ノム・オンショーラハ（経を読んでもらう）」という。一方、僧侶の側からすると、こうした読経のことを「グルム・ザサル」と呼んでいる。グルムはチベット語でザサルはモンゴル語であるが、どちらも治療や厄除けといった意味である。

したがって人々の仏教の教義に対する関心は極めて低い。この点では日本と似ているといえよう。ただし厄除けと言えば日本では神社であるが、モンゴルでは仏教寺である。これに加えてモンゴルでは、厄年など決まったときに寺院を訪れるのではなく、何か困ったことがあれば頻繁に寺を訪れてラマに経を読んでもらう。例えば家族が病気になったり、仕事がうまくいかない、あるいは人間関係に悩みがあるといった場合、モンゴルの人々はまずは寺院へ向かい経を読んでもらう。逆に何も問題がないときは、彼らは寺院に寄り付かない。つまり「困ったときのラマ頼み」、これがモンゴルでの仏教信仰の一番の特徴であるといってよい。したがってラマの読経が「効かない」と判断されれば、人々は簡単にシャーマンや、時にはキリスト教にさえ乗り換えていく。一般の人々にとって大事なのは即効性のある呪術なのであって、教義云々ではないのである。こうした厄除けのための読経は、呪力が強いラマであるほど効力があるとされる。モンゴル語で「ノムトイ・フン」すなわち「経典や学問がある人」と言った場合、単純に知識ではなく、なんらかの神通力がある人物だと理解される。そういった「ノム（経典）のある僧侶」の中でもとりわけ力があるとされるのが、化身ラマたちである。

社会主義期、幼少時に「化身ラマ（転生活仏）」と認定されながら、還俗し社会主義時代、ネグデル（牧畜共同組合。モンゴル版のコルホーズ）の物資配給担当者（アーゲント）として生き抜いた人物がいた。還俗ラマ、ツェレンドンドブ（一九一九〜一九九六）、通称「アーゲントさん」である。彼は、一一世紀後半から一二世紀にかけて活躍したチベットの高名なヨーガ行者、カギュ派の宗祖ミラレパ（一〇五二〜一一三五）の四代目の転生者とされたことから「ミロ聖人（*milo bogd* モンゴル語でミラレパのこと）」とも呼ばれた。

彼が党の地方幹部としておこなった政策は、地元の人々たちによって、活仏の呪的能力の高さゆえに成功したと考えられた（島村二〇一八）。また「地域の子どもたちが病気になると、公衆の面前で角砂糖をくれて『これを飲んでおきなさい』とだけ言ったが、本当に元気になった」などと人々は話す。角砂糖と言えば、モンゴルの人々が社会主義時代に初めて口にしたものである。本来、遊牧民であった彼らは、二〇世紀に始まる社会主義による近代化を迎えるまで、肉と乳製品のみの食事に親しみ、野菜はもちろん穀類や砂糖といった糖質をほとんど取ってこなかった。おそらく調子の悪いとき、貴重な糖分を取ることで人々は栄養ドリンクを飲むがごとく、体力を回復させていたことであろう。重要なのは、そうした「角砂糖」が元化身ラマによってもたらされたという点である。

こうした社会主義と仏教の重なり合う現象は、ザブハン県に限られたものではなかった。モンゴルでは、社会主義期に多くの僧侶が還俗の後に学校教師として再就職したことで知られている。実はモンゴルでは、今も昔も僧侶のことを「バクシ（*bagsh* 先生）」と呼ぶ習慣がある。このバクシという語は、学校の教師を呼ぶときにも使われる言葉でもある。その一方でモンゴル人はダライラマのことを、敬意をこめて「ダライ・バクシ」と呼ぶ。すると、かつてのラマたちは社会主義時代を通して学校の教師になることで、以前と変わらずに「バクシ」と呼ばれ尊敬を受けたのだった。こうした「バクシ」たちに人々は、子どもが生まれるとチベット名を名付けてもらったり、密かに占いをしてもらったりしていたのである。ミロ聖人＝アーゲントさんの事例は、化身ラマであったという点で特殊ではあるものの、おそらくこうした数あまたの還俗ラマのひとつだといってもよい。ちなみにモンゴルでは、ソ連の指導者レーニンのことも「レーニン・バクシ」と呼び習わしてきた。そこに宗教的な含意がないとは、誰も言い切れないだろう。

つまり社会主義時代、少なくともモンゴルにおいて宗教は、一九三〇年代に熾烈な宗教弾圧を経験したものの、その後、まったく私的空間に隠棲したわけではなかった。完全に家庭内に閉じこもったわけでもなかった。宗教の制度化された部分（寺院、経典、宗教的職能者など）が社会から排除された結果、宗教は、呪術的な部分（観念も含む）に特化して社会空間の中で生き残っていったのである。何よりも「社会救済」するという点において、仏教と社会主義は、物語を共有していた。つまり仏教と社会主義イデオロギーは、ぶれた二重写しの写真のように重なり合って現象化していったのだった。

おそらくミロ聖人本人も、どこまでが仏教的な呪術でどこまでがアーゲントとしての仕事だったのか明確な区別はついていなかったかもしれない。少なくともミロ聖人＝アーゲントさんは、衆生済度のための「方便」として社会主義を意図的に利用した可能性は否めない。いずれにせよ、ミロ聖人＝アーゲントは、呪術と近代知の交じり合う身体として、人々の前に立ち現れていた。すなわちこの地域の人々は、化身ラマ＝社会主義のアーゲントを媒介にして、「社会主義という呪術」／「社会主義に密かに実践された仏教呪術」という二重の呪術を受け入れていたのである（島村二〇一八）。

このような二重の呪術化を経て一九九〇年代初頭、社会主義は崩壊し、宗教の自由が保障されるようになった。そうした中、制度宗教の「復興」よりも進んで呪術やシャーマニズム、オカルトが活性化したのは、そもそも社会主義的無神論が生み出した社会自体が、多分に呪術的であったからではないだろうか。さらにポスト社会主義時代、仏教の聖なる山の祭祀を大統領が行ったり、ミロ聖人の祭祀を郡政府が行なったりするなど、政教分離ならぬ「政教協働的」な現象が見受けられる。これらも呪術化した社会主義との連続性の中で理解できる事柄なのかもしれない。

さらに詳しく知るための参考文献

ユルゲン・ハーバーマス「「政治的なもの」――政治神学のあいまいな遺産の合理的意味」（ユルゲン・ハーバーマス他著、箱田徹・金城美幸訳『公共圏に挑戦する宗教――ポスト世俗化時代における共棲のために』岩波書店、二〇一四年）……ハーバーマスのポスト世俗化論が掲載されている。

島村一平「呪術化する社会主義――社会主義モンゴルにおける仏教の呪術的実践と還俗ラマ」（『社会人類学年報』四四号、二〇一八年）……還俗ラマと呪術化する社会主義については、この論文に詳しい。

島村一平「シャーマニズムという名の感染病――グローバル化が進むモンゴルで起きている異変から」（電子ジャーナル『シノドス Synodos Academic Journalism』二〇一六年二月二四日 https://synodos.jp/international/16228）……現在も感染症のように増えるシャーマンに関する論考。

島村一平『増殖するシャーマン――モンゴル・ブリヤートのシャーマニズムとエスニシティ』（春風社、二〇一一年）……手前味噌ながら、モンゴルのシャーマニズム研究の決定版。

第13章　正義論の哲学

神島裕子

†はじめに

「正義はなされよ、たとえ世界が滅ぶとも」。カント（一七二四〜一八〇四）が『永遠平和のために』（一七九五年）のなかで紹介しているこのドラマチックな格言は、生じる帰結のいかんにかかわらず、正義が遂行されることを要求する。正義を果たす義務を何よりも優先するその思想的立場は義務論と呼ばれ、ベンサム（一七四八〜一八三二）によって体系化された「最大多数の最大幸福」の実現を正義とする功利主義とは、真逆の事態を正義とすることがある。これについては「トロリー問題」がよく伝えているだろう。

だが、義務論も功利主義も、正義を主題とする思想的立場ないしは理論であることに変わりはない。つまり以下の通りである。

正義とは、もっとも広い意味では、個々の人間や共同体が本来もつべき「正しさ」である。正義論とは、この個人と社会の正しさにかんして、その内実となる意味を明確にするために、人間の本性や社会の構成原理をめぐる哲学的分析を行い、人間が従うべき法や道徳の原理を明らかにすると同時に、このような原理が採用されるべき根拠を合理的に説明するものである。(山口雅広・藤本温編著『西洋中世の正義論――哲学史的意味と現代的意義』晃洋書房、二〇二〇年、i頁)

現代正義論の主流は、ジョン・ロールズ(一九二一～二〇〇二)の『正義論』(一九七一年)を端緒とする。それはプラトンやアリストテレスを始源とする西洋哲学史を足場とするものであるが、世界各地の哲学教育が西洋の教育機関出身者によって行われているか、あるいは主流に乗るために西洋の方を向いているために、西洋を離れても優勢である。

世界哲学史という、哲学の西洋中心主義の反省から生まれた新たな営みは、現代正義論に何を要求するだろうか。はたしてそれは、非西洋のマイノリティという二重の他者にとって公正なものとなるだろうか。以下では、現代正義論の主流が抱える二種類の問題点を踏まえた上で、その脱西洋中心主義へ向けた取り組みを世界哲学の名にふさわしいものとすべく、これからの正義論が立脚すべき規範を浮き彫りにしたい。

†現代正義論の主流が抱える二種類の問題点

現代正義論の主流は分配的正義論である。西洋哲学史において、分配的正義という概念はすでにアリストテレスに見られるが、サミュエル・フライシャッカーが『分配的正義の歴史』（二〇〇四年）で論じているように、その意味が現代的な意味合い、つまり福祉国家なるものが実現しようとしている、社会の全メンバーの基本的ニーズの保障のための財の分配の意味合いで用いられるようになったのは、貧困の社会問題化を受けて平等主義思想が興隆した一八世紀を経て一九世紀に入ってからであり、広く知れ渡るようになったのは第二次世界大戦後のことであった。決定的な役割を果たしたのはロールズである。

ロールズは、一〇〇〇年以上にわたって人々が財の公正な分配について抱いてきた異質で衝突しあう直観を整理・説明することにより、はじめて分配的正義に関する明晰な定義を提出したのである。これは極めて大きな学術的成果であり、自然数、実数、超限数を定義する際に役立つジュゼッペ・ペアノ、リヒャルト・デーデキント、ゲオルク・カントールの著作に、あるいは集合を定義する際に役立つカントールの著作に匹敵するものである。（フライシャッカー『分配的正義の歴史』中井大介訳、晃洋書房、二〇一七年、一七〇頁）

だが、分配的正義論は「個人と社会の正しさ」の一部分しか扱わない。世界には抑圧、搾取、差別、さらには人間以外の存在に対する不正義など、分配的正義論では解消しえない諸問題がある。財の分配による基本的ニーズの充足がもたらす余裕が、ある程度は有意に働くだろうが、それにも限界がある。ロールズが学界に及ぼした甚大な影響力を持ってすれば、この問題点は現代正義論の主流において共通のものと言えるだろう。

また、現代正義論の主流には、哲学におけるマジョリティの観点で正義を構想しているという問題点もある。ジャマイカ育ちのチャールズ・ミルズの『人種的契約』(一九九七年)は「白人至上主義は現代世界をこんにちの姿にした、名前の付けられていない政治システムである」という旺然たる出だしから始まるが、その政治システムが見いだされているのは、人文学のなかで「最も白い」分野の一つであるとされる哲学である。

ミルズによれば哲学は、「自分たちの人種的な特権を当然視しているために、それを政治的なもの、つまり支配の形態としてさえ理解していない白人によって書かれ、構成されている」のであり、哲学のなかでも特に政治哲学で説かれてきた「社会契約」(平等な諸個人がなす人民としての合意の上に政府が形成されること)は、実のところ「われわれ白い人民」だけによる契約となっている。非白人を構造的に差別し抑圧するこの「人種的契約」と実際の歴史の存在を無視するかのように、ロールズは正義にかんする理想理論を語っている。このような現代正義論には、まさに「白人たちが「Justice 正義」という時、彼らが意味しているのは「Just us 自分たちだけ」なのさ」という、アメリカの黒人たちのアフォリズムが当てはまるのだと、ミルズは述べている（Charles W. Mills, *The Racial Contract*, Cornell University Press, 1997）。

†脱西洋中心主義へ向けた取り組み

ここでは二つ目の問題点について掘り下げたい。ミルズは哲学における白人支配を分析するための概念的ツール（「人種的契約」）を提示しているが、哲学を西洋中心主義から脱却させるための取り組みは他にもある。二〇一六年に京都賞を受賞したマーサ・ヌスバウム（一九四七〜）が、その受賞記念講演「人間的であろうとする哲学」のなかで、「世界の多様な哲学的伝統への好奇心と尊敬の念、そして異文化間の哲学的対話の構築への関心」を有する哲学がヒューマニティの真の進歩に必要であることを指摘したことは、記憶に新しい（稲盛財団のホームページに掲載されている）。

アマルティア・セン（一九三三〜）はヌスバウムと同様の動きを、ロールズ正義論批判の文脈で行っている。『正義のアイデア』（二〇〇九年）で詳細に述べられているように、センの見解では、あらかじめ正義原理を定め、それを国家の諸制度に適用することで了とするロールズの

「先験的な制度主義」は、実現可能性に乏しく、また多様な文脈を生きる人々の選択を十全に評価できない。正義を促進するために採用されるべきは、実現可能な複数の選択肢を比較し、公共的議論を通じてよりましな帰結（実現状態）を選択するという、比較的なアプローチである。

そしてセンによれば西洋の言説は、理にかなった様々な理由づけが世界の諸地域でなされてきたことを見落としてきたが、中東、アジア、アフリカなどの歴史が示しているように、非西洋でも公共的議論はなされてきた。センは、自らの出身地であるインドの歴史からその証拠をふんだんに示す一方、他方で公共的議論の重要性を説いた聖徳太子の『十七条憲法』、スペインから追放されたマイモニデスを受け入れた一二世紀イスラーム世界のサラディンの王国、またネルソン・マンデラ元南アフリカ大統領の故郷で行われていた民主的なタウンミーティングなど、様々な非西洋の事例を紹介している。

†マジョリティ中心主義という障壁

このような試みは、哲学における西洋中心主義からの脱却を進める。それは現代正義論の「白人至上主義」に圧力をかけるだろうが、伝統的集団内部のマイノリティに対する不正義を、伝統の尊重という名目で放置するものであるかもしれない。例えば、「男性中心主義」という信念のもとに、女性を抑圧している伝統的集団について考えてみよう。

ここで、先述のセンが論文「ポジション依存的な客観性」（一九九三年）で提示している客観性のアイデアを取り上げたい。正しさにかんする主張にとって客観性は重要である。センによれば、客観性には「輪郭を描かれたどこかからの見地」によるものがある。例えば、ある人が「太陽と月は同じサイズである」と述べるとき、もしその人と同じポジションにいる人々がそのことを認め、また、太陽と月のサイズに関する科学的情報がないならば、その人（々）の信念は客観的であると言える。だが、その客観性はポジションに依存するものである。もしその人（々）が、太陽と月のサイズを科学的に測定することができる集団と出会ったならば、その人（々）の信念は誤りであると示されうるし、共有されている信念は共同幻想であると示されうる（Amartya Sen, "Positional Objectivity", *Philosophy & Public Affairs*, 22(2), 1993）。

このセンのアイデアをここで敷衍するならば、現代正義論に共有されている信念の客観性もポジショナルなものであり、共同幻想でありうる。ミルズが指摘した「白人至上主義」はそのような幻想の一つであるだろうし、「男性中心主義」もその一つであると言えるだろう。男性中心主義の正義論は、「女性に特有の仕事」とされるものにかかわる諸問題を理論の外部に置いてきた。その最たる例が、アーリー・ラッセル・ホックシールドらやラセル・パレーニャスが研究している「グローバル・ケア・チェーン」であり、そこにおいて自由と平等が保障されていない諸個人の存在である。

ロールズによれば、「正義の二原理」が適用された資本主義社会では、事後的ではなく事前的な対応策によって富と資本の所有を分散させる「財産所有の民主制」が登場し、人々は今よりも平等な出発点に置かれることになる。その推論が依拠するジェイムズ・ミード（一九〇七〜一九九五）は、「財産所有の民主制」では「働くことはむしろ個人的選択の問題になる。（中略）何よりも労働集約型のサービスは（昔ながらの家事奉公と異なり）等しい所得と地位のある人に対してなされうるものとして栄えるだろう」と述べていた（Meade, J.E., *Efficiency, Equality, and Ownership of Property*, George Allen & Unwin, 1964）。その見通しは魅力的だが、現代正義論の主流はこれについてあまり関心を示していない。その理由は、分析の明晰さの追究に多忙であることだけではないだろう。正義論におけるマジョリティにとって、「女性に特有の仕事」を前提とするこんにちの経済社会システムはあまりにも自然で、支配の形態としては理解されていない可能性がある。

しかしそうだとすれば、それは幻想である。現代正義論における「男性中心主義」の共同幻想がどれほど強いものであるかは、女性に対する正義も論じるリベラルな思想的立場が「リベラル・フェミニズム」と呼ばれていることからもうかがえる。その不合理さは、ロールズの原初状態にある当事者たちの半分は女性であるかもしれないのに、その推論される帰結を指摘する哲学者がおしなべて「フェミニスト」とされてしまうことに表れている。このようにして伝統的集団内部では、女性を含むマイノリティは、正義論から「白人至上主義」が消えた後もなお、正義論の他者でありうる。

†世界哲学における正義論の未来

マジョリティの信念が誤りであると指摘されたにもかかわらず、その誤りが正されない場合、ことは厄介である。この「正義論における不正義」は、現状の公共的議論によって是正することは困難であるだろう。なぜならマイノリティは、公共的議論に参加するためのケイパビリティにおいて相対的に乏しく、その議論が往々にして寄って立つ社会通念（共通認識）の製作者ではないことが多いからである。

誰が共通認識を作っており、誰がその営みに参画できずにいるのか。ミランダ・フリッカーが述べているように、人間は、世界を認識するための材料を貰ったり与えたりするなかで、認識的正義を成立させている。そこにおいて重要なのは、その営みに貢献するための力すなわちケイパビリティである（Miranda Fricker, "Epistemic Contribution as a Central Human Capability" in George Hull (ed.), *The Equal Society: Essays on Equality in Theory and Practice*, Lexington Books, 2015）。肌の色や性別などによって差別されることなしに、より多くの人がこの営みに参画するためのケイパビリティを得てゆくなかで、正義論の哲学はより公正なものに近づくだろう。

世界哲学の黎明期において、冒頭で紹介したカントの格言は、「正義はなされよ、たとえ西洋中心主義が滅ぶとも」に生まれ変わりつつある。次は「正義はなされよ、たとえマジョリティ中心主義が滅ぶとも」の番だ。それには正義論の語り手の多様性が確保されなければならず、この正義を果たす義務は徳として発揮されなければならないだろう。

さらに詳しく知るための参考文献

ジョン・ロールズ『公正としての正義　再説』（田中成明・亀本洋・平井亮輔訳、岩波書店、二〇〇四年）……ロールズは『正義論』（一九七一年）の刊行後、『政治的リベラリズム』（一九九三年）の刊行に至るまでの時期に、「公正としての正義」という自らのアイデアを、包括的リベラリズムではなく政治的リベラリズムの一形態として構想し直し、主に一九八〇年代の講義ノートにもとづく草稿を残した。本書は編者エリン・ケリーが、ロールズの承諾のもとその草稿に変更・修正を加えたもの。現代正義論の主流を読みやすく示してくれる一冊である。

林典子『フォト・ドキュメンタリー　人間の尊厳――いま、この世界の片隅で』（岩波新書、二〇一四年）……ロールズの正義論を「先験的制度主義」として批判するセンは、現実の不正義の事例を取り上げ、今よりもましな事態を実現するために社会的選択アプローチによる正義論を唱えている。だが、不正義を被っている人々の声がその社会のほんの片隅でしか響かないとき、どこを範囲とするなどのような社会的選択であれば今よりもましな事態をもたらせるのか。深く考えさせられる一冊である。

杉山春『ルポ虐待――大阪二児置き去り死事件』（ちくま新書、二〇一三年）……いわゆる「夜の街」で働くシングルマザーが子どもを虐待し、死に至らしめる事件が続いている。本事件では加害者は殺人の罪で三〇年の刑期を言い渡された。だが、加害者が事件を起こすに至った背景を知ると、加害者もまた、フリッカーが論じる認識的不正義の被害者であった可能性がうかがえる。どんな状況であろうとも育児は母親がするものだという社会通念を変えることで、救われる命があるかも知れないことを、本書は示唆している。

あとがき

『世界哲学史』全八巻の完成が目前に迫ろうとしていた七月下旬、責任編集の四名と編集者の松田さんで、振り返りの会を持ちました。その席で、伊藤邦武先生が簡にして要を得たまとめをなさってくださいました。

全体的な感想としては、いくつかの良い点をこう指摘されています。若い研究者や女性の研究者の方々からの寄稿を積極的に進めたこと、中世の比重を高めることで東西の中世へある程度の目配りができたこと、近代においても西洋偏重を正し、東西の広い範囲にわたる共通の問題意識を掘り起こすことができたこと、また従来取り上げることの少なかったアフリカやロシア、南米を取り上げることができたこと。とはいえ、それでもそれぞれの専門領域に限られた議論に陥ることも少なくなく、より柔軟な視点の確立の必要を感じたとも指摘されています。

その上で、さらに改善すべき課題として、東西のさまざまな種類の交流史あるいは影響史をさらにくっきりと浮き彫りにする必要があったこと（たとえば、中国からの西洋哲学への影響や、ユダヤ思想の広範な影響力）、そして現代について、二〇世紀以降の技術と環境、通信革新などについてより大きな関心を払うべきことを、強調されていました。

伊藤先生は単に責任編集のひとりというわけではなく、わたしたちがその判断に頼り切った大きな柱でしたので、そのご提案はすぐにみなで共有するものとなりました。そして、その残された課題を少しでも埋めるべく、別巻の構想とその具体化に向かったのです。

しかも、伊藤先生は周到にメモを準備してくださってもいたのです。それは、いくつか箇条書きになっていました。たとえば、企画の段階では考えていなかった新型コロナのような感染症を、科学哲学や情報そして国際関係や死生観との関連で、世界哲学的に読み取ること。ユーラシアの視点からロシアやモンゴルを見ることができるのか。論理や数理思想についての東西の比較研究。こういったテーマを指摘してくださったのです。

はたして、先生のご提案されたテーマをどこまで実現できたかどうかはわかりませんし、読者の方々のご判断に任せるほかはないと思いますが、別巻の方向性は伊藤先生にお示しいただいたものであることをあらためて強調しておきたいと思います。

責任編集の座談会は、結果的に伊藤先生ご不在で進めることになりました。直前に先生が病床に伏されたとうかがったからです。それでも、わたしたち三人は、「伊藤先生ならどうお考えになるのだろう」とずっと考えながら、伊藤先生とともに議論を深めていきました。伊藤先生の見解を読みたいと思われた読者もいらっしゃるかもしれません。それに対しては、この別巻全体が伊藤先生の見解であるとひとまず申し上げたいと思います。伊藤先生の手になる別巻続編は他日を期すことができればと思います。それまでしばしお待ちいただければ幸いです。

この一年間は、新型コロナによってわたしたちの生の形が大きく問い直されました。わたし自身も、この『世界哲学史』を通じて多くのことを学ばせていただき、自分の生の形をつくづく反省させられました。別の生の形を生きてみたい。このような願いが今、胸に点《とも》っております。

最後に、一緒に完走してくださった、校閲者、デザイナー、索引製作者、印刷所、書店のみなさまに、再度の御礼を申し上げたいと思います。本当にありがとうございました。編集者の松田健さんには、感謝しても感謝しきれません。松田さんは、伊藤邦武先生、山内志朗先生、納富信留先生とともに、哲学の友情を体現してくださっていたのです。

また、京都フォーラムと矢崎勝彦理事長にも感謝申し上げたいと思います。「世界哲学」という取り組みに真っ先に哲学の友情を示していただき、二年以上にわたりご支援を賜りました。記して御礼申し上げます。

二〇二〇年一〇月

別巻編者　中島隆博

編・執筆者紹介

伊藤邦武（いとう・くにたけ）【編者】
一九四九年生まれ。京都大学名誉教授。京都大学大学院文学研究科博士課程単位取得退学。スタンフォード大学大学院哲学科修士課程修了。専門は分析哲学、アメリカ哲学。著書『プラグマティズム入門』（ちくま新書）、『宇宙はなぜ哲学の問題になるのか』（ちくまプリマー新書）、『パースのプラグマティズム』（勁草書房）、『ジェイムズの多元的宇宙論』（岩波書店）、『物語 哲学の歴史』（中公新書）など多数。

山内志朗（やまうち・しろう）【編者／I 第1章・第2章】
一九五七年生まれ。慶應義塾大学文学部教授。東京大学大学院人文科学研究科博士課程単位取得退学。専門は西洋中世哲学、倫理学。著書『普遍論争』（平凡社ライブラリー）、『天使の記号学』（岩波書店）、『「誤読」の哲学』（青土社）、『小さな倫理学入門』『感じるスコラ哲学』（以上、慶應義塾大学出版会）、『湯殿山の哲学』（ぷねうま舎）など。

中島隆博（なかじま・たかひろ）【編者／はじめに・I 第1章・第3章・あとがき】
一九六四年生まれ。東京大学東洋文化研究所教授。東京大学大学院人文科学研究科博士課程中途退学。専門は中国哲学、比較思想史。著書『悪の哲学——中国哲学の想像力』（筑摩選書）、『『荘子』——鶏となって時を告げよ』（岩波書店）、『思想としての言語』（岩波現代全書）、『残響の中国哲学——言語と政治』『共生のプラクシス——国家と宗教』（以上、東京大学出版会）など。

納富信留（のうとみ・のぶる）【編者／I 第1章・第4章】
一九六五年生まれ。東京大学大学院人文社会系研究科教授。東京大学大学院人文科学研究科修士課程修了。ケンブリッジ大学大学院古典学部博士号取得。専門は西洋古代哲学。著書『ソフィストとは誰か?』『哲学の誕生——ソクラテスとは何者か』（以上、ちくま学芸文庫）、『プラトンとの哲学——対話篇をよむ』（岩波新書）など。

＊

津崎良典（つざき・よしのり）【Ⅱ 第1章】
一九七七年生まれ。筑波大学人文社会系准教授。大阪大学大学院文学研究科修士課程修了。パリ第一大学哲学科博士号取得。専門は西洋近世哲学。著書『デカルトの憂鬱――マイナスの感情を確実に乗り越える方法』（扶桑社）、共訳書『デカルト全書簡集　第四巻（1640-1641）』（知泉書館）、『ライプニッツ著作集　第Ⅱ期』（工作舎）など。

井川義次（いがわ・よしつぐ）【Ⅱ 第2章】
一九六一年生まれ。筑波大学大学院人文社会科学研究群教授。筑波大学大学院人文社会科学研究科中国哲学博士号取得。専門は中国哲学・比較思想。著書『宋学の西遷――近代啓蒙への道』（人文書院）、『知のユーラシア1　知は東から』（共編、明治書院）など。

佐藤紀子（さとう・のりこ）【Ⅱ 第3章】
一九七三年生まれ。國學院大學教育開発推進機構助教。聖心女子大学大学院人文学専攻博士後期課程修了。文学博士号取得。専門はフランス哲学。論文「闇を引き受けること――シモーヌ・ヴェイユの神秘思想」（『福音と世界』新教出版社）など。

志田泰盛（しだ・たいせい）【Ⅱ 第4章】
一九七五年生まれ。筑波大学人文社会系准教授。東京大学大学院人文社会系研究科博士課程修了。専門はインド哲学。著書 *History of Inidian Philosophy*（共著、Routledge）など。

野元　晋（のもと・しん）【Ⅱ 第5章】
一九六一年生まれ。慶應義塾大学言語文化研究所教授。慶應義塾大学大学院文学研究科修士課程修了。マッギル大学大学院イスラーム研究所博士号取得。専門はイスラーム思想史。著書 *Early Ismāʿīlī thought on prophecy* (Ph. D. diss., McGill University)、『自然を前にした人間の哲学』（共編著、慶應義塾大学出版会）。

頼住光子（よりずみ・みつこ）【Ⅱ 第6章】

一九六一年生まれ。東京大学大学院人文社会系研究科教授。東京大学大学院人文科学研究科博士課程修了。博士（文学）。専門は倫理学・日本倫理思想史・比較思想。著書『正法眼蔵入門』（角川ソフィア文庫）『道元の思想』（NHK出版）、『さとりと日本人』（ぷねうま舎）、『日本の仏教思想』（北樹出版）など。

乗松亨平（のりまつ・きょうへい）【Ⅱ 第7章】
一九七五年生まれ。東京大学大学院総合文化研究科准教授。東京大学大学院人文社会系研究科博士課程単位取得退学。博士（文学）。専門は近代ロシア文学・思想。著書『リアリズムの条件――ロシア近代文学の成立と植民地表象』（水声社）、『ロシアあるいは対立の亡霊――「第二世界」のポストモダン』（講談社選書メチエ）など。

岡田温司（おかだ・あつし）【Ⅱ 第8章】
一九五四年生まれ。京都大学名誉教授、京都精華大学大学院特任教授。京都大学大学院文学研究科博士後期課程修了。専門は西洋美術史・思想史。著書『モランディとその時代』（人文書院）、『フロイトのイタリア』（平凡社）、『映画と芸術と生と――スクリーンのなかの画家たち』（筑摩書房）、『虹の西洋美術史』『西洋美術とレイシズム』（以上、ちくまプリマー新書）など。

永井　晋（ながい・しん）【Ⅱ 第9章】
一九六〇年生まれ。東洋大学文学部教授。早稲田大学大学院文学研究科（哲学専攻）博士後期課程満期退学。パリ第一、第十、第四大学で現象学を、ラビ・マルク‐アラン・ウアクニンにユダヤ思想を学ぶ。専門は現象学。著書『現象学の転回――「顕現しないもの」に向けて』（知泉書館）、『〈精神的〉東洋哲学――顕現しないものの現象学』（知泉書館）、*Philosophie japonaise*（共編著、Vrin）。

藤原辰史（ふじはら・たつし）【Ⅱ 第10章】
一九七六年生まれ。京都大学人文科学研究所准教授。京都大学大学院人間・環境学研究科博士課程中退。博士（人間・環境学）。専門は農業思想史・農業技術史。著書『ナチスのキッチン』決定版（共和国）、『分解の哲学』（青土社）、『ナチス・ドイツの有機農業』（柏書房）、『トラクターの世界史』（中公新書）、『戦争と農業』（集英社インターナショナル新書)、『給食の歴史』(岩波新書)など。

伊達聖伸(だて・きよのぶ)【Ⅱ 第11章】
一九七五年生まれ。東京大学大学院総合文化研究科准教授。フランス国立リール第三大学博士課程修了(Ph.D.)。専門は宗教学、フランス語圏地域研究。著書『ライシテ、道徳、宗教学——もうひとつの19世紀フランス宗教史』(勁草書房)、『ライシテから読む現代フランス——政治と宗教のいま』(岩波新書)など。

島村一平(しまむら・いっぺい)【Ⅱ 第12章】
一九六九年生まれ。国立民族学博物館/総合研究大学院大学准教授。モンゴル国立大学大学院社会学研究科修士課程修了。総合研究大学院大学文化科学研究科博士課程単位取得退学。博士(文学)。専門は文化人類学・モンゴル研究。著書『増殖するシャーマン——モンゴル・ブリヤートのシャーマニズムとエスニシティ』(春風社)、『草原と鉱石——モンゴル・チベットにおける資源開発と環境問題』(共編著、明石書店)、『大学生が見た素顔のモンゴル』(編著、サンライズ出版)など。

神島裕子(かみしま・ゆうこ)【Ⅱ 第13章】
一九七一年生まれ。立命館大学総合心理学部教授。東京大学大学院総合文化研究科博士課程修了。博士(学術)。専門は政治哲学。著書『正義とは何か』(中公新書)。訳書『正義論 改訂版』(ジョン・ロールズ著、紀伊國屋書店)など。

人名索引

あ行

か行

さ行

た行

な行

は行

ま行

や行

ら行

わ行

ちくま新書
1534

世界哲学史《せかいてつがくし》 別巻《べっかん》
——未来《みらい》をひらく

二〇二〇年一二月一〇日 第一刷発行
二〇二一年 一 月二〇日 第二刷発行

編者 伊藤邦武（いとう・くにたけ）
山内志朗（やまうち・しろう）
中島隆博（なかじま・たかひろ）
納富信留（のうとみ・のぶる）

発行者 喜入冬子

発行所 株式会社 筑摩書房
東京都台東区蔵前二―五―三 郵便番号一一一―八七五五
電話番号〇三―五六八七―二六〇一（代表）

装幀者 間村俊一

印刷・製本 株式会社 精興社

ISBN978-4-480-07364-8 C0210

ちくま新書

1467 世界哲学史8 ——現代 グローバル時代の知 [責任編集] 伊藤邦武/山内志朗 中島隆博/納富信留

西洋現代哲学、ポストモダン思想から、イスラーム、中国、日本、アフリカなど世界各地の現代哲学までを渉猟し、現代文明の危機を打開する哲学の可能性を探る。

1165 プラグマティズム入門 伊藤邦武

これからの世界を動かす思想として、いま最も注目されるプラグマティズム。アメリカにおけるその誕生から最新の研究動向まで、全貌を明らかにする入門書決定版。

1060 哲学入門 戸田山和久

言葉の意味とは何か。私たちは自由意志をもつのか。人生に意味はあるか……こうした哲学の中心問題を科学が明らかにした世界像の中で考え抜く、常識破りの入門書。

1098 古代インドの思想 ——自然・文明・宗教 山下博司

インダス文明の謎とヒンドゥー教の萌芽。アーリヤ人侵入とヴェーダの神々。ウパニシャッドから仏教・ジャイナ教へ……。多様性の国の源流を、古代世界に探る。

1285 イスラーム思想を読みとく 松山洋平

「過激派」と「穏健派」はどこが違うのか？ テロに警鐘を鳴らすのでも、平和な宗教として擁護するのでもない、イスラームの対立構造を浮き彫りにする一冊。

1272 入門 ユダヤ思想 合田正人

世界中に散りつつ一つの「民族」の名のもとに存続するユダヤ。居場所とアイデンティティを探求するその英知とは？ 起源・異境・言語等、キーワードで核心に迫る。

907 正義論の名著 中山元

古代から現代まで「正義」は思想史上最大のテーマのひとつでありつづけている。プラトンからサンデルに至る主要な思想のエッセンスを網羅し今日の課題に応える。